国家社会科学基金“十三五”规划2018年度教育学重大招标课题
“建设教育强国的国际经验与中国路径研究”阶段性研究成果

全球教育治理研究系列

# 德国教育治理研究

# A Study of Education Governance in Germany

主 编 周洪宇 副主编 王建梁
岳 伟 著

长江出版传媒 | 湖北教育出版社

(鄂)新登字02号

图书在版编目(CIP)数据

德国教育治理研究/岳伟著.
—武汉:湖北教育出版社,2020.6
(全球教育治理研究系列)

ISBN 978-7-5564-2935-6

Ⅰ.①德…
Ⅱ.①岳…
Ⅲ.①教育管理-研究-德国
Ⅳ.①G551.626

中国版本图书馆CIP数据核字(2020)第049801号

德国教育治理研究 DEGUO JIAOYU ZHILI YANJIU

| | | | |
|---|---|---|---|
| 出品人 | 方 平 | 策 划 | 刘 艺 |
| 责任编辑 | 黄佑志 | 责任校对 | 王艳波 |
| 封面设计 | 牛 红 何亦明 | 责任督印 | 张遇春 |

| | | |
|---|---|---|
| 出版发行 | 长江出版传媒 | 430070 武汉市雄楚大道268号 |
| | 湖北教育出版社 | 430070 武汉市雄楚大道268号 |

经 销 新 华 书 店
网 址 http://www.hbedup.com
印 刷 湖北恒泰印务有限公司
地 址 武汉市江夏庙山开发区汤逊湖工业园
开 本 710mm×1000mm 1/16
印 张 18.75
字 数 280千字
版 次 2020年6月第1版
印 次 2020年6月第1次印刷
书 号 ISBN 978-7-5564-2935-6
定 价 95.00元

# 总 序

# 站在人类历史拐点探求全球教育治理之道

当我们把目光做一个转向聚焦，跳出教育，纵观世界，我们会惊奇地发现当今人类历史发展已处在新的拐点处——第四次工业革命正扑面而来，势不可当。这将给人类社会带来前所未有的系统而深刻的变革，也无疑会成为下一个时代教育的起点，并促使教育的变革与发展也随之迎来新的拐点。第四次工业革命的车轮驱动着全球化、新工业化、生态化、智能化和数据化时代滚滚向前，对教育发展变革，尤其是教育治理，带来了前所未有的冲击与挑战。这是全球教育治理以及中国教育治理必须构建的宏观视野。

## 一、人类历史拐点与教育发展的十字路口

在人类社会发展的历史长河中，技术革新和传播持续推动着人类创造新的世界。从农耕时代到工业时代再到信息时代，人类历史不断从一个阶段迈向另一个阶段。信息时代是人类正在经历的发展阶段，这个阶段无疑只是人类漫漫历史征程中的一个特定时期。未来，人类将走向何方？还可以走多远？

历史上，工业革命是指工业化进程中所发生的重大变革。新的制造工具的应用，推动了工业发生根本性的变革，引起了工业从旧质飞跃到新质，使国民经济的产业结构发生了重大的变化，进而使经济社会各方面出现了崭新面貌，推动了人类社会发展的进程和文明的程度。[①] 人类进入工业文明阶段后至今已经发生了三次工业革命。从18世纪第一次工业革命的机械化，到19世纪第二次工业革命的电气化，再到20世纪第三次工业革命的信息化，一次

---

① 周洪宇. 周洪宇论第三次工业革命［M］. 武汉：湖北教育出版社，2014：215.

次颠覆性的科技革新，带来社会生产力的巨大解放和生活方式的大变革，从根本上改变了人类发展的历史轨迹。

统观前三次工业革命，可以发现它们对世界发展格局都产生了巨大影响。一是都极大地促进了社会生产力的发展，带来了工业布局的新变化。第一次工业革命随一波创新浪潮而来，例如蒸汽机和棉纺机的发明。它伴随着一次历史性剧变，带来许多系统性的变化，如城市化、大众教育和农业产业化等。第二次工业革命的核心是电气化和大规模生产，为世界带来了全新的社会模式和生产方式。第三次工业革命，以电子、信息技术和网络为核心，也被称为数字革命，在过去的七十多年，实现了生产的自动化，世界互联互通，使传统的物理世界彻底颠覆。二是都引起了社会关系的重大变革。第一次工业革命导致近代社会工业无产阶级和资产阶级产生，并开启了大规模的城市化进程。第二次工业革命致使垄断组织出现，并与国家政权结合，使自由资本主义过渡到垄断资本主义。第三次工业革命使国家垄断资本主义强化，第三产业比重上升。三是都对世界格局产生巨大影响。第一次工业革命确立了资本主义对世界的统治，殖民扩张造成东方从属于西方。第二次工业革命最终形成资本主义世界体系、殖民体系，世界成为一个密不可分的整体。第三次工业革命推动了国际经济结构的调整，全球化加速，世界各国经济相互依存，联系日益紧密。相较农耕文明时代而言，工业文明时代的人类更深刻地改变和影响了地球。第一、二次工业革命所创造的财富与统治力所向披靡、无可抵挡。第三次工业革命呈现了信息技术革命、生物技术革命等新形态，表现为新能源、新技术、新材料与互联网的融合、创新和运用。① 它继续推进及强化了人类对自然的改造和控制力。

进入21世纪，科技推动社会飞速发展，大数据、人工智能、云计算等前沿技术不断取得突破，新技术、新业态、新产业层出不穷。这些因素促使第四次工业革命浪潮汹涌而至，这是一场更大范围、更深层次的科技革命和产业变革，即将深刻改变人类社会的发展进程。“第四次工业革命论”首倡者、世界经济论坛主席克劳斯·施瓦布所著的《第四次工业革命》一书认

① 周洪宇.周洪宇论第三次工业革命[M].武汉：湖北教育出版社，2014：218.

为这场革命正以前所未有的态势向我们席卷而来。其发展速度之快、范围之广、程度之深丝毫不逊于前三次工业革命。第四次工业革命的核心是智能化与数据化，它将数字技术、物理技术、生物技术有机融合在一起，即通过技术融合消除数字世界、物理世界和生物世界之间的界限。①因此迸发出强大的力量，对我们的经济和社会产生深刻影响。可植入技术、数字化身份、物联网、3D打印、人工智能、区块链、大数据、纳米技术、生物技术、材料科学、能源储存、量子计算等技术变革同步进行，融合形成一个高度灵活、人性化、数字化的产品生产与服务模式。与前三次工业革命不同，本次工业革命呈现出指数级而非线性的发展速度。原因在于我们目前生活在一个万物互联的世界，而且新技术也在不断催生更新、更强大的技术。创新的发展速度和传播速度比以往任何时候都快。这是一场深刻的系统性变革。它不仅从根本上改变了我们的生活、工作以及相互之间的关系，更改变了整个社会和我们的身份。

这些变革让各国、各类组织、人与人之间的利益和命运紧密相连，深度交融。我们认识和理解这次革命需要跨界思维。这次革命在推动生产力水平提高、物质丰富的同时，也将从速度、深度、广度上给个人以及经济、政治、社会和文化的发展带来新的冲击和变化、机遇与挑战。然而，世界经济新旧动能转换尚未完成，南北失衡等深层次、结构性问题还未消除。地缘政治冲突此起彼伏，保护主义和单边主义愈演愈烈。②这些问题与第四次工业革命带来的冲击合流，将成为影响世界和平与发展的不稳定因素。这正是我们今天所处的时代，是我们正面临的人类发展的历史拐点。

第四次工业革命和伴随着它的系统性变化，将会比以往任何时候都更加强调合作参与，要求进一步改变协同参与的方式，要求我们共同构想自己将要创造的未来。面对全球发展对沟通、合作越来越多的需求和依赖，每个国家都应该积极推进开放分享。德国政府在《德国2020高技术战略》中提出的

---

① World Economic Forum. The Fourth Industrial Revolution, by Klaus Schwab [EB/OL].[2020-01-14]. http://www. weforum. org/about/the-fourth-industrial-revolution-by-klaus-schwab.

② 习近平. 让美好愿景变为现实——在金砖国家领导人约翰内斯堡会晤大范围会议上的讲话[N]. 人民日报，2018-07-27（3）.

十大未来项目之一——工业4.0，旨在提升制造业的智能化水平，建立具有适应性、资源效率及基因工程学的智慧工厂，在商业流程及价值流程中整合客户及商业伙伴。其技术基础是网络实体系统及物联网。这是发达国家对第四次工业革命的积极回应。

全人类历史拐点的出现，把正在现代化建设道路上奋力前行的东方第一大国——中国再一次推到了历史的十字路口。前两次工业革命的缺席，使中国没有赶上西方的工业化进程，而成为工业化的后发国家。从中华人民共和国成立后的第一个五年计划起，中国在工业基础十分薄弱的条件下，开始了以工业化为核心的现代化征程。经历了从传统的社会主义工业化道路到改革开放后的中国特色社会主义工业化道路的转型，中国工业化取得了巨大的成就，中国已经从农业经济大国转变为工业经济大国。但它的工业化仍然没有完成，工业化进程仍在途中。今天，正当中国即将快速跨入工业化国家行列之际，人们眼前却横出一块“工业文明将就此止步”的警示牌，令中国蓦然站在时代大转型的历史关口。

站在人类历史拐点处，中国该何去何从？作为全球化进程的重要参与者，当前的中国也面临着经济、社会转型等重大问题。中国经济已由高速增长阶段转向高质量发展阶段，正处在转变发展方式、优化经济结构、转换增长动力的攻关期，迫切需要抓住第四次工业革命的机遇，寻找可持续发展的原动力。

放眼全球，人类正面临百年未有之大变局。基于互联网技术的智能化、数据化高度融合的第四次工业革命已经来临。我们不仅需要反思我们的经济、社会和政治体制，还需要反思我们的教育是否能够适应和引领这场深刻的变革，反思教育这把钥匙能否打开一扇可以让我们看到希望和未来的思考之门。

## 二、全球化新文明时代的教育治理

如果说告别工业化社会、迎接第四次工业革命带来的新文明是人类走出当前困境的必由之路，那么，由此催生的全球化时代则使全球治理成为现实。正在蓬勃发展的全球治理实践给全球教育治理带来了新的动力，进一步推动了全球教育治理的发展。

21世纪，随着全球化、区域一体化进程的持续发展，人类日益成为一个命运共同体。以人工智能、数据化等深度融合为标志的第四次工业革命让这种趋势愈发加速。人工智能及相关技术带来的安全和治理挑战是需要全人类共同面对的问题。同时，人类还面临许多领域的问题，如核威胁、气候变化、环境污染、疾病流行等。这些问题一旦爆发，各国很难独善其身。这就需要各国具备全球视野，协同合作，共同解决这些问题。“人类的政治生活正在发生重大的变革，其中最引人注目的变化之一，便是人类政治过程的重心正在从统治（government）走向治理（governance），从善政（good government）走向善治（good governance），从政府的统治走向没有政府的治理（governance without government），从民族国家的政府统治走向全球治理（global governance）。”[①]全球治理是国际体系中以主权国家为核心的各个行为体共同合作，通过正式制度和非正式制度安排，协调各自利益和政策，以应对全球化时代人类社会必须面对的各种跨国的全球性挑战，并支持各个国家实现国家治理水平提升的活动。从中国的角度看，全球治理与国家治理是当代中国两大战略考量。日渐崛起的当代中国，经济总量居于世界前列，成为世界经济增长的新引擎，国际社会赋予中国更多责任与希望。中国积极参与全球治理，有助于澄清当下国际社会对中国的质疑与误解，表明当代中国的担当，有助于化解国际社会对中国“参与不足”的指责，表明当代中国维护人类共同利益、推进人类共同进步的理念与追求，有助于赢得国际社会的尊重，从而引领着人类的发展。

教育治理是全球治理的一个重要组成部分，也是国家治理的具体内容。全球治理和国家治理的推进势必促进教育治理的发展。第四次工业革命必将深刻改变人类的学习方式和生活方式，引发人们对于“人”的价值的进一步思考。教育和教育治理的理念、规则、方式也不可避免地要受到影响和冲击。世界银行发布的年度旗舰报告《2018年世界发展报告：学习以实现教育的承诺》(World Development Report 2018：Learning to Realize Education’s

① 俞可平. 全球治理引论[J]. 马克思主义与现实，2002（1）.

Promise)指出，全球教育面临“学习危机”——上学却没学到知识，这不仅是浪费发展机遇，也是对全世界儿童和青少年的巨大不公。造成“学习危机”的一个重要原因就是低效的教育管理和治理。

近年来，全球教育治理的理念正在出现新的变化。2015年年底，联合国教科文组织发布了一份新的研究报告《反思教育：向“全球共同利益”的理念转变？》（Rethinking Education: Towards a Global Common Good？）。这是联合国教科文组织成立七十多年以来，继1972年出版的研究报告《学会生存：教育世界的今天和明天》（Learning to Be：The World of Education Today and Tomorrow，又称《富尔报告》，即Faure Report）和1996年出版的研究报告《教育——财富蕴藏其中》（Learning：The Treasure Within，又称《德洛尔报告》，即Delors Report）之后，又一份非常重要的报告。联合国教科文组织总干事伊琳娜·博科娃在这一报告的《序言》中开门见山地写道：“我们在21世纪需要怎样的教育？在当前社会变革的背景下，教育的宗旨是什么？应如何组织学习？本出版物的思想便是因这些问题有感而发。”她继而写道：“我确信，我们今天需要对教育再次做出高瞻远瞩的思考。”博科娃认为“再没有比教育更加强大的变革力量”。她进而强调“教育促进人权和尊严，消除贫穷，强化可持续性，为所有人建设更美好的未来”，“教育以权利平等和社会正义、尊重文化多样性、国际团结和分担责任为基础”。她最后指出：“我们必须高瞻远瞩，在不断变化的世界中重新审视教育。”这种重新审视的结果就是我们21世纪的教育应该向“全球共同利益”的理念转变。可以断定，这份报告必定像前两份报告那样对世界教育的发展产生重大影响。

随着全球一体化进程加速，全球性教育问题（如教育不平等、“学习危机”等）将持续存在而且有复杂化的趋势。通信技术、信息技术和互联网技术的飞速发展，也让教育领域的许多问题，如信息技术背景下的核心素养、信息技术教育、教育与经济同步发展、教育与创新等，成为具有全球性特质的难题。要解决这些问题，客观上要求全球教育治理这一理念、方式及行动在世界各国教育领域中发挥越来越重要的作用。它要求世界各国站在全球的高度，运用现代治理的理论和理念，以主权国家为主体，充分运用国际政府组织、国际非政府组织、公民社会等的力量，寻求问题的最佳解决方案。教育领域已显现了全球化的负面影响，需要更有效的全球治理。[①]世界主要国家，国际组织如联合国教科文组织、世界银行、经合组织、联合国儿童基金会、二十国集团、全球教育合作组织等，全球知名智库如卡耐基教学促进会、布鲁金斯学会、兰德公司、澳大利亚教育研究委员会等，都是参与全球教育治理的行为主体。它们正通过各种方式介入全球教育领域的治理。全球教育治理是顺应时代发展趋势的一种新型治理理论，如何从参与全球教育治理的诸多行为主体的行动中总结全球教育治理的实践经验、提炼理论，如何运用其推动全球教育的发展，成为当前迫切需要研究的课题。

当前，中国正处于推进国家治理体系与治理能力现代化建设的关键阶段，教育领域也不例外。中国实行改革开放的国策，把自身置于世界的开放体系之中。改革开放推动中国教育取得了举世瞩目的巨大成就，教育同步助力改革开放走向更高水平、更高层次。与此同时，教育也面临着新的更大的机遇与挑战。党的十九大确定了中国发展新的历史方位——中国特色社会主义进入了新时代。新时代的社会主要矛盾发生了变化，教育领域的主要矛盾集中体现为人民对优质教育日益增长的需求与教育发展的不平衡不充分之间的矛盾。2019年2月，中国颁布了《中国教育现代化2035》和《加快推进教育现代化实施方案（2018—2022年）》，明确了未来一段时期中国教育发展的总体思路、战略任务、实施路径与保障措施。《中国教育现代化2035》提出对内要“加快推进教育现代化、建设教育强国，办好人民满意的教育”，对外则是要开创教育对外开放新格局，“积极参与全球教育治理，深度参与国际教育规则、标准、评价体系的研究制定。推进与国际组织及专业机构的教育交流合作。健全对外教育援助机制”。[②]文件方案的出台标志着中国教育现代化走向新时代、新目标和新征程。[③]推进教育现代化、建设

---

① 卡伦·芒迪. 全球治理与教育变革：跨国与国际教育政策过程研究的重要性[J]. 申超，译. 北京大学教育评论，2011（1）.

② 中共中央、国务院印发《中国教育现代化2035》[N].人民日报，2019-02-04（1）.

③ 周洪宇，刘大伟. 中国教育现代化走向新时代新目标新征程[N]. 中国教育报，2019-04-01（1）.

教育强国和参与全球教育治理势必对教育治理的理念、体系、制度、内容、方法等提出新的要求。当前，中国已置身于第四次工业革命主导的全球化、智能化、数据化、信息化、生态化时代，教育治理理念也将升级换代。第四次工业革命这一全人类共同面临的巨大变革，同样对不断深化改革、扩大开放的中国产生影响，也对中国的教育治理提出全方位挑战。对于当今的中国而言，建立现代教育治理体系、完善学校内部治理结构、推进教育治理体系与教育治理能力的现代化，不仅是重要的，而且是十分紧迫的时代任务。2019年10月召开的中共十九届四中全会通过了《中共中央关于坚持和完善中国特色社会主义制度、推进国家治理体系和治理能力现代化若干重大议题的决定》，提出要把我国制度优势更好地转化为国家治理效能，具体在教育领域，要“发挥网络教育和人工智能优势，创新教育和学习方式，加快发展面向每个人、适合每个人、更加开放灵活的教育体系，建设学习型社会”。十九届四中全会关于教育的论述及时地回应了第四次工业革命给教育带来的机遇和挑战，为国家教育现代化指明了方向。同时，参与全球教育治理亦是中国由教育大国走向教育强国的必由之路。中国由教育大国向教育强国迈进的征程中，在努力实现本国教育现代化的同时，秉持共商共建共享的全球治理观，积极参与全球教育治理，为人类社会贡献中国特色的教育智慧、教育治理方案和力量，既是中国的使命，亦是担当，更是走向教育强国、负责任大国的必然选择。①研究国家教育治理及全球教育治理的理论、实践、经验及教训，成为中国教育学术界的当务之急。

## 三、研究全球教育治理是中国教育学术界的当务之急

作为当代中国怀抱着理想、洋溢着激情、时刻关注着中国乃至人类命运、富有社会责任感和历史使命感的学术研究者，我们有义务也有责任从事教育治理包括全球教育治理的研究工作。作为当下中国主要民间教育智库之一的长江教育研究院及高校教育智库——华中师范大学国家教育治理研究

① 周洪宇，付睿. 参与全球教育治理：从教育大国走向教育强国的必由之路[J]. 世界教育信息，2018（3）.

院的重要成员，我们有义务也有责任从事教育治理包括全球教育治理的研究工作。我们的研究原则是“全球视野，中国本位，问题导向，专业研究”，这与我们智库的定位与目标“立足华中，影响全国，走向世界”，研究风格“全球视野，中国特色，专业能力，实践导向”，以及基本宗旨“民众立场，建设态度，专业视野”等，都是一致的。我们希望通过开展全球教育治理研究，“出思想，出人才，出产品，出效益”，真正发挥学术研究者的作用，推动中国的教育改革和发展，推进中国的教育治理体系与治理能力现代化进程，乃至促进全球教育治理理念、结构与体系的变革。

为此，我们以长江教育研究院、华中师范大学国家教育治理研究院的专家学者为主，同时邀请国内外知名高校的一批国别教育研究专家参与，组织撰写了这套“全球教育治理研究系列”。这套丛书的编写目的，就是要在全球化及第四次工业革命的背景下，探讨全球教育治理的理念、经验教训和趋势，进而讨论中国教育治理的发展道路。丛书涉及三个层面的视角，即超国家层面、国家层面、次国家层面。超国家层面主要研究联合国相关部门、国际组织、大型跨国公司等，分析其对全球教育治理进行研究的成果、形成的研究报告和政策是怎样影响世界各国的。国家层面研究各国在全球教育治理的背景下是如何根据本国国情进行本国国家教育治理的。次国家层面更加中观和微观地审视一个国家各级行政区划内部的教育治理，甚至细化研究一类教育类型的治理或者一所学校的治理。丛书围绕上述三个层面开展研究，力图完整清晰地展示全球教育治理的全貌及其基本特征，为教育研究者、教育工作者提供一个全面深入了解全球教育治理的窗口。

几年前，我在组织编写“教育智库与教育治理研究丛书”（共14册，湖北教育出版社2016年出版）的同时，就已经设想接着要向两头延伸，继续组织编写“全球教育治理研究系列”和另一套“全球教育智库研究丛书”，最终形成“教育智库与教育治理研究”的“三部曲”。为此，2016年编写出版第一套研究丛书后就以第一套丛书的部分作者为基础，本着五湖四海、众志成城的基本原则，在全国物色合适作者，在综合考虑研究能力与研究专长的基础上，最终确定了本丛书各册的写作者。与此同时，由湖北教育出版社牵头积极申报国家出版基金资助项目，“全球教育治理研究系列”成功获批

2017年度国家出版基金资助立项，使后续工作有了良好的开局。

“全球教育治理研究系列”共10册，具体如下：

1.《全球教育治理研究导论》（华中师范大学教授、博士生导师周洪宇，华中师范大学副教授付睿著）

2.《中国教育治理研究》（华中师范大学教授、博士生导师周洪宇，湖北大学教务处副处长、博士后李中伟，华中农业大学教授陈新忠著）

3.《美国教育治理研究》（华中师范大学教授戴伟芬，湖北幼儿师范高等专科学校学前教育系副主任李娜等著）

4.《英国教育治理研究》（浙江大学教授阚阅著）

5.《德国教育治理研究》（华中师范大学副教授岳伟著）

6.《日本教育治理研究》（湖北大学教授赵霞著）

7.《加拿大教育治理研究》（中南民族大学教授汪丞，加拿大布鲁克大学教授、博士生导师路春雷，加拿大布鲁克大学博士后荣文婷著）

8.《俄罗斯教育治理研究》（辽宁师范大学副教授乔桂娟著）

9.《印度教育治理研究》（华中师范大学教授、博士生导师王建梁著）

10.《南非教育治理研究》（华中师范大学副教授李先军著）

“全球教育治理研究系列”有总有分，总分结合，以分为主，由点到面，兼顾发达国家和欠发达国家，覆盖面尽量广一些。其中，《全球教育治理研究导论》主要从超国家层面研究全球教育治理的基本理论，以及重要的国际组织、知名智库、机构参与全球教育治理的理论及其实践，并对中国参与全球教育治理的情况进行梳理分析，试图从整体上建构全球教育治理的一般理论体系，为中国及其他行为主体参与全球教育治理提供理论和实践基础。其他各册以国家层面为主，同时兼顾次国家层面，对全球重要国家的国家教育治理理论及经验进行研究，指出对中国进行国家教育治理及参与全球教育治理的可借鉴之处及启示。

受湖北教育出版社委托，全套图书由我担任主编，提出研究思路，规划整体布局，拟定研究大纲，草拟写作体例，统审系列书稿。比较教育专家王建梁教授担任副主编，协助我联络作者，审改初稿，处理日常事务。我们希望未来在此基础上再组织一套以教育治理不同方面为重点的研究系列，与此套丛书相辅相成，相得益彰。在此，我代表丛书编委会向丛书的各位作者及编辑人员表达诚挚的敬意，向对此套丛书编写出版工作作出指导与提供支持的各界人士表示感谢。由于教育治理研究，尤其是全球教育治理研究，在国内才刚刚起步，基本上没有什么可供参考的论著，完全是靠我们自己的摸索，此套丛书不成熟之处在所难免，还请各位读者不吝指教。

周洪宇

2020年5月1日

# 目　录

# 绪　论

近代德国的崛起在很大程度上得益于其相对先进的教育。18世纪末，普鲁士就开始推行义务教育。19世纪初，柏林大学所开创的现代大学治理模式，成为当时各国竞相效仿的典范。第二次世界大战结束后，联邦德国继续大力发展教育事业，这是它能够迅速实现复兴并再度跻身于世界强国之林的重要原因。

从20世纪90年代起，“治理”日益成为国际社会科学领域的一个时髦词语，也成为社会科学的一种新的分析框架。研究德国教育治理问题，主要就是为了将治理理念与方法应用于德国教育领域，探讨德国教育治理的演进、结构、运行机制、主要特点、具体措施以及成效与不足。

西方学者，尤其是德国学者在德国教育治理方面的研究已取得了较为丰硕的成果。

在德国基础教育治理研究领域，施普林格出版集团出版的“教育治理”丛书无疑是近年来最具代表性的著作。该丛书第一卷在总结部分指出，目前教育治理的研究主要集中在大学治理方面，而在其他领域，教育治理研究还有很大的发展空间。因此，这套丛书中已出版的33卷基本都是有关德国基础教育治理理论与实践的著作，内容涵盖学校与政治关系、学校系统调控机制及改革、教学调控机制及改革、考试调控机制及改革、学校创新治理、学校绩效、地方与社区基础教育治理、专家治校、教育资助与教育公平、教师教育治理等诸多方面。①

在德国高等教育治理研究领域，近年来也出现了很多相关成果。其中比较有代表性的是德国学者乌韦·威尔克斯曼的《高校治理——一个政策领域

① ALTRICHTER H，BRÜSEMEISTER T，WISSINGER J. Educational Governance [M]. Wiesbaden：VS Verlag für Sozialwissenschaften，2007-2016.

如何进行控制》一文。该文根据前人研究，将高校治理分为三个层次，即宏观层次——国家与高校关系、中观层次——高校内部的治理和微观层次——学者个人决策，并分别对这三个层次相关理论进行了概括和总结。在进行一系列实证分析之后，威尔克斯曼认为高校治理并不仅仅是简单的治理策略控制，更多的是一种框架控制，是对教学中所发生的社会化进行控制。只有在“行为规则层面”，而不是“行为层面”才能确定治理策略。[①]此外，还有一些著作只针对高校治理的某一方面展开研究，如乌韦·席曼克关于高校“科学研究治理”的研究。[②]再如，彼得·克雷特克等对高校委员会在高校治理中的作用的探讨等。[③]

德国职业与继续教育治理研究领域也有一些成果问世。由于德国的中等职业教育属于基础教育的组成部分，施普林格出版集团出版的“教育治理”丛书也对职业教育治理给予了一定的关注，如乌特·克莱门特的《与社会系统结合的教育治理——以职业教育为例》一文认为，德国双元制职业教育涉及国家部门、教育机构、私营企业、利益集团等多个主体，是典型的跨系统和多层交叉型教育领域，因此，将长于多元主体、多层系统分析的治理理论引入职业教育体系的研究，无疑将会收益颇丰。[④]马丁·贝特格的《德国职业教育体系治理模式的腐化》一文通过分析德国职业教育治理的特点和法团主义治理模式在职业教育政策中所面临的挑战，认为对学校教育和就业培训的衔接关注不足，是目前德国双元制职业教育治理体系存在的核心问题。[⑤]不过，目前德国学界专门以“德国职业教育治理”为题展开研究的成果并不多见，此类研究仍多散见于有关职业教育政策及调控的成果之中。

---

① BANDELOW N C. Pluralismus-Strategien-Entscheidungen，Annäherung von Theorie und Praxis in der Politik [M]. Wiesbaden：VS Verlag für Sozialwissenschaften，2011，S. 307，320.

② DAGMAR S. Handbuch Wissenschaftspolitik [M]. Wiesbaden：Springer VS，2015.

③ WILKESMANN U. Hochschule als Organisation [M]. Wiesbaden：VS Verlag für Sozialwissenschaften，2012.

④ ALTRICHTER H. Educational Governance：Handlungskoordination und Steuerung im Bildungssystem [M]. Wiesbaden：VS Verlag für Sozialwissenschaften，2007，S. 207-208，221-227.

⑤ DINGELDEY I. Wandel der Governance der Erwerbsarbeit [M]. Wiesbaden：Springer VS，2015，S. 273-300.

涉及德国信息化教育治理或教育信息化治理的成果主要有以下三类：一是关于信息化教育、媒体教育或数字化教育的研究。具有代表性的如施普林格出版集团的“媒体教育与社会”丛书，从媒体教育与社会、媒体教育教学法、人与媒体、媒体文化与教学空间、移民媒体教育、网络时代的青年保护、幼儿园媒体教育等不同方面，展示了各种主体在德国推行信息化教育的动机和过程，为研究信息化教育治理中不同主体间的功能及互动提供了重要的材料支撑。[①]二是关于信息化或数字化学习的研究。数字化学习的控制与评价是完善信息化教育治理的关键。米歇尔·瓦赫在德国大型信息化教育开放资源网站“校园资源”发表的《数字化学习——数字化时代的教育》一文，对德国主要数字化学习平台及其运作主体进行了介绍和评判。[②]克里斯托夫·雷弗曼等人和米歇尔·布赖特纳领导的团队则在《中小学媒体网和数字化学习》和《数字化学习：切入理念和业务模式》两书中分别对德国中小学和高校数字化学习的理念和模式进行了研究。[③]三是关于高校信息化治理或信息化管理的研究。如乌尔里希·朗等在《首席信息官与德国高校的信息化治理》一书中对德国高校首席信息官的设立、功能及其在学校信息化治理中的作用所做的研究，以及阿恩特·博德等在《高校信息化管理》一书中以慕尼黑理工大学的“信息与通信战略”为核心，对德国高校信息化管理的结构和过程所做的研究。

最后，还有一些成果涉及德国移民教育治理领域。此类研究成果主要可分为两类：一是关于融入课程管理与评价的研究。如古德龙·亨特格斯在《融入与德国概况课程：理念、冲突与经验》一文中在和欧洲其他国家的融入课程进行比较的基础上，对德国融入课程尤其是其中的“德国概

---

① FROMME W. Medienbildung und Gesellschaft [M]. Wiesbaden：VS Verlag für Sozialwissenschaften，2006-.

② Michael Wache. E-Learning-Bildung im digitalen Zeitalter [J/OL]. [2016-12-02].https://www.campussource.de/opensource/docs/E-Learning_Bildung_digitales_Zeitalter.pdf.

③ REVERMANN C. Mediennutzung und eLearning in Schulen Sachstandsbericht zum Monitoring »eLearning« [M] Berlin：Das Büro für Technikfolgen-Abschätzung beim Deutschen Bundestag (TAB)，2007. BREITNER M. E-Learning：Einsatzkonzepte und Geschäftsmodelle [M]. Heidelberg：Physica-Verlag，2005.

况课程”的教学理念、开课计划和学习效果进行了深入的研究。[①]除整体性研究外，还有对德国某一地区或某一移民团体融入课程展开的研究，如托马斯·孔茨的《社区与联邦层面上的融入课程：对新控制机制的批判性阐释——以美因河畔法兰克福为例》[②]和凯特巴德·雅兹丹尼的博士论文《融入课程之融合？伊朗移民融入进程研究》[③]。二是关于跨文化教育的研究。其中的代表当属1995年作为“学校与社会”丛书第四卷首次出版、后经多次再版的沃尔夫冈·尼克的经典著作《跨文化教育：日常生活中的价值取向》[④]。该书不仅详细地描述了跨文化教育在德国的发展历程和理念特色，还对德国跨文化教育的制度结构和理论价值冲突进行了阐释和评价。

中国学术界对德国教育治理的研究，除了散见于各类有关德国教育管理或教育体制的著作外，基本都集中于大学治理领域。如张新科的《德国高等教育管理及大学治理》一书从高等教育管理体制及运行机制、大学制度、大学理念、大学发展定位、大学教授的作用、就业工作等诸多方面对德国高等教育及大学治理进行了详细的考察。[⑤]另外，从事德国教育研究的俞可、巫锐、李强等也发表了相关方面的论文。[⑥]不过，目前国内从总体上研究德国教育治理的著作还非常罕见。

本书的总体研究思路是，首先在探讨德国教育治理形成与发展的基础上，分析当代德国教育治理的结构和运行机制，并对其基本特征进行总结；

---

① HENTGES G. Migrations-und Integrationsforschung in der Diskussion，Biografie，Sprache und Bildung als zentrale Bezugspunkte［M］. Wiesbaden：VS Verlag für Sozialwissenschaften，2010，S. 23-78.

② BARINGHORST S. Politische Steuerung von Integrationsprozessen，Intentionen und Wirkungen［M］. Wiesbaden：VS Verlag für Sozialwissenschaften，2006，S. 175-194.

③ YAZDANI K. Integration durch Integrationskurse? Eine Verlaufsstudie bei iranischen Migrantinnen und Migranten［D］. Universität Bremen，2014.

④ NIEKE W. Interkulturelle Erziehung und Bildung：Wertorientierungen im Alltag［M］. Wiesbaden：VS Verlag für Sozialwissenschaften，2008.

⑤ 张新科.德国高等教育管理及大学治理［M］. 南京：南京大学出版社，2014.

⑥ 俞可. 在夹缝中演绎的德国高校治理［J］. 复旦教育论坛，2013（5）:14-20. 巫锐. 德国高等教育治理新模式：进程与特征——以“柏林州高校目标合约”为中心［J］. 比较教育研究，2014（7）:1-5.李强. 德国大学治理的特点及启示［J］. 当代教育科学，2010（1）:40-42.

然后再从结构、运行机制和具体措施等方面，依次对德国基础教育、高等教育和职业教育治理进行研究；接着在考察信息化教育治理和移民教育治理启动背景与进程的基础上，分别论述这两大新兴教育治理的结构、运行机制和完善措施等；最后，再以总结成效与不足为基础，归纳出德国教育治理的经验教训。

相较国内学界之前关于德国教育的研究，本书的创新突破之处主要包括：通过引入治理理念，探讨德国教育体制内部的权力分配及其相互作用；既从整体上分析了德国教育治理的结构、运行机制和基本特征，又结合实例分领域考察了德国教育治理的具体实施情况；对非国家主体在德国教育体系中的地位和作用给予了较多关注；总结了德国教育治理的成效及不足。

# 第一章　联邦德国教育治理的历史演进

联邦德国教育治理的历史演进，指的是不同层次、不同类型的相关主体在该国教育领域中所扮演的角色及其相互权力关系的演变过程。在长期的历史发展过程中，联邦德国逐渐形成了具有自身特色的教育治理模式。

## 第一节　建国之初教育治理基本原则的确立

联邦德国教育治理体系十分复杂。通过吸取历史上的经验与教训，联邦德国在教育治理中，确立了文化（教育）[①]自由主义、文化联邦主义和代表多元主义等基本原则。

### 一、确立的历史背景

自近代早期以来，以普鲁士为代表的神圣罗马帝国各邦开始从教会手中夺取教育控制权，逐步建立了由国家负担的公立教育体系。19世纪初亚历山大·冯·洪堡改革之后，教授治校和学术自由原则也开始在普鲁士高校中确立。到魏玛共和国时期，国家对教育的责任终于被写入宪法。纳粹统治被推翻后，盟国对纳粹的专制教育体制进行了全面改造。在这一过程中，德国西占区和联邦德国逐步完成了教育重建的任务，恢复了德国传统的双轨制学校体系。建国前的历史经验，为联邦德国教育治理基本原则的形成奠定了基础。

#### （一）1945 年之前德国教育治理的演变

中世纪的德意志长期处于四分五裂的局面。教会控制着教育。三十年战

---

① 德文“文化”（Kultur）一词可包括“教育”的含义，因此有时Kultur可译为“文化教育”，简称“文教”。

争之后，随着德意志各邦国官僚机构的日益完善，各邦国越来越积极地参与教育事务。1716—1717年间，普鲁士国王弗里德里希·威廉一世开始推行义务教育制度，并将初等学校的管理权从教会收归到政府手中。到弗里德里希大帝时，不仅义务教育法进一步得到完善，还建立了直属国王的中央学校管理委员会。19世纪初，在拿破仑战争刺激下，普鲁士实施了由洪堡主持的较为全面的教育改革，进一步加强了政府对教育的控制与规范。

1871年，普鲁士通过王朝战争建立了德意志帝国。德意志帝国是一个联邦制国家。其教育制度并不统一。帝国宪法中没有关于文化教育事务的规定，各邦国、自由市等在文化教育领域仍然享有自治权，但帝国议会和政府也可以颁布法令，对各地的教育治理施加影响。如1890年，年轻的德国皇帝威廉二世曾在全国中小学会议上对文理中学的教学体制和内容进行了激烈的批判。[①]在德皇的推动下，帝国议会于1900年颁布一项法令，规定高级实科中学的毕业生也和传统的文理中学一样具有升入大学学习的权利。

第一次世界大战后，德意志帝国被推翻，魏玛共和国建立。魏玛时期德国的教育治理基本继承了帝国时期的状况。不同的是，魏玛民主宪法中出现了有关教育的规定。首先，对国家、社会参与教育事务的权利及义务做出了明确的规定。如第120条规定义务教育由国家监督等。其次，明确规定德国在教育上实行的是分散的联邦制。如第143条规定教育设施由各邦及其下辖的区共同负责，贫困生资助和国民学校举办则由联邦、各邦及区协力完成。最后，对国家监督下的学校自治也做出了明确规定。第142条规定学术自由受法律保护；第144条规定教育事务在国家监督之下，第147条规定经国家许可后可创办私立学校等。[②]

**（二）战后初期德国西占区和联邦德国的教育民主化与教育体系的重建**

1933年希特勒上台，实施独裁统治，德国迈入纳粹时代，纳粹德国实行的是集权式教育体制。第二次世界大战中纳粹德国被彻底击败。二战结束后，英、美、法、苏四国对德国进行了分区占领。苏联在占领区实行社

---

① 李其龙，孙祖复.联邦德国教育改革[C].北京：人民教育出版社，1991：17-22.

② Die Verfassung des Deutschen Reichs vom 11.August 1919[G]//Reichsgesetzblatt，1919：1383.

会主义改造，英、美、法三国则在占领区内实行“4D化”改造（“非军事化”“非纳粹化”“非集中化”“民主化”改造）。通过改造，德国的国家治理模式也发生了根本性转变。在西方盟国的主导下，德国西部在1949年9月建立了一个西方民主式的联邦制国家——德意志联邦共和国（联邦德国）。联邦德国将当时西欧流行的民主社会主义和市场经济相结合，逐步形成了社会市场经济制度。20世纪五六十年代，联邦德国经济快速发展，从摇篮到坟墓的福利国家体系也日益完善。而德国东部于1949年10月宣告成立德意志民主共和国。德意志民主共和国于1990年宣布加入联邦德国。因此本书主要描述和分析联邦德国教育治理的状况。

教育民主化是西方盟国对德国民主化改造的重要组成部分。纳粹时期的集权教育治理体系被彻底否定，德国教育中与纳粹主义有任何联系的内容，尤其是以普鲁士精神为代表的专制主义、民族主义和军国主义都被清除。西方盟国还企图在德国建立一套符合西方民主精神的教育制度。如美占区在1946年9月教育考察代表团的报告中就提出了一系列促进德国教育民主化的措施，如改革双轨制学校体制，对全民实施统一的教育；将公民民主教育作为教育的重要内容；鼓励采用民主方式授课等。但西占区有不少德国人不愿改革他们视为德国特色的双轨制教育系统。因此，1948年2月的全德各州文教部长会议虽提出了在教育目标、学校发展、教学内容等方面贯彻民主、公正原则，但并未触动双轨制教育体系。1949年10月颁布的《德意志联邦共和国基本法》（以下简称《基本法》）则规定“开设私立学校权利受到保障，预备学校予以取缔”等，虽然带有民主教育的意味，但也并未超出魏玛宪法的水平。

战后初期，德国教育面临严重困境。校舍毁坏严重，教学材料和师资奇缺，青少年学生也严重营养不良。1948年之后，随着经济奇迹的出现，联邦德国投入大量资金建设、修复校舍。

由于各州文教部长1948年的协议和联邦《基本法》都没有对双轨制教育体制做出实质性变动，所以联邦德国其实就是基本复原了魏玛时期的教育体系。小学依然为四年制，只有少数社会民主党执政的州增加了两年的定向阶段。中学依然被划分为文理中学、国民学校高级阶段（1959年之后改称主体中学）、中间学校（1959年之后改称实科中学）等，并没有实现并轨。

正是在本国历史传统和西方盟国教育民主化的影响下，联邦德国确立了教育治理的基本原则。

## 二、确立的基本原则

建国之初，联邦德国在教育治理中确立了文化（教育）自由主义、代表多元主义和文化联邦主义等基本原则。

### （一）国家监督下的文化（教育）自由主义和代表多元主义

联邦德国法律规定国家对教育负有监督之责。联邦《基本法》第6条第2款规定“抚养和教育子女是父母的自然权利和首要义务。其行为受国家监督”；第7条规定“整个国家教育处于国家监督之下；私立学校取代公立学校应经国家批准并符合各州法律”。不来梅州《州宪法》第28条规定“教育处于国家监督之下”；第29条规定“私立学校经由国家批准设立”。巴伐利亚州《州宪法》第130条“国家对学校和教育的监督”规定“所有学校和整个教育被置于国家的监督之下”“国家监督由全职的、受过专业训练的官员执行”；第134条要求“私立学校的开设需经过国家批准”。其他各州宪法中对国家监督教育也都有明确的规定。

在国家监督之下，文化教育活动可自由开展，且受国家保护。从纳粹时代的文化专制吸取教训，联邦《基本法》第5条第3款规定：“艺术与科学、研究与讲学均属自由，讲学自由不得免除对宪法之忠诚。”各州宪法基本都明确规定自己负有促进文化教育发展之责。如不来梅州《州宪法》第11条规定：“艺术、科学及讲学自由。国家承诺保护它们并参与对它们的扶植。”法律关于教育治理中自由主义原则的规定，为德国学校自治和社会团体自由参与教育治理奠定了基础。但是，根据联邦宪法法院的权威解释，《基本法》中所说的文化自由，不是传统意义上的个人自由，也不是个人主观上的一种绝对的自由，而只是一种客观上的自由，即“按照国家目标确定和文化国家来理解的现代国家……包含和推动了自由的文化生活”。因此，《基本法》除了在本条中直接对讲学自由进行法律限制外，还在第2条第2款中，对其他文化自由权利进行了法律限制：“个人之自由不可侵犯。各州法律对此也有明确规定。此等权利唯根据法律才可以干预。”

由《基本法》第9条“结社自由”和第20条“德意志联邦共和国为民主、社会之联邦国家”原则还衍生出了文化宪法中的代表多元主义。“以国家为一方，以社会公共部门为另一方的竞争，保证了文化的公共性、创造力和活力。宪法按照多元主义在国家与社会间分配权力，在决策层面上国家与社会形成了代表多元主义原则，即在宪法国家和社会团体之间分配文化管理权。文化多样性和文化自由就是这些宪法国家和社会共同担负责任的明证。合作式文化宪法权是国家代表主义和保护个人文化权利的必不可少的补充……这些工作既不是国家也不是公民个人所能完成的。”①代表多元主义保证了联邦德国非国家社会团体在文化教育治理方面拥有与国家相同的参与权。

**（二）文化联邦主义**

在联邦德国建立早期，国家的教育功能几乎全部由州和地方负担。联邦对教育治理的重视程度远低于政治、军事、财政、外交等领域，这可从历届联邦议院选举时政党的竞选计划中看得出来。这一方面是为了吸取纳粹文化教育独裁的教训，恢复德国地方文化自治的传统；另一方面也是由于在二战后接受改造和重新立国的进程中，联邦德国接受并认同了联邦权力来自各州的法律观念。因《基本法》并未明确规定文化权力归联邦所有，所以依照《基本法》第28、30条所确立的联邦主义原则，联邦德国各州至今仍然是国家文化权力的主要承担者。“国家权力之行使及国家职责之履行，为各州之事，但以本《基本法》未另有规定或许可者为限。”这一规定表明联邦德国各州在文化教育事务方面享有“自主权”。北莱茵－威斯特法伦州《州宪法》（以下简称北威州《州宪法》）第18条规定：“艺术、科学由州及地方推动。”②1957年联邦宪法法院再次裁决文化教育属于各州权力的核心。③

① KLEIN A. Kulturpolitik，Eine Einfuhrung[M]. Wiesbaden：VS Verlag für Sozialwissenschaften，2009，S.82.

② Verfassung für das Land Nordrhein–Westfalen Vom 18. Juni 1950（Auszug）[G]//GV. NW. 1950：127.

③ HEPP G F. Bildungspolitik in Deutschland[M]. Wiesbaden：VS Verlag für Sozialwissenschaften，2011，S.108.

这种权力既包括州议会的教育立法权和预算审批权，也包括各州文教部和法院通过行政命令和司法判决所实行的监督。学校教育的规划、组织、人事、督导，乃至课标制订、教材编写等大都被置于州级国家机关的监督之下。

但《基本法》确定联邦可以在以下领域参与教育治理：（1）对海外中小学事务拥有完全立法权（第73条）；（2）在校外职业教育事务中拥有竞争性立法权（第74条第1款第11项）；（3）在作为公共救助的青少年儿童援助事务中拥有竞争性立法权（第74条第1款第7项）。联邦在教育领域的这三项权力一直被保留至今。①此外，受历史传统影响，再加上各界对教育统一化的呼声不断提高，各级各类国家机关之间也开始了初步的合作治理：

首先，各州内部不同级别国家机关在教育领域的合作治理已经出现。联邦德国地方行政层级因州而异。一般来讲，巴伐利亚州、北威州、黑森州和巴登－符腾堡州内设有大区、县、乡镇三级，柏林、不来梅、汉堡三个城市州内设有城区，其中柏林和汉堡在城区下还设有街区一级，其他州则主要为县和乡镇两级。②

各州之下的地方国家机关和乡镇在法律许可的范围内与州共同参与学校治理。在学校监督方面，州主要负责高等学校，并指导地方的工作。而地方国家教育机关和乡镇主要参与高校以外的教育监督。在财政负担方面，德国传统上由各州负责学校的“软件”，包括教授工资福利、教学运行费用及其他内部流动性支出。而学校的“硬件”则一般由地方负担，包括校舍、装备、设备、维修、管理等与地方事务相关的实物性、服务型支出。

其次，各州在教育领域横向的合作治理也在这一时期出现。为了协调各州之间的文化教育政策，联邦德国各州文教部长常设会议于1949年10月8日成立。常设会议只是一个由各州文教部长及顾问们自愿参加的协调性机构，既没有立法权，也没有行政管辖权，但它在联邦德国教育治理结构中却占有极其重要的地位。

---

① HEPP G F. Bildungspolitik in Deutschland[M]. Wiesbaden：VS Verlag für Sozialwissenschaften，2011，S. 109–110.

② 严格地说，德国的乡镇只是公法性社会机构，不是国家机关。但传统上一般会将其当作最基层的国家职能行使者来看。

最后，联邦与州之间的纵向合作也在此时出现。早年联邦与州之间的教育协调机构主要进行咨询工作。1952—1965年存在的德国教育委员会就是由联邦及各州共同指派的成员组成的。该机构的主要任务是制订发展规划，如《关于改革和统一普通教育体系的总纲计划》（简称《总纲计划》）等。但由于结构缺陷和政党分歧，这一机构在联邦德国教育治理方面其实并未起到十分重要的作用。而与此同时，联邦与各州在1957年建立的科学委员会却在高等教育治理方面发挥了较为重要的作用。科学委员会主要由科学家和数量相等的联邦及州级国家公共部门代表共同组成，其任务是为科学发展，包括高等教育编制总体规划、政策建议和调查评价。“科学委员会从内容和形式方面为联邦政府及州政府提供有关高校、科学、研究发展问题的建议。”①

## 第二节　20世纪60年代末以来教育治理的变革

1969—2006年，联邦的权力几乎扩展到教育的各个领域。但此后联邦的权力被大幅度缩小，各州也加快了简政放权的步伐，并开始进一步在教育领域引入绩效考核机制。不过，2006年以后德国对教育领域的突出问题也加大了治理的力度。

### 一、20世纪60年代末至70年代教育治理中联邦权力的扩大

为了进一步实现教育公平和统一，1969年联邦德国曾对《基本法》进行了一系列修改，扩大了联邦在教育治理中的权力。

#### （一）1969—1971年教育改革的背景

“合作联邦主义”是联邦德国国家治理所奉行的基本原则之一。

20世纪60年代中后期开始，由于后工业社会转型给国家治理带来了许多新的问题，联邦德国出现了集权化趋势。分散的联邦主义教育治理模式，

① Wissenschaftsrat. Über unz[EB/OL].[2016-12-05]. http://www.wissenschaftsrat.de/ueber-uns.html.

尤其是各州在学校形式、教学计划、教学手段、毕业考试方面的不同规定，引起了公众和政界的强烈不满。而此时经济合作与发展组织的相关报告也给了联邦德国加强教育治理的压力。1963年时，联邦总理路德维希·艾哈德在政府声明中将教育问题摆在与19世纪时社会问题同等重要的高度。[①]1964年乔治·皮希特发表《德国教育的灾难》一文，痛陈联邦德国教育的种种弊病。1965年社会学家拉尔夫·达伦多夫发表《教育是公民权》，要求实现教育机会均等。“68运动”期间，激进的左派大学生也要求对高校的管理体制和教学内容进行改革。

为了进一步实现教育公平和统一，同时安抚学生的不满情绪，在与各州地方势力进行激烈斗争之后，1969—1971年间，库尔特·基辛格大联合政府和维利·勃兰特政府对《基本法》进行了一系列修改，扩大了联邦的教育治理权，完善了联邦与州纵向上的合作治理。

**（二）联邦权力的扩大**

一方面，将教育治理中的某些事务列为联邦与各州的共同任务。1969年《基本法》第91a条将“大学包括大学医院之建立与新建”列为联邦与州的共同任务。第91b条要求联邦与州须在“教育计划、推动科研机构建设及活动方面”展开合作。在此基础上，联邦于1969年制定了《高校建设促进法》，并在1971年5月7日与各州达成了《关于建立教育实验模型的筹备、实践及其他相关事宜的协调性框架协议》。在这两部法律文件中，联邦通过参与教育规划和财政预算等“共同任务”，实现与各州的合作治理，促进具有全国性意义的教育事业的发展。[②]

另一方面，在“共同任务”之外，《基本法》还通过赋予联邦立法权使其能够参与其他领域的教育治理。第75条第1款a项赋予联邦为高等教育制

---

① HEPP G F. Bildungspolitik in Deutschland [M]. Wiesbaden: VS Verlag für Sozialwissenschaften, 2011, S. 123, Große Regierungserklärung des Bundeskanzlers Erhard am 18. Oktober 1963. Deutscher Bundestag, Stenographische Berichte 4/90 [J/OL]. Das Ende der Nachkriegsgeschichte? 18. Oktober 1963 [2016-12-02].

② Gesetz über die Gemeinschaftsaufgabe „Ausbau und Neubau von Hochschulen“ (Hochschulbauförderungsgesetz) [G]// Bundesministerium der Justiz. BGBl. I. Bonn: Bundesanzeiger Verlag, 1981: 893.

定一般准则的权力；74条第13款将“职业教育资助管理及科研促进”列为联邦可参与的竞争性立法范围。74a条第1款则将联邦的竞争性立法权延伸至州公教人员薪酬的给付方面。[①]以此为基础，联邦议院先后通过《高校总纲法》、《联邦教育促进法》、新的《联邦薪金法》等，在高等教育、教育资助和教师待遇方面获得了与各州进行合作治理的权力。

以联邦议院的立法活动为基础，联邦政府也扩大了自身对教育治理的参与。勃兰特在1969年10月28日的政府声明中首次将教育纳入联邦改革的范畴，并强调自此以后联邦在教育领域拥有与各州合作治理的权力，这是制订全国教育规划的基础。1969年10月，设立联邦教育科学部，主要负责对教育改革和发展进行规划，并推动各州的教育与科研合作。1994年联邦科研部与该部合并为联邦教育、科研及技术部。新成立的联邦教研部的职能重心转向科研领域，但依旧可以对州教育治理进行影响。1970年出台《1970年教育报告》，首次阐明了联邦政府的教育改革总体构想。

1965年，德国教育委员会被改组为德国教育咨询会。德国教育咨询会在它存在的十年时间里，为推动联邦教育改革和教育治理的完善做出了重要的贡献。1970年出台《教育结构计划》，对联邦德国各层次学校教育领域、师范教育、教育管理、教育支出的进一步改革均提出了详细的建议。1975年，联邦－州教育计划委员会扩展为联邦－州教育计划与科研促进委员会。该委员会除将之前的科学委员会纳入旗下外，还设有以下合作治理机构：州专业部长委员会、高校建设计划委员会、基层社区联合会总会、联邦职业教育研究所总委员会、联邦及州政府顾问委员会等。委员会中联邦政府占16票，每个州占1票，通过决议至少要25票。联邦－州教育计划与科研促进委员会促使联邦德国教育领域的合作治理得到进一步完善。

总之，1969年改革之后，联邦获得了许多参与教育治理的权力。在财务治理领域，不仅可以通过财政拨款的形式干预高校建设，还可以通过提供补助金等方式影响职业教育治理；在人事治理领域，则可以参与教师薪酬政策

---

① HEPP G F. Bildungspolitik in Deutschland[M]. Wiesbaden：VS Verlag für Sozialwissenschaften，2011，S.112–113.

的制定；此外，还获得了参与整体教育规划和对高等教育一般原则进行规范的权力，借此可以对学校教学管理施加影响。但与此同时，各州在联邦德国教育中仍然扮演着非常关键的角色。尤其是在学校的教育管理、师资培训和财政拨款方面，依旧握有很大的发言权。

## 二、两德统一后教育治理的新发展

1990年，联邦德国和民主德国签署统一条约。条约规定：自统一之日起，联邦德国的《基本法》和其他法律在民主德国地区生效。到了2006年后，由于联邦主义思想抬头，各州又重新夺回了原先属于自己的教育管理权。而且在新公共管理主义和新自由主义的影响下，各州还在教育领域实行简政放权，并引入了绩效竞争机制。此外，州、联邦和各种社会力量还通力合作，共同应对信息化时代和移民融入问题给德国教育治理所带来的一系列挑战。

### （一）新自由主义和新公共管理主义影响下的教育治理变革

新自由主义和新公共管理主义对20世纪80年代之后的德国教育治理产生了一定的影响。新自由主义强调自由竞争、反对国家干预、注重社会总体效益。其代表人物弗里德里希·冯·哈耶克在《自由秩序原理》一书中，主张将市场经济的自由竞争原则应用于教育领域，反对国家对教育进行控制和承担义务。哈耶克认为，教育的庞大开支会使国家陷入困境，而良性的市场机制则会促进教育行业的优胜劣汰。新公共管理主义则主张将商业领域竞争机制和顾客导向机制引入公共管理领域，主张将国家权力下放给教育机构，赋予教育机构足够的自治权，国家只保留必要的决策权和监督权。同时允许更多的第三方社会力量进入教育领域，提高教育行业的竞争意识和办学效率。①

在新自由主义和新公共管理主义的影响下，世纪之交的德国采取了一系

① Lothar Zechlin. New Public Management an Hochschulen：Wissenschaftsadäquat?［J/OL］.（2015-04-20）［2016-12-02］.http://www.bpb.de/apuz/205214/new-public-management-an-hochschulen-wissenschaftsadaequat?p=all.

列措施，如：建立高校收费制度；改革高等教育学制，使其与英美接轨；引入将财政拨款、教员工资与业绩相挂钩的绩效考核制度等，试图在教育领域引入市场竞争机制，扩大教育机构的自主权和社会力量的参与范围，以减轻国家负担，提高办学效率。

新自由主义和新公共管理主义之所以能对联邦德国的教育治理产生影响，是由多种因素造成的。首先是因为这一时期联邦德国经济发展低迷，国家财政负担过重。联邦德国的社会市场经济制度本是民主社会主义和秩序自由主义的混合体，强调在“秩序”与“自由”之间、“国家”与“市场”之间维持一种相对的平衡。但20世纪50年代末期之后，尤其是在1969—1982年社会民主党－自由民主党执政期间，为了缓解经济下行压力，联邦德国逐渐加大了对经济和社会的干预力度。然而，过多的国家干预并没有能够促进经济的快速增长，反而还在一定程度上加剧了通货膨胀，造成国家的财政困难。正是在这种背景下，以赫尔穆特·科尔为首的基督教民主联盟/基督教社会联盟－自由民主党政府提出将产出效益作为衡量公共政策的基本标准，希望借此来减轻国家财政负担，恢复经济活力。然而，由于两德统一后西部对东部“输血”所带来的负面效应，整个德国经济在20世纪90年代也并没有多大起色。所以，统一后的科尔政府和格哈德·施罗德政府仍然坚持减少政府开支、刺激经济增长作为国内政策的重中之重。在这种情况下，联邦德国推出一系列带有新自由主义和新公共管理主义的教育政策，就不足为奇了。

除了要减轻国家负担外，德国教育本身存在的问题和来自其他国家的影响，也对新自由主义和新公共管理主义在德国教育领域的传播产生了影响。20世纪80年代以来，联邦德国教育体制中的一些问题，如效率低下、缺乏竞争、教育质量不高等日渐暴露。为了应对这些问题，联邦德国不得不尝试改变既有的教育治理模式，下放国家权力，让更多的社会力量参与进来。与此同时，英美等其他西方国家以新自由主义和新公共管理主义为导向的教育改革，以及长久以来德国与这些国家学制不接轨、难以在国际交流中互相承认学分的问题等，都是促使德国在教育领域引入新自由主义和新公共管理主义的重要原因。

### （二）还政于州：2006年以后教育治理中的“联邦主义”趋势

德国统一后，各联邦州谋求自主权的呼声越来越高。在这一背景下，德国的教育治理自2006年起出现了一些新的趋势，如：联邦权限有所减小，联邦和州的分工更加明确；决策过程更加透明；联邦和州的治理能力都有了一定的加强等。

为了扩大各州在教育治理中的权限，《基本法》将联邦在高等教育、公共服务和财政资助三个领域的立法权交还给州，同时减少联邦与州的“共同任务”。具体调整为：第一，在高等教育领域，废止联邦的一般立法权，启动撤销《高校总纲法》程序，不再允许联邦参与高等教育的整体规划；第二，在公共服务领域，1969年《基本法》赋予联邦参与公教人员薪酬治理的第74a条被删除；第三，在财政资助领域，《基本法》第104b条对联邦的行为施加了许多严格的限制，禁止联邦向完全属于各州教育权限的领域投入资金，如2003年开始的全日制学校资助计划就被迫中止；第四，《基本法》原第91b条相关内容被删除后，联邦失去了参与制订总体教育计划的权力，联邦－州教育计划委员会也随之在2008年被撤销；第五，《基本法》第91a条中联邦与州共同兴建高校及高校医院的条款被删除，虽然联邦在短期内还会对财力较弱的州给予一定的资助，但到2019年之后，此类资助就不得再继续进行。

联邦管理权限缩小后，各州的教育管理权得到巩固和扩大，但联邦和州依然在很多领域保持合作，共同管理教育事务：第一，根据《基本法》第74条联邦保留了参与高校治理的一项关键权力——对录取和毕业的竞争性立法权，这不仅有利于联邦控制全国大学毕业水平和法定学习时间，还有利于联邦影响大学专业的结构、内容。第二，联邦在公教人员法律地位和法律义务方面仍然具有竞争性立法权，但其立法需经过由各州代表组成的联邦参议院的同意。[①]第三，联邦对职业教育、继续教育和高校录取及考试的财政支持仍可继续。第四，联邦可以对极具未来意义的教育现代化问题产生影

① HEPP G F. Bildungspolitik in Deutschland[M]. Wiesbaden：VS Verlag für Sozialwissenschaften，2011，S. 115.

响，即根据《基本法》第91b条第2款，联邦可以在国际比较的背景下参与确定教育绩效，并根据其与州的行政协定共同对此提出建议和报告。为了贯彻这一规定，联邦与州不仅通过“国际学生评价计划（PISA）”等进行教育调查。[①]自2006年开始，还合作发布国家教育统计报告，对德国教育状况进行监控。此外，联邦还有权指导教育科学研究并对各州教育改革提供政策建议等。第五，根据《基本法》第91b条第1款，联邦与州在推动科研方面的共同任务依然保留，联邦可参与的资助范围包括校外科研设施建设及科研活动、校内科研活动及包括大型设备在内的硬件设施建设。

不过，联邦对2006年改革中权力的丧失并不甘心。安吉拉·默克尔第二次组阁后，联邦教研部长安妮特·施万鉴于各州的反对态度，不再试图扩大联邦权限，而是强调联邦应为国家教育治理负整体的责任。2007年7月，她还提出希望编纂统一的中小学教材，实施统一的中小学师资培训并设立全国文理中学毕业资格考试制度。但这些目标在文化教育联邦主义传统根深蒂固的德国显然并不容易实现。

### （三）信息化教育治理和移民教育治理的加强

20世纪90年代以来，面对教育信息化和移民融入进程中所存在的一系列问题，德国加强了对信息化教育和移民教育的治理力度。

信息化产业和信息技术治理理论的快速发展，为德国在教育领域实施信息化治理提供了重要的条件。由偏远地区生源不断减少所造成的对远程教育资源需求的增加，以及德国高校信息化人才培养和教师信息化培训的严重不足，也促使德国在世纪之交加快了开启信息化教育治理的步伐。联邦德国传统上就很重视教育技术在各级各类课程中的应用。2000年9月18日，施罗德提出了旨在促进德国互联网应用的“十点计划”，其中要求到2001年底德国所有学校全部接入互联网。2010—2015年间，默克尔领导的新一届政府及联邦议院又先后发布了一系列重要文件，推动信息化教育的发展。在国家的引导下，德国社会和学校纷纷加入和参与到信息化教育治理之中，从而使德国

---

① “国际学生评价计划”是一项由“经济合作与发展组织”规划组织的学生能力国际比较测试。

的信息化教育很快达到世界一流水准。

与此同时，移民的融入问题日益严重，也促使统一后的德国开启了“文化多元主义”移民教育治理的新时代。在经历了四次大规模移民迁入浪潮之后，德国已有近五分之一的人口具有或多或少的移民背景。意识形态和语言文化上的隔膜，以及受教育水平的低下，常常使移民在融入德国主流社会方面存在着种种困难。此外，少数德国人又有极端民族主义和排外主义。面对移民涌入所出现的这些问题，德国在吸收其他西方移民国家文化整合政策的基础上，根据联合国教科文组织和欧盟移民、教育和文化政策要求，结合本国实际，逐渐形成了以“和而不同”为主要特征的文化多元主义移民教育政策。一方面，要求尊重和保护移民文化，反对种族主义，促进跨文化交流与对话；另一方面，通过在《移民法》中专门设立移民融入课程、颁布《国家融入计划》和《联邦境内融入方案：推动德国融合的措施》等文件，要求移民及其子女通过学习德语和德国文化，接受以《基本法》为核心的社会共同价值观。

# 第二章　德国教育治理的结构

德国教育治理的结构，就是以各级各类法律规章为基础，不同层次、不同类型的相关主体在德国教育领域行使权力和发挥影响的体系与制度。在长期的实践中，德国逐渐形成了以合作联邦主义和代表多元主义为特色的教育治理法律体系和制度结构。

## 第一节　教育治理的法律体系结构

德国教育治理的法律体系，由《基本法》和各州宪法的文化教育条款、教育类专门法、教育规范和指导规章以及其他领域涉及教育的法律规章共同组成。这些法律规章是德国形成教育治理结构和机制的重要基础。

### 一、《基本法》与各州宪法在教育治理中的功能

《基本法》和各州宪法中有关文化教育的条款一起构成了德国的“文化宪法”。这是德国构建教育治理体系的最根本的法律依据。

#### （一）《基本法》的功能①

《基本法》是德国的根本大法。德国教育治理的法律体系和制度体系都是在《基本法》的基础上形成的。

一方面，《基本法》规定了不同主体在教育治理中的权限和地位。

《基本法》规定，国家有权对教育实施监督。在国家监督之下，社会力量有权参与教育治理，学校具有一定的自主权，公民个人的教育权利将受到

① Grundgesetz für die Bundesrepublik Deutschland［G］// Bundesministerium der Justiz. BGBl.III.Nr. 100－1/BGBl. I.，Bonn：Bundesanzeiger Verlag，2010：944.

保护。

第5条第3款规定："艺术与科学、研究与讲学均属自由，讲学自由不得免除对宪法之忠诚。"

第6条第2款规定："抚养和教育子女是父母的自然权利和首要义务。其行为受国家监督。"

第7条第1款规定："整个教育制度应受国家之监督。"第2款规定子女教育权利人有权决定其子女是否接受宗教教育。第3款规定："宗教教育为公立学校课程之一部分，唯无宗教信仰之学校不在此限。宗教教育在不妨害国家监督权之限度内，得依宗教团体之教义施教，教师不得违反其意志而负宗教教育义务。"第4款规定："设立私立学校之权利应保障之。私立学校代替公立学校者，应经国家之许可并服从各邦法律。私立学校如其教育目的与设备及教导人员之学术训练不逊于公立学校，并对于学生不因其父母之财产情况而加以区别者，应许可其设立。如其教导人员之经济上与法律上地位无充分保障者，不得许可。"第5款规定私立国民学校唯有教育行政机关认定其设立具有特殊教学利益时，或经儿童教育权利人之请求以之作为乡镇公学、宗教潜修或理想实践学校时，而该乡镇又无此类公立国民学校时，始得准其设立。第6款规定先修学校禁止设立。

按照第9条和第20条，社会团体也可以参与教育治理。

另一方面，《基本法》划分了联邦与州的立法权限。

根据《基本法》，在教育领域，完全属于联邦立法范畴的只有海外中小学事务（第73条）；校外职业教育、青少年儿童教育救助、规范职业教育资助、推动科学研究、公教人员法律地位与法律义务、高等教育的录取与毕业等，属于联邦与州的竞争性立法范畴（第74条）。属于联邦与州共同任务的领域有二：一、推动科技进步，如校外科研设施建设及科研活动、校内科研活动及包括大型设备在内的硬件设施建设；二、在国际比较中确定教育绩效并根据行政协定共同对此提出建议和报告（第91b条）。

除此之外，其他教育领域的立法权皆属于各州，联邦不得随意干涉。（第30条规定："国家权力之行使及国家职责之履行，为各州之事，但以本《基本法》未另有规定或许可者为限。"）

### （二）各州宪法的功能

对于国家、社会和公民个人在教育领域的权责和地位，各州宪法的规定与《基本法》基本一致，即要求社会参与、学校自治和公民在教育方面的自由权利必须接受国家的监督。如不来梅州《州宪法》第11条规定："艺术、科学及其讲学自由，国家承诺保护它们并参与对它们的扶植"，第28条规定"教育处于国家监督之下"，第29条规定"私立学校经由国家批准设立"等。

但在联邦体制下，德国各州宪法对教育的具体规定却不尽相同。由于州是教育治理的主要承担者，所以很多州宪法中有关教育的内容比《基本法》要详细得多。以不来梅州《州宪法》为例。该宪法将"教育教学"单列一章，其中第26条规定了教育的基本目标："（1）教育是一种整体思想，它关系到个人福祉、社会公正和政治责任，目的是让人对他人观点保持中立和包容，并能够与他人和其他民族友好地进行合作；（2）要形成一种对公众有利的工作意愿，并为这种意愿配备足够的就业知识和技能；（3）形成一种尊崇真理、有勇气去认识真理并将其作为一种正确和必备的知识的独立思想；（4）能够参与本民族和其他民族的文化生活；（5）形成对自然环境的负责意识。"第27条规定："人人拥有平等的受教育权利，且这种权利应该由公共机构来保障。"第28条规定："教育在国家的监督之下。"除了提出上述这些教育的基本目标和原则外，宪法还对私人教育、义务教育、学校课程、基础教育、高等教育、继续教育等领域做出了专门规定，甚至连国家保护青少年组织和推动体育发展等内容也以单独的条款加以明确。[①]

不过，也有少数州的宪法却几乎没有涉及教育问题，如汉堡和柏林。而在教育目标中，有的州包含基督教价值，大多数州却只是列举了自由、平等等西方核心价值。

## 二、教育类专门性法律在教育治理中的功能

教育类专门性法律主要是由各州颁布的，包括中小学法、高等学校法、

---

① Landesverfassung der Freien Hansestadt Bremen Vom 21.10.1947［G］//Brem.GBl，1947：251.

教师教育法等。与此同时，联邦议院也根据《基本法》所赋予的权力制定了一些教育法，如《高校总纲法》《联邦教育促进法》《海外中小学法》等。教育类专门法的功能主要是为某个领域的教育治理提供法律依据。

### （一）各州中小学法的功能

德国没有全国统一的中小学法，基础教育治理主要是各州的事务。

各州中小学法对基础教育做出了详细的规定，包括教育的目标和原则、学校体系、课程、教材、教学、考试、人事、学校管理、教育行政管理与督导等。下面以北威州《中小学法》为例加以说明。该州《中小学法》内容主要包括十二个部分：

第一部分为总则，包括学校任务，学校的界定、法律地位和内部组织；第二部分为学校的创办及学段的划分，包括学校的类别结构（即各级各类学校的构成情况，小学及主体中学的意识形态结构）；第三部分为课程内容；第四部分为入学义务；第五部分为（学生与）学校的关系，包括学生与学校关系中的权利和义务，学生上课和参与特别学校活动，信息与建议，思想自由、学生报纸和学生团体，录取与转学，结束与学校的关系，成绩评定，学校规章、卫生状况、经济事务、印刷品及海报；第六部分为学校人事；第七部分为学校的（共决）宪章，包括：基本原则、程序和选举，学校内部的共决，学校出资人和教育部门的共决权；第八部分为学校出资人；第九部分为学校监督，包括监督人员、机构和权力等；第十部分为学校拨款；第十一部分为免费赞助学校；第十二部分为数据保护、转移和保护终止。[①]

### （二）高等教育法的功能

在高等教育的某些领域，联邦和州承担“共同（立法）任务”或二者同时拥有“竞争性立法权”。

联邦的主要高等教育立法包括四种：（1）《高校总纲法》，该法涉及如下内容：高等教育基本原则，如男女平等、教学自由、国家资助等，高校的教学与科研；高校的录取；高校工作人员；高校的法律地位；高校的国家

---

① Schulgesetz für das Land Nordrhein-Westfalen ( Schulgesetz NRW-SchulG ) Vom 15. Februar 2005[G]//GV. NRW., 2005：102.

认可；根据州法律及联邦法律做出的调整等；①目前这一法律已被列入撤销程序。（2）《教授薪金改革法》，主要是通过修改1975年的《联邦薪金法》、1976年的《公务员保障法》、1998年的《年度特别收入保障法》，规范教授的薪金待遇。②（3）1977年的《高校领导岗位条例》，按照绩效原则重新制定高校领导职责。③（4）对大学生给予资助的法律，如《联邦教育促进法》可以资助在校大学生利用课余时间进行职业培训。④《奖学金项目法》则规定在公立大学和国家承认的大学中就读的优秀的大学生可获得奖学金。法律对奖学金的申请、评审、考核、期限、共决义务、资金募集手段等做出了详细的规定。

州高等教育立法则是以州高等学校法为核心的。作为德国高等教育治理最重要的法律依据，各州的高等学校法一般都会对本州高校的主要任务、基本规则、组织机构、教学考试和监管等做出规定。以巴伐利亚州《高等学校法》为例，其内容主要分为公立高校、私立高校、国家监督、违法行为与处罚规定、过渡性规定与附则五个部分。其中最重要的是关于公立高校的规定，如：公立高校的法律地位和主要任务；高校的工作人员；高校的举办和组织；聘任事务；学生管理，如学生注册、学生组织等；大学学习与考试；校产；后勤保障等。⑤

除州高等学校法外，各州还在高等教育领域颁布了其他一些专门性法律，如巴伐利亚州还颁布了《高校教职员工法》和巴伐利亚州《精英培养

① Hochschulrahmengesetz（HRG）[G]// Bundesministerium der Justiz. BGBl. I，1999：18.

② Professorenbesoldungsreformgesetz（ProfBesReformG）[G]// Bundesministerium der Justiz. BGBl. I.，2002：Nr.11.

③ Hochschulleitungs-Stellenzulagenverordnung（HStZuIV）[G]// Bundesministerium der Justiz. BGBl. I.，1977：1527.

④ Bundesausbildungsförderungsgesetz（BAföG）[G]// Bundesministerium der Justiz. BGBl. I. Bonn：Bundesanzeiger Verlag，2010：1952.

⑤ Bayerisches Hochschulgesetz（BayHSchG）vom 23. Mai 2006 [G]//GVBl. München：Verlag Bayerische Staatszeitung GmbH，2006：245

法》等。[①]

（三）职业教育法的功能

1969年颁布的《职业教育法》是德国职业教育治理的主要法律依据之一。该法主要规范的是“双元制”职业教育体系中的企业培训，涉及企业培训的范围与内容、培训合同、规章制度、企业培训管理委员会、职业教育研究、各经济部门和职业部门的特别规定、罚款规定、某些规定的修订和失效、过渡条款和附则等九个方面。其中关于培训规章制度的规定涵盖了招收培训者的资格、培训职业的认可、培训时间的更改、职业培训合同的登记、考试、职业培训管理和监督、职业进修和职业改行培训、残疾人职业教育等内容。《职业教育法》出台后，联邦议会又多次对这一法律进行修订。2005年修订之后，《职业教育法》的适用范围扩展至除依据州法所进行的中等及高等职业学校教育、公法性服务人员职业教育和商船船员职业教育（不包括小型近海和远洋船只捕鱼业人员）之外的所有职业教育领域，同时内容也变为了七个部分，即总则、职业教育、职业培训的组织、职业培训的研究规划和统计、联邦职业教育研究所、处罚条款、过渡和终止条款。2005年版《职业教育法》第二部分关于“职业教育”的规定涵盖了一般职业教育、职业进修、职业改行培训和残疾人职业培训四个领域。而1969年版法律中涉及企业培训关系和规章制度的条款经修改调整后统统被纳入“一般职业教育”之下。[②]

1969年出台的《劳动促进法》和1981年出台的《职业教育促进法》也曾产生了重要的影响。但这两部法律已先后于1998年和2005年被废除。《职业教育促进法》的条款被归入2005年新版《职业教育法》。

（四）其他教育专门法的功能

在德国，还有以下一些教育专门法也在教育治理中发挥着重要的作用：

---

① Bayerisches Hochschulpersonalgesetz（BayHSchPG）vom 23. Mai［G］//GVBl. München：Verlag Bayerische Staatszeitung GmbH，2006：230. Bayerisches Eliteförderungsgesetz（BayEFG）vom 26. April 2005［G］//GVBl. München：Verlag Bayerische Staatszeitung GmbH，2006：104.

② Berufsbildungsgesetz（BbiG）［G］// Bundesministerium der Justiz. BGBl. I. Bonn：Bundesanzeiger Verlag，2005：931.

首先是各州（中小学）教师教育法。以巴伐利亚州《教师教育法》为例，其内容主要分为总则、大学学习要求、教师继续培训、教师实践和特别规定等五个部分。其中最重要的是关于教师大学学习要求的规定，其内容涵盖各级各类中小学教师的大学专业学习要求、各级各类中小学教师大学辅修学习要求和模型试验等方面。[①]除教师教育法之外，各州还有一些其他法律也在中小学教师教育治理中发挥着重要的影响，如巴伐利亚州还有《专业生涯法》等。[②]

其次是1971年9月1日联邦议院通过的《联邦教育促进法》。该法是德国对家庭贫困学生实施教育资助的主要法律依据。在其后四十多年的岁月中，该法历经多次调整。如最初，助学金由联邦和州共同出资，到2015年变为由联邦单独出资；助学金的形式也从原先的无偿援助转变为无偿援助与无息贷款相结合；从2016年8月1日起，联邦议院再次对《联邦教育促进法》进行修改，不仅提高了资助金额，还降低了资助申请的门槛，使受益面得到进一步扩大。目前，法律的资助对象包括所有符合条件的大学生和中学生，尤其是那些在职业学校和培训机构中学习的学生。[③]

再次是《海外中小学法》。海外教育是联邦专属立法权范畴。联邦在这一领域所制定的法律，是各级各类机构参与海外教育治理的法律依据。但建立健全海外教育的各项具体制度，却离不开各州及相关社会团体的支持。如2014年联邦议院通过颁布的《海外中小学法》，对德国海外中小学事务做出了统一的规定。不过，海外中小学的师资、教学与考试的具体办法却是由各州文教部长常设会议制定的。

---

① Bayerisches Lehrerbildungsgesetz（BayLBG）vom 12. Dezember 1995[G]//GVBl. München：Verlag Bayerische Staatszeitung GmbH，1996：16.

② Leistungslaufbahngesetz（LlbG）vom 5. August 2010[G]//GVBl. München：Verlag Bayerische Staatszeitung GmbH，2010：410，571.

③ Bundesausbildungsförderungsgesetz（BAföG）[G]// Bundesministerium der Justiz. BGBl. I. Bonn：Bundesanzeiger Verlag，2010：1952.

## 三、教育规章及指导规范在教育治理中的功能

除了法律，条例、课程标准、培训章程、各州文教部长常设会议和大学校长协会等颁布的决议以及各学校的内部规章等，也都是德国教育治理的重要依据。

### （一）各州文教部长常设会议颁布的教育指导规范的功能

德国各州文教部长常设会议讨论和通过的结果，一般会以政策建议的形式下发给各州，再由各州根据自身的情况做出调整后执行。各州文教部长常设会议颁布的教育指导规范，虽然只是建议，但对各州立法的约束作用却是不容忽视的。

各州文教部长常设会议的指导建议涵盖教育的所有领域。①基础教育领域涉及一般基础教育问题、早期儿童教育、小学教育、初中教育、高中教育、文理中学高中毕业资格考试、学校模式、特别师范教育需求、移民与融合、科目设置与课程内容等。其中比较重要的指导建议有《联邦德国各州关于基础教育领域标准化的协定》（又称《汉堡协定》）、《中小学生成绩强化推动战略》、《关于文理中学高级阶段毕业考试的协定》、《关于举办文理中学夜校的决定》等。

高等教育领域涉及高校的基本原则与结构、质量评价、资格认定、教学优化、大学学习与考试、学生事务、教职工权利与待遇、校医院与卫生、图书馆、国际高校事务等。其中比较重要的文件有《关于落实高等学校结构改革的报告》《高校科研中的质量优化》等。

职业教育领域涉及学校类型、职业学校与职业基础教育、职业培训教学大纲、职业学校的师资力量以及针对四类职业学校的具体规定等。比较重要的文件有《职业学校框架协议》《职业专科学校框架协议》《高等专科学校框架协议》《高级职业学校框架协议》《关于职业学校教师专业实践中培训与考试的框架协议》等。另外，各州为贯彻联邦《职业教育法》，也制定了相应的行政规章。

---

① 关于德国文教部长常设会议所颁布的各种协定与决议，参见其官网。

### （二）其他部门或机构颁布的教育规章及指导规范的功能

主要有以下三类：

一是地区性或专门性教育规章及教学大纲。教育规章具有类似于法律的约束力。如柏林州颁布的《小学条例》《初级中学类型与教学计划条例》《文理中学高级阶段条例》《职业教育条例》等。[①]除教育规章外，各州教育主管部门还会为本州各级各类中小学分别制定各科教学大纲。例如，石勒苏益格－荷尔斯泰因州（以下简称石荷州）会为本州文理中学历史课制定统一的教学大纲。大纲对学校教学计划具有约束力，但不对具体教学内容和教材选用进行干涉。

二是官方或独立咨询机构颁布的指导规范及建议。如联邦－州海外中小学事务委员会颁布的《关于进入海外德国中小学的意见》《关于提升读写及计算困难海外中小学生能力的建议》等。德国大学校长协会颁布的《关于改进证书授予体制的决议要点》《继续推进卓越大学计划的决议》《关于高校基本财政拨款和项目财政拨款的决议》，以及由联邦经济与能源部、联邦教研部核准颁发的各种适用于校外职业教育的培训条例等。[②]

三是各教育机构颁布的规章。德国各级各类教育机构都可以依法颁布适用于本机构的规定和章程。大学的内部章程在本校日常治理中的作用甚至往往会超过法律。如柏林自由大学在每期的《官方公报》上公布学校新通过规章，内容涉及教学考试、科学研究、教学管理、学校选举等方面。其中比较重要的有《学习与考试总章程》《学习事务章程》《德语考试章程（德语能力鉴定测试）》《学习管理办法》《选举章程》《学术委员会章程》等。

除了上述法律、规章及指导规范外，其他领域的一些法律规章和指导规范也对教育治理有一定影响。其中比较典型的情况有：（1）经济类专门法中有不少内容涉及职业教育。如1953年颁布的《手工业规章法》就专门对学校之外的企业职业教育做出了详细的规定。该法共有五个部分，其中第二

---

① Senatsverwaltung für Bildung，Jugend und Wissenschaft. Rechtsvorschriften[EB/OL].[2016-12-05].https://www.berlin.de/sen/bildung/schule/rechtsvorschriften/.

② Hochschulrektorenkonferenz（HRK）. HRK-Gesamtliste Beschlüsse[EB/OL]. [2016-12-03]. https://www.hrk.de/positionen/gesamtliste-beschluesse/.

部分“手工业职业培训”中关于学徒权利、企业培训章程及期限、企业培训目录与考试、企业培训的协调与监督、企业继续教育、企业改行教育、残疾人的企业培训、职业教育委员会的规定，以及第三部分中关于“师傅资格考试及师傅头衔”的规定，和《职业教育法》的相关内容共同构成了德国“双元制”职业教育治理的主要法律依据。此外，《企业宪章法》《青少年劳动保护法》及《工商业企业培训中职业与劳动师范资格条例》中也对职业教育略有涉及。（2）《移民法》涉及移民教育。该法《居住法案》第三章“融入要求”部分设立了专门针对移民的融入课程，要求参加者熟悉德国的语言、历史、人文和法律制度，使外来移民在经济、文化、社会等各方面全面融入德国。（3）联邦《社会法典》第八部分《青少年儿童救助法》涉及青少年教育的改善问题。法律将推动青少年儿童教育作为实施救助的主要目标，希望通过国家与社会的救助完善青少年儿童的校外教育，如校外职业教育、企业培训、家庭教育、社会教育等。①（4）各级政府制定的信息化发展战略指导规范中也有一些涉及信息化教育。如联邦政府出台的《数字化行动议程（2014—2017）》和《2025年数字化战略》，巴伐利亚教育、文化、科学与艺术部发布的《学校与文化中的数字化教育——巴伐利亚政府的未来战略》，石荷州中小学与职业教育部发布的《州政府关于落实数字化学习的报告》等，以及各州文教部长常设会议的《德国中小学信息化教育建议》和各州媒体电信主管部门签订的《州际广播条约》等文件中都有相关内容。

## 第二节　教育治理的制度体系结构

根据法律规章，德国形成了以合作联邦主义和代表多元主义为特色的教育治理制度体系。就国家治理的角度，这一体系的特点是：主要由各州发挥

---

① Bundesministerium für Familie，Senioren，Frauen und Jugend. Elfter Kinder-und Jugendbericht. Bericht über die Lebenssituation junger Menschen und die Leistungen der Kinder-und Jugendhilfe in Deutschland（Bericht der Sachverständigenkommission）[M]. Berlin：MuK. Medien-und Kommunikations GmbH，2002，S. 159-160.

主导作用，联邦只能在高等教育、校外职业教育及教育扶助等领域与州共同承担治理任务，乡镇则只能在基础教育中与州进行合作，同时各州还通过建立文教部长常设会议来协调各自政策。就社会治理的角度看，这一体系的特点是：在坚持“国家办学”和国家监督的前提下，允许公法性社会团体、利益集团和私人企业参与教育治理，同时赋予各级各类学校充足的自治权。

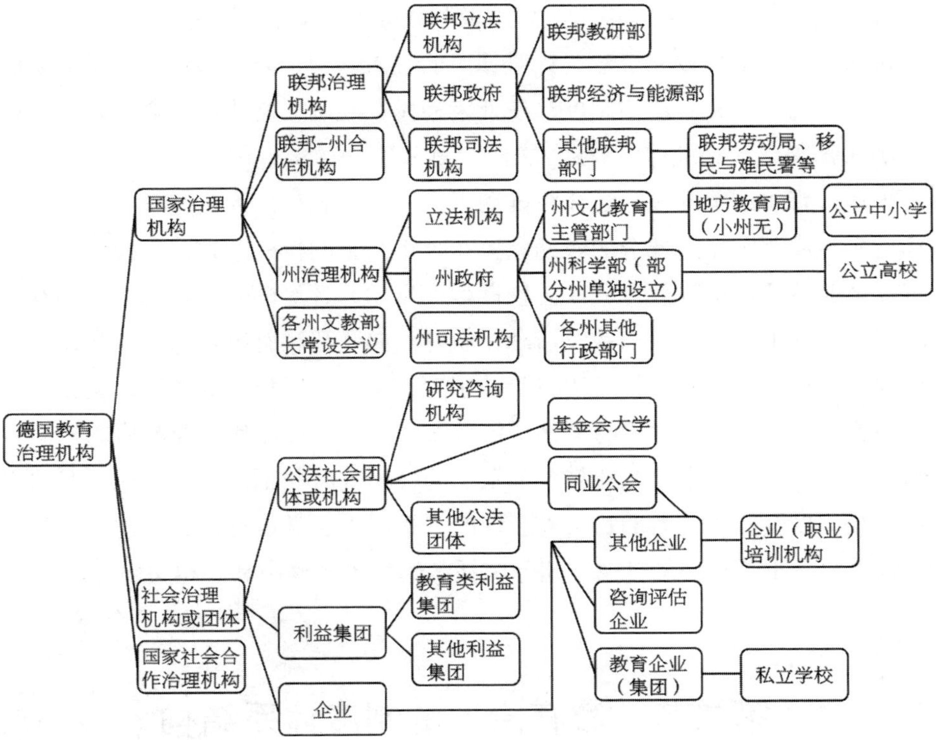


**图 2-1 德国教育治理的制度结构体系**

## 一、国家主体在教育治理中的职能

国家在教育治理中占有举足轻重的地位。国家公共教育开支占整个教育开支的四分之三。国家引领教育政策的发展方向。它通过制定法律和政策，从内容、进程和机构等方面为教育治理确定框架、标准和测评指数，并使社会主体根据这些规则在教育治理中发挥作用。这一方面造成了国家治理的碎片化，另一方面又使各主体的职权范围互相重叠。

### （一）联邦一级国家教育治理机构及其职能

1949年制定的《基本法》规定，联邦德国文化主权属于各州，联邦不得随意干涉。这一规定，决定了在联邦德国国家教育治理中，各州的重要性要远远超过联邦。不过，根据《基本法》的规定，联邦也可以在一些领域参与教育治理。首先，在教育促进与资助方面，联邦要分担高校或科研机构的大型科研设备投资的经费，要为各级各类在校贫困学生提供助学金；还可以通过各种期限不一的项目对国家教育发展进行投资，如与各州联合开展“卓越大学计划”等。其次，联邦对海外教育事务，如海外中小学、国际学术交流等拥有管辖权。再次，联邦还可以直接参与对校外职业教育的治理。

联邦的这些职能，主要通过以下机构来实现：

首先是联邦立法与司法机关。

由联邦议院与联邦参议院组成的联邦立法机构作用主要有：其一，通过“三读”和两院通过的方式审议预算。每年9月联邦议院第一次审读政府提交的《预算草案》，该草案经预算委员会公开听取意见后审定，并于11月提交联邦议院进行第二次审读。在第二次审读前，联邦参议院可对预算提出意见。经三次审读后，联邦议院可完成预算制订过程。在经联邦参议院同意后，该法案于次年1月1日生效。其二，制定法律。联邦议院对联邦政府或其他机构提出的法律草案进行修改和表决，只有三次审读表决通过后草案方可成为正式法律。联邦参议院除了可制定法案外，还有权审议甚至否决联邦议院通过的法案。其三，监督政府。联邦议院主要从政治方向、法律依据和财政支出这三个方面，对联邦政府的日常工作进行全面监督。

通过拨款、立法和监督的方式，联邦立法机关主要可以参与如下教育领域的治理：青少年儿童援助；校外职业教育与继续教育；高校的录取与毕业；校外科研设施建设及科研活动、校内科研活动和包括大型设备在内的硬件设施建设；教师的法律地位与法律义务；教育调查、研究及咨询建议；海外教育事务等。

联邦议院教育、科研与技术成果评价委员会的主要职能是为“教育和科研提供正确的法律框架条件和足够的财政支持，为科学教育政策中的中长期重大问题提供咨询，例如在研究场所的改善和高等教育及职业教育领域”。① 委员会负责召集科学教育领域的“专业利益代表和其他有远见的专家”举行听证会，对法律草案进行审议。联邦议院外交委员会下设的“对外文化教育政策委员会”则负责海外教育事务中的立法与咨询工作。尤其是与歌德学院、德意志学术交流中心、德国考古研究院和海外中小学中心相关的事务。②联邦参议院的文化委员会的职能范围也主要是在教育领域，包括“一般教育事业、特殊学校、海外学校、高等教育事业、职业培训促进、职业与继续教育、职业教育权利规范、科研条件、科技推动、档案馆与图书馆、学校体育等”。③

根据《基本法》和1975年《法院宪章法》的规定，德国联邦一级共有6种法院，即联邦宪法法院、联邦劳工法院、联邦行政法院，联邦社会法院、联邦财政法院、联邦最高普通法院（负责审理专门法院管辖以外的一切民事、刑事案件）。这6种法院在各自的管辖权范围内都可以受理和判决与教育相关的案件。以高居德国法院系统顶端的联邦宪法法院为例。该法院拥有最高司法审查权，可宣布联邦国家机关的行为违宪无效，有权对有关宪法问题做出解释，可解决联邦与各州或各州之间关于宪法的争议。如1957年联邦宪法法院再次裁决文化教育属于各州权限的核心。④1972年6月判定各州及高校收回大学拥有特定专业学习名额的分配权。⑤1973年判定教授以外的高校

① Deutsche Bundestag. Ausschuss für Bildung，Forschung und Technikfolgenabschätzung，Arbeit und Aufgaben[EB/OL]. [2016-12-05]. https://www.bundestag.de/bildung.

② Deutsche Bundestag. Unterausschuss „Auswärtige Kultur-und Bildungspolitik“，Arbeit und Aufgaben[EB/OL]. [2016-12-05]. https://www.bundestag.de/ausschuesse18/a03/ua_kb.

③ Bundesrat. Ausschuss für Kulturfragen[EB/OL]. [2016-12-05]. http://www.bundesrat.de/DE/bundesrat/ausschuesse/k/k.html?nn=4353170.

④ HEPP G F. Bildungspolitik in Deutschland[M]. Wiesbaden：VS Verlag für Sozialwissenschaften，2011，S.108.

⑤ HEPP G F. Bildungspolitik in Deutschland[M]. Wiesbaden：VS Verlag für Sozialwissenschaften，2011，S.148.

师生可以参加校及院系学术委员会的选举。①2005年判定联邦禁止各州征收大学学费的行为非法。②2010年判决要求联邦政府以“恰当的、透明的形式重新采取措施满足青少年儿童的最低社会文化需求”。③

其次是联邦教育与科研部。

联邦教育与科研部是联邦政府行使教育权力的核心机构。2009年，该部共设有8个司，900多名工作人员。④

联邦政府早期并没有教育主管机关。1969年5月，新成立的社民党－自民党政府修改《基本法》，扩大联邦在教育治理方面的权限。1969年秋天，原联邦科学研究部扩展成为联邦教育科学部。1994年该部与联邦研究技术部合并，4年后又将其中的技术政策主管部门划出，才最终形成了现在的联邦教育与科研部，简称联邦教研部。

联邦教研部由领导层和业务部门组成。其中领导层包括部长一人、国务秘书和国会国务秘书各两人。

---

① Bundesverfassungsgericht. Hochschul-Urteil[G/OL]//BVerfGE 35，79 /BvR 424/71 und 325/72，1973[2016-12-05]. http://www.servat.unibe.ch/dfr/bv035079.html.

② Bundesverfassungsgericht. Regelung zum Studiengebührenverbot und zur Bildung verfasster Studierendenschaften mangels Gesetzgebungsrechts des Bundes nichtig[G/OL]//Pressemitteilung Nr. 8/2005[2016-12-05]. https://www.bundesverfassungsgericht.de/SharedDocs/Pressemitteilungen/DE/2005/bvg05-008.html.

③ APEL H. Lebenslagen in Deutschland：Armuts-und Reichtumsberichterstattung der Bundesregierung，Bildung und Teilhabe von Kindern und Jugendlichen im unteren Einkommensbereich Untersuchung der Implementationsphase des Bildungs-und Teilhabepakets „Bundesministerium für Arbeit und Soziales，Abschlussbericht“[M]. Köln/ Berlin：Grafischer Bereich des BMAS，2012.

④ HEPP G F. Bildungspolitik in Deutschland[M]. Wiesbaden：VS Verlag für Sozialwissenschaften，2011，S. 130.

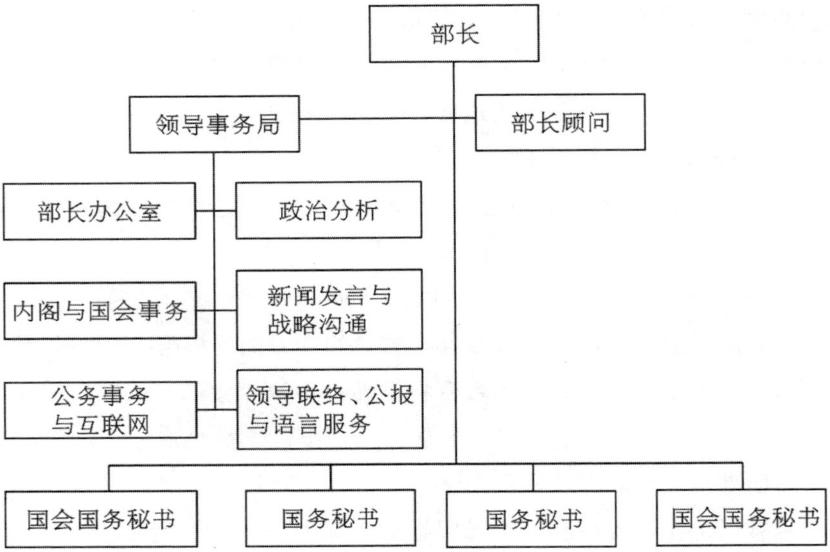


**图 2–2　联邦教研部领导层及其附属机构**[①]

除领导层外，联邦教研部还下辖8个业务部门。下面将简述这8个部门的职能。

其一，中央司。

一处为人力、组织、基础设施及推动程序处，下辖人事科，人力发展科，研发人力事务与劳动权科，联邦参与推动项目的基本问题科，推动程序与项目承担方事务科，组织、职位与图书馆科，内勤科等；二处为预算、控制与信息技术处，下辖预算科，部内信息技术科，控制及内部测试系统与质量管理科，司法与分配科，人事任务与安全科等。

其二，基本问题、战略及数字化发展司。

一处为基本问题与创新处，下辖创新政策的基本问题科，创新推动的新手段及新项目科，战略前瞻与科学交流科，区域创新推动与东部新州

① Bundesministerium für Bildung und Forschung. Organisationsplan[EB/OL].[2016–12–05].https://www.bmbf.de/pub/orgplan.pdf.

科，统计与国际比较分析科等；二处为战略与国际化发展处，下辖战略科，新生力量与天才推动关键问题科，联邦与州合作科，教育与研究机会平等科等。

其三，欧洲与国际教育研究合作司。

一处为国际合作处，下辖基本问题与国际化战略科，与发展中国家、新工业化国家、非洲及近东合作科，与俄罗斯及独联体国家合作科，与南北美洲国家合作科，与亚洲及东太平洋国家合作科等；二处为欧洲合作处，下辖欧盟重要问题与教育政策科，欧盟教育项目与国际教育合作科，欧盟研究政策与欧洲研究公约科，欧盟研究项目科，与欧洲国家及以色列合作科等，并负责领导常驻欧盟教育与科研事务代表。

其四，职业训练、终身学习司。

一处为职业教育处，下设职业教育与继续教育基本问题科，职业教育秩序与质量保证科，职业选择与青少年机遇平等问题科，职业教育法律问题与联邦职业教育研究所科，外国职业资格认证科，继续教育与劳动力市场科等6个业务部门；二处为终身学习与教育研究处，下辖基本问题与终身学习科，教育研究科，国际比较中的教育绩效能力管理科，学前与一般教育科，宗教教育与可持续发展教育科，文化教育与欧洲学校科等。

其五，科学系统司。

一处为高校处，下设高校政策与高校发展、德国研究基金与未来事务科，高校法律与高校研究科，培训促进立法科，培训促进基本事务科，科学后备力量与科学继续教育科，高校国际交流与国际化科等部门；二处为研究机构处，下设各部门分别为科学系统基本问题与科学委员会科，研究基础设施科，德国亥姆霍兹联合会与莱布尼茨科学联合会管理科，弗劳恩霍费尔应用研究促进会、马克斯·普朗克联合会与研究创新科，人文社会科学、学会与学术博物馆科等。

其六，关键技术一创新研究司。

一处为关键发展技术处，下设新材料与工业原材料、卡尔斯鲁厄技术研究所、亥姆霍兹材料与海洋研究所管理科，生产、服务与劳动绩效科，光子学与光学技术科，信息系统科，应用技术大学（Fachhoschule，简称FH）与工程师后备力量研究科等部门；二处为社会服务创新处，下设关键技术战略与基本问题科，安全研究科，电子系统与电动车科，人口变迁与人技互动科，通信系统与信息安全科等部门。

其七，生命科学与健康研究司。

下设生命科学的发展战略与基本问题科，生命科学中的道德与法律问题科，生命科学研究机构管理科，生命科学中的方法与机构发展科，健康科学研究科，健康经济科，生态经济科等部门。

其八，未来准备与文化、基础及可持续研究司。

一处为大型设备与基础研究处，下设自然科学基础研究科，自然科学基础研究机构科，欧洲研究组织科，综合研究、犹太研究中心、德累斯顿亥姆霍兹研究中心、柏林亥姆霍兹中心、公众健康与救护研究所管理科，关闭－后退式回采与垃圾清除研究科等机构；二处为可持续性、气候、能源处，下设基本问题科，能源基础研究科，全球变化科，资源与可持续性科，地球系统研究科等机构。

再次是联邦教研部以外的其他联邦政府部门。

如联邦家庭、老人、妇女与青少年部的家庭事务司、人口变迁－老人与福利保障司、儿童与青少年司分别下辖家庭教育、老人教育和青少年教育的业务部门。此外，该部还有权颁发家政等职业认可证书和培训章程。

联邦劳动与社会部在职业教育领域扮演重要角色，其第二司第二处下辖“职业建议、培训协调及促进科”和“教育－科研系统、职业教育促进及特殊人群就业市场问题科”。

联邦外交部参与德国海外教育及跨国教育交流事务。其第六司专设“对外科学、教育、研究政策与对外文化政策专员”，负责领导“高校－科学－研究科”和“海外中小学与体育科”等。而歌德学院则由该司“对外文化事务专员”负责领导。

此外，联邦内政部可将教师作为公职人员来管理，并有权确定政治教育政策。联邦经济与能源部可以通过对绝大多数的职业名称及其培训章程进行国家认定来参与职业教育的治理。联邦交通与信息基础设施部则在信息化教育治理中扮演重要角色。

除内阁各部外，联邦政府内还有许多具有独立公共法人地位的联邦机构也可以参与教育治理。如联邦家庭与公民社会任务局、联邦政治教育中心、联邦移民与难民署、联邦劳动局可以通过设立在全国的分支机构及合作机构分别参与青少年公民教育、政治教育、移民教育和职业教育的治理。

除联邦立法、司法和行政机关外，还有一些联邦机构也可以参与教育治理。其中比较典型的是向国家决策提供信息和建议的公法性调查研究机构，如联邦统计局、联邦职业教育研究所等。

### （二）州及地方国家教育治理机构及其职能

在文化联邦主义的框架下，各州及地方国家机关也扮演着极其重要的角色。虽然在很多领域需要联邦的支持，但长期以来，各州及地方国家机关却一直被视为德国教育的主要举办者和监督者。

州一级参与教育治理的部门主要包括：

其一，州立法与司法机关。德国各州的立法机关为一院制的州议会。根据《基本法》及各州宪法，州议会的功能与联邦立法机关在联邦一级的功能类似，即主要是通过审议州预算、制定州法律和监督州政府来参与本州的地方治理。联邦不得随意干涉州议会的立法权，州议会所制定的法律也不得与联邦法律相抵触。州议会可以以拨款、立法和监督等形式广泛参与本州的地方教育治理。其中，在青少年儿童援助、校外职业教育与继续教育、高校的录取与毕业、校外科研设施建设及科研活动、校内科研活动、包括大型设备在内的硬件设施建设、教师的法律地位与法律义务、教育调查、教育研究及咨询建议等领域，州议会与联邦共享竞争性立法权，即“只要联邦还没有制定法律，州可以在这一领域行使立法权”（《基本法》第72条）。而在其他领域，州议会则拥有专属立法权。州一级司法机关则有6种，分别是州宪法法院、州劳工法院、州社会法院、州财政法院、州行政法院和州高等法院。这6种法院在其管辖范围内都可以受理和判决与教育相关的案件。如20世纪80年代巴伐利亚州高等法院曾判决允许国民学校的教师体罚男生。[①]2002年，

① Thomas Vitzthum.Deutsche Schüler wollen das Sitzenbleiben Retten[N/OL]. Die Welt，N24，（2013-03-06）[2016-12-02]. https://www.welt.de/politik/deutschland/article114159103/Deutsche-Schueler-wollen-das-Sitzenbleiben-retten.html.

萨克森-安哈尔特州宪法法院判决在中小学引入固定开放时间制度的法律与父母的教育权不冲突。①莱茵兰-普法尔茨州宪法法院2004年曾驳回一名大学生反对大学主修学位收取学费的诉讼请求。②

其二，州政府教育主管部门。根据联邦制原则，各州拥有所谓“文化主权”，因此德国州政府的文化教育主管部门在教育治理中扮演着至关重要的角色。各州因教育事务归属不同的部门管理，其教育主管部门的名称也不尽相同。有的州教育和其他事务被归属一个部门管理，如巴伐利亚州称为“教育、文化、科学与艺术部”；有的州基础教育和高等教育则被划归不同的部门管理，如北威州就分属“中小学与继续教育部”“创新与科研部”等。文化教育主管部门不仅负责本州教育的规划、管理、资助和评价，还有权协调州内各级教育机关的政策，并对学校的举办、人事、财务、日常管理和学业评价给予指导。以柏林州教育、青年与科学部为例。该部由领导层和5个司组成。领导层包括部长、主管教育的国务秘书、主管家庭事务的国务秘书和主管科学事务的国务秘书4人组成。5个司为中央服务司和4个业务司。其中与教育相关的有：一司，负责中小学建议与支持，中小学监督，中小学心理，教育统计与评价，发展规划，职业学校和重要管理学校的出资人，中小学在线；二司，负责教育基本问题与法律事务，普通学校管理，师资培训事务；四司，负责高校事务，包括高校法、高校录取法、高校等级、培训推动，高校发展、控制、计划、接纳能力，各类高校管理与后勤事务，科学建设、高校投资、高校建设推动、框架计划、不动产，高校医院等。③

---

① Landesverfassungsgericht des Sachsen-Anhalt. Urteil，LVG 9/01[EB/OL].（2002-01-15）[2016-12-05]. http://verfassungsgericht.sachsenanhalt.de/entscheidungen/details/?tx_tsalvgentscheidungen_tsalvgentscheidungen%5Bentscheidung%5D=98&tx_tsalvgentscheidungen_tsalvgentscheidungen%5Baction%5D=show&tx_tsalvgentscheidungen_tsalvgentscheidungen%5Bcontroller%5D=Entscheidungen&cHash=3965eaae2bedca862b7af00d69d2ff66.

② TREMMEL J. Generationengerechte und Nachhaltige Bildungspolitik[M]. Wiesbaden：Springer VS，2014，S.213.

③ Senatsverwaltung für Bildung，Jugend und Wissenschaft des Landes Berlin. Organigramm der Senatsverwaltung für Bildung，Jugend und Wissenschaft[EB/OL].[2016-12-05]. https://www.berlin.de/sen/bjw/ueber-uns/leitung-und-organisation/die-abteilungen/.

**表 2-1　德国各州教育主管部门的名称**

| 州 | 州教育主管部门的名称 |
|---|---|
| 巴登－符腾堡州 | 文化、青年与体育部；科研与艺术部 |
| 巴伐利亚州 | 教育、文化、科学与艺术部 |
| 柏林州 | 教育、青年与科学部 |
| 勃兰登堡州 | 教育、青年与体育部；科研与文化部 |
| 不来梅州 | 儿童与教育部；科学、健康与消费者权益保护部 |
| 汉堡州 | 中小学与职业教育部；科研与平等部 |
| 黑森州 | 文化教育部 |
| 梅克伦堡－前波美拉尼亚州 | 教育、科学与文化部 |
| 下萨克森州 | 文化教育部 |
| 北威州 | 中小学与继续教育部；创新与科研部 |
| 莱茵兰－普法尔茨州 | 教育部；科学、继续教育与文化部 |
| 萨尔州 | 教育与文化部 |
| 萨克森州 | 文化教育部；科学与艺术部 |
| 图林根州 | 教育、青年与体育部；经济、科学与数字社会部 |
| 石荷州 | 中小学与职业教育部；社会、健康、科学与平等部 |
| 萨克森－安哈尔特州 | 教育部；经济、科学与数字化部 |

其三，州政府的其他部门。经济或劳动主管部门有权参与校外职业教育的治理。如巴登－符腾堡州经济－劳动与房屋建设部的第二司（专业人员保

障与住房政策司）下辖职业教育处和职业继续教育处。[①]梅克伦堡－前波美拉尼亚州经济、建设与旅游部第二司设有手工业、职业教育、减排及垃圾再利用经济处等。[②]此外，各州移民、难民或融合管理部门可以参与融入教育的管理，各州媒体电信局也可以在地方信息化教育治理中发挥巨大的作用。

各州之下，地方教育机关也在教育治理中发挥着自己的作用。

地方国家教育机关的设置因州而异：在设有大区的巴伐利亚州、北威州和巴登－符腾堡州三州设区、县两级管理部门，在三个城市州和较小的萨尔州无地方国家教育管理部门，其余的各州，则只在学区或县（市）一级设立地方国家教育管理部门。乡镇一般不设独立的地方教育部门。[③]

许多州通过制定行政法规，明确了各级地方国家机关参与教育治理的权限。如巴伐利亚的《大区条例》规定："根据该法律，作为地区法人的大区有权规范和管理由城区或不设区乡镇的职权和能力衍生出来的、且对大区范围无法产生足够作用的跨地区事务……大区应当推动与大区相关的居民经济、社会、文化福祉的发展。"[④]在设有大区一级教育机关的州，通常由大区监督文理中学、职业学校，其他中小学和特殊学校一般由市县教育局负责管理；而没有设大区一级教育机关的州，除不来梅、汉堡、柏林等城市州和东部新州及较小的萨尔州直接由州负责学校的监督外，其余各州一般都是由市县教育局负责中小学的监督，由州负责高校的监督。

《基本法》关于乡镇自治权的规定，使联邦德国的基层乡镇和各州共享文化教育的治理权。"在乡镇得以乡镇居民大会作为代表机关。各乡镇在法定限度内自行负责处理地方团体一切事务之权利，应予保障。"联邦德国各

---

① Ministerium für Wirtschaft, Arbeit und Wohnungsbau des Landes Baden-Württemberg. Organigramm[EB/OL]. [2016-12-05]. https://wm.baden-wuerttemberg.de/fileadmin/redaktion/m-wm/intern/Dateien_Downloads/160921-Organisationsplan_WM.pdf.

② Ministerium für Bildung, Wissenschaft und Kultur des Landes Mecklenburg-Vorpommern. Organigramm[EB/OL]. [2016-12-05]. http://www.regierung-mv.de/Landesregierung/wm/Das-Ministerium/Organigramm/#.

③ HEPP G F. Bildungspolitik in Deutschland[M]. Wiesbaden: VS Verlag für Sozialwissenschaften, 2011, S. 178-179.

④ Bezirksordnung für den Freistaat Bayern[G]//GVBl. München: Verlag Bayerische Staatszeitung GmbH, 1998: 850, 852, 861.

州还通过立法，保证地方的文化自治和文化多样性。萨克森州的《文化空间法》就明确规定，基于“精神生活和艺术表达的自由”以及“在一个需要保证地方活动空间的过渡时代萨克森应多么感谢其区域中日益增长的多样性和开放性”的考虑，该州负有“扶植乡镇和城区文化的义务。文化空间通过区域性工作，尤其是通过财政资助和协调平衡支持地方文化的代表性。在法律框架下，文化空间采用自治原则管理自身事务”。[①]此外，乡镇还负责普通学校之外具有继续教育性质的国民高校、成人学校、青年音乐学校的举办。但对于乡镇来说，这并非强制性义务。为了更好地参与国家治理，德国乡镇还组成了基层社区联合会总会，在联邦及一些州议会通过参与听证会的方式对基础教育和职业教育政策发表意见。

### （三）国家机关之间的合作治理机构及其职能

在德国教育领域，既存在各州国家机关之间的横向合作治理机构，也存在联邦和州国家机关之间的纵向合作治理机构。

文教部长常设会议是州与州之间合作治理的主要机构。1948年2月，为协调东西占领区教育事业的发展，在斯图加特召开全德各州教育部长会议。两德分离后，1949年10月8日西部正式成立了各州文教部长常设会议。1990年12月，原民主德国地区的文教部长开始参与文教部长常设会议。

该组织的决策机构是由各州代表组成的、一年开四次会议的大会。大会产生任期1年的主席团和主席，负责深化加工大会的决议并对紧急事务做出决策；常设会议在波恩和柏林设有两个负责日常工作的秘书处，以及几个为大会决策做准备的咨询机构，如机构咨询委员会、主要专业委员会及常设委员会等。其中最重要的是专业委员会，它包括中小学委员会、高校委员会、文化委员会、联邦－州海外中小学事务委员会等，是协助各州文教部长常设会议决策的主要的专业性咨询机构。[②]文教部长常设会议的职责定位是：使咨文和决议具有统一性和可比较性，以便为达成共识提供前提；对基础教

① Sächsisches Staatskanzlei. Sächsisches Gesetz–und Verordnungsblatt，Nr.13/2008[M]. Dresden：Sächsisches Druck–und Verlagshaus AG，2008，S.539.

② Kultusministerkonferenz. Organe der Kultusministerkonferenz [EB/OL]. [2016–12–05]. https://www.kmk.org/kmk/organe.html.

育、职业教育和高等教育评价标准的可靠性进行干预；谋求教育、科学、文化机构之间的合作等。[①]而其常设秘书处则重点强调了委员会的跨区域协调职能。[②]

联邦德国历史上最重要的多领域官方纵向合作咨询机构是联邦－州教育计划与科研促进委员会。该委员会成立于1975年，其前身是联邦－州教育计划委员会。它设有以下专业咨询机构：科学委员会、州专业部长委员会、高校建设计划委员会、基层社区联合会总会、联邦职业教育研究所总委员会、联邦及州政府顾问委员会等。联邦－州教育计划与科研促进委员会中联邦政府占16票，每个州占1票，通过决议至少要25票。该委员会的主要咨询目标涵盖了整个教育领域，包括为整体教育事务制订长期发展计划和中期阶段计划做准备；为贯彻紧急措施的计划做准备；协调为实现计划（教育预算）所需要的财政条件；对教育研究及规划提出建议，并为相关协商做准备；推动国际经验交流；为提出跨地区信息系统的建议做准备等。官方咨询机构的作用受政治影响较大。在2006年联邦主义教育治理改革后，该委员会于2007年12月31日被正式撤销，其参与高等教育治理的职能为全国科学代表大会所继承。

## 二、社会主体在教育治理中的职能

德国有为数众多的社会机构可以参与教育治理。和国家主体类似，这些社会主体也呈现高度碎片化的状况。本书只能对其中最具代表性的几类进行论述。

### （一）公法性社会团体及其职能

在德国，公法性社会团体[③]指以公法为依据建立的社会团体，具有独立

---

① Kultusministerkonferenz. Aufgaben der Kultusministerkonferenz [EB/OL]. [2016-12-05]. https://www.kmk.org/kmk/aufgaben.html.

② Kultusministerkonferenz. Das Sekretariat der Kultusministerkonferenz [EB/OL]. [2016-12-05]. https://www.kmk.org/kmk/sekretariat.html.

③ 在德国法律中，凡是由特定成员组成且承担一定公共任务的公法法人都是 Körperschaften des öffentlichen Rechts。因此，严格地说，这一概念并不仅指社会团体。例如，联邦劳动局，甚至联邦德国自身都可以看成是一个 Körperschaften des öffentlichen Rechts。

性、自治性，且不受团体成员变化的影响。公法性团体根据国家法律承担公法性任务，并在国家和公众面前代表自身的利益行事。德国主要的公法性团体包括教会，不以营利为目的的同业协会（又称公会或行会），学校，以及基层的乡镇等。[①]

根据《基本法》第140条，德国实行政教分离，允许教会介入公共事务，但国家政治价值观必须保持中立。《基本法》教育条款则将开设宗教课列为公立学校的法定义务。在国家监督之下，宗教课的教学大纲及教材由宗教团体负责选定。教会还有权参与高校神学教师的培养。不过，法律也允许家长决定自己的子女是否参加宗教课程，有些州甚至允许公立学校自主安排宗教课程。在高校中，教会在很大程度上对神学领域的教学、科研、教授职位拥有控制权。此外，教会还可以自己创办学校。目前德国共有2 000多所教会创办的各级各类学校。[②]

同业协会在职业教育治理中占有很重要的地位。同业协会是经济界的自治性、非营利性公法组织。它依法承担了国家赋予的部分职业培训职能。以工商业协会及其全国领导机构德国工商业代表大会为例。该协会由400万个工商企业组成，它可以制定工商行业培训细则、认定工商企业培训资质、审查培训合同、组织结业考试、设定培训期限、发放培训证书、设立专门职业教育机构、调解及仲裁劳动培训纠纷等。工商业协会主要关注企业熟练工培养、专业技术岗位设置、学校的经济知识教育以及调解中小学与经济界的关系，但同时也会对普通教育政策发表意见。

公立学校一般都是州政府监督下的公法性组织。它们在国家和公众面前代表自身利益，并依法履行教书育人方面的职能。德国高校还可以通过决议、建议等方式对国家教育决策产生影响。此外，为了参与高等教育治理，德国大学建立了一些公法性联合组织，如大学校长协会、综合性大学的全体院系大会及应用技术大学的专业领域联合会等。

---

① 乡镇虽然是公法性社会自治机关，但其所承担的公共职能却与其他级别的地方国家机关类似，故本书前文将其置于国家机构中一并讨论，此处不再赘述。

② KLEIN A. Kulturpolitik，Eine Einfuhrung[M]. Wiesbaden：VS Verlag für Sozialwissenschaften，2009，S.78.

### （二）利益集团及其职能

与承担公共法律任务的公法性团体不同，利益集团一般只代表本集团的利益发表意见和采取行动。德国教育领域的利益集团和劳资利益集团也是教育治理的重要参与者。

教育领域利益集团的成员是公共教育产品的直接使用者。这些利益集团通过信息交流、提供建议等方式，在国家和公众面前代表群体的利益，并使国家教育政策打上自己的烙印。

目前德国共有数个大型的教师协会，如教育与科学工会、德国（中小学）教师协会、天主教教育工作者联合会、教育协会、德国高校（教师）协会、高校教师联盟、高校与科学联合会等。隶属于德国工会联合会的教育工会是德国最大的教师利益代表组织。按照不同的学科、学段以及学校种类，其内部又被划分出不同的分会，如学前教育、各类中小学、继续教育、高等教育等分会。在机遇平等、合作、民主化与安全的宗旨下，它反对学校过早的社会分化，反对教育的私有化、市场化及大学学费制度的引入，主张取消教师的公务员身份限制。在教师法律保护、利益代表、工资政策、职业赔偿、信息提供、休假、教育研究项目支持等方面，教育工会起到了重要的促进作用。[①]德国（中小学）教师协会是公务员联合会的成员，是全德第二大教师利益代表组织。该组织赞同德国现行的双轨制教育体系，要求强化教师的公务员地位。主要由巴伐利亚中小学教师组成的天主教教育工作者联合会和主要由小学、主体中学、综合中学及特殊学校教师组成的“教育协会”也都是德国公务员联合会的成员，它们在政策主张方面与德国（中小学）教师协会经常相左，从而造成了公务员联合会中德国教师利益集团的分裂。德国高校（教师）协会是德国综合性大学教授群体最大的利益代表组织。在教学与研究自由及二者不可分割原则的指导下，该协会主要对德国推行的高校财政投入政策提出质疑，如反对财政拨款减少、反对高校企业化及推行绩效制度改革等。高校教师联盟则是应用技术大学教师群体的利益代表组织。它要求加强应用技术大学在德国高校中的地位，如拥有独立的研究转化生产设施

---

① GEW .Die GEW stellt sich vor[EB/OL].[2016-12-05]. https://www.gew.de/ueber-uns/.

及博士学位授予权，希望联邦和州能在“卓越大学计划”中增加对实践性研究的投入。高校与科学联合会是公务员联合会成员，主要是通过信息提供和法律保护等手段维护高校教师的利益。[①]

尽管学生很难形成具有坚强核心的组织，也不能像市场主体那样进行自由交易，但学生对教育治理的影响却是绝对不容小觑的。德国大多数州都已经立法保证中小学生在学校事务中的共决权。2008年，巴伐利亚州修改了《中小学法》，确立了学生代表在中学中的法律地位。通过这些代表，学生可以表达关于中小学政策的看法，并在州文教部拥有听证权。学生代表还可以与家长和教师协会组成行动联盟，甚至可以发起集会游行活动。但在实际中，中学生代表因为是未成年人，既没有选举权，也没有独立的经济地位，缺少有力的组织支持和专业经验，其在基础教育治理中的作用大打折扣。所以州中学生代表常常借助政党青年组织来维护中学生的利益。

根据各州高等学校法的规定，大学生可以参加高校治理。德国各州都有大学生的利益代表集团。每个大学的学生一般先选举大学生议会，后者再选举作为执行机关的大学生委员会。另外，各政党也都积极在大学生中发展自己的组织。如亲联盟党的基督教民主大学生协会、亲自由民主党的自由大学生群体联邦协会和亲社会民主党的社会主义青年大学生协会。学生会向学生收取会费，同时在高校和社会中代表大学生的经济、文化利益，并就高校政策发表意见。虽然没有法律基础，但学生会也可以成立全国性联合组织，如1993年出现的“大学生内部事务自由会议”等。但是，大学生利益组织对立法进程的影响也并不大，这一方面是因为学生会缺乏对大多数学生的号召力，另一方面，也是因为学生会的左倾表现使其屡遭司法系统的打压。例如，学生会组织的反高校收学费运动就以失败告终。

家长利益代表组织也在教育治理中起到了一定的作用。长期以来，虽然《基本法》赋予家长教育子女的“自然权利”，但家长们却很少能直接介入学校的课堂教学。在经历了一系列司法斗争之后，一些州的中小学法才对家长代表的共决权做出明确规定。按照规定，家长代表可以通过听证和建议的

---

① VHW. Service des vhw[EB/OL]. [2016-12-05]. http://www.vhw-bund.de/service.html.

形式参与学校教学计划的制订。黑森州甚至还将家长代表的建议权写入了宪法。各级家长代表们还联合组成了联邦家长委员会。

除教育领域的利益集团之外，劳资利益集团也是德国教育治理的重要参与者。它们在州及联邦议会选举时以动议、出版物、项目、活动等形式提出自己对教育政策的看法。

作为德国最大的劳工利益集团，德国工会联合会首先关注与工人利益息息相关的职业培训与继续教育。其下属第二大工会服务业工会，担负有组织教育与科研的重任，因此它将参与教育治理的重心放在高等教育领域。而基础教育则主要是教育工会关注的对象。不过，由于德国工会联合会其实是一个非中央集权工会，所以它内部对许多教育问题的看法都存在着分歧。德国第二大工会组织公务员联合会则主要通过下属的教育行业工会参与教育治理。它本身对教育问题并无统一的政策。

资方利益代表集团包括德国企业主协会、德国工业协会、德国手工业总会、德国雇主协会。这些利益集团不仅将教育视作具有战略意义的治理领域，更将其看作是企业主的核心利益所在。在国际学生评价结果震惊德国事件（PISA-schock）[①]和全球化的影响下，各组织通过出版物、项目等积极参与教育治理。其中，一半以上的资方利益集团教育建议都由专设“教育与职业教育部”的德国雇主协会提出。以上四家协会甚至还和德国零售业协会、德国大型对外贸易公司联盟自由职业者协会、德国农民协会联合设立德国经济界职业教育理事会，在国家和公众面前代表自己参与职业教育治理。资方利益集团重点关注的是提高职业教育的质量和完善职业资格的标准。通过对劳动力入职情况的国际比较研究，资方认为德国毕业生的职业培训水平无法满足经济发展的需求。因此必须对学校进行去行政化并引入绩效考核机制。2000年时，经济界筹划共同建立了推动自由市场经济发展的跨行业、跨政党组织“新社会市场经济动议”。该组织的主要职能之一也是为教育治理献计献策。如它通过“学校与经济”项目，在线向各学校提供各种档案和教学

---

① 2001年，国际学生评价计划的首次评估结果公布，过去数十年从未参加过此类测试的德国学生得分很低，震惊德国各界。

资料。

### （三）企业及其职能

一是咨询。德国统一之后，越来越多的咨询企业开始参与教育治理。如1991年北威州政府及其文教部发布的《中小学组织研究》报告的部分内容就是由长于中小学研究的Kienbaum咨询公司撰写的。此后，该公司又以减轻政府教育开支、提高教育效率为目标，陆续向其他州政府递交了多份研究报告，在一定程度上推动了这些州将绩效原则引入教育的进程。又如主要从事科学和高等教育咨询的Mundi Consulting公司，其具体研究范围包括：教育和科学管理、竞争管理、实践不同类型的产出导向型控制模式，以及对组织和人力发展理念、项目和计划执行情况做出评价。①1997年，应北威州科学主管部门之邀，Mundi Consulting对四个高校教学中心进行了评估和组织分析。专门从事基层教育数据收集和建议的公司PROSOZ Herten GmbH则主要是通过调查问卷等形式编写基层教育指标，为地方政府的教育发展战略提供依据。此外，还有许多企业通过设立或支持研究机构参与教育治理的咨询工作。如3 000多个大型企业通过出资支持德国科学捐赠者协会，②重点对高等教育治理提出自己的意见，尤其是要求在高校中引入绩效导向型管理机制，并加强校企合作、公私合作。媒体出版界巨头贝塔斯曼通过出资支持贝塔斯曼基金会，推动各界精英咨询网络的形成，对德国教育政策产生影响。贝塔斯曼基金会广泛地与德国政府和社会组织展开合作，它不仅在地方上启动了一系列卓有成效的学校发展项目，如2002—2008年北威州的中小学自治项目，还与大学校长协会合作在1994年设立大学发展中心等。

二是校外职业培训。企业是德国职业教育治理的重要参与者。德国经济部门的企业、经济部门以外的类似机构、自由职业者企业和家庭企业，在满足人员和物质条件之后，都可以获得相关职业的培训资质，从事职业教育活动。企业根据自己的实际需求确定培训招生计划，并通过考试确定最终录取人员。《职业教育法》规定，企业须通过签订职业培训合同来确立与学员

---

① Mundi Consulting. Über uns[EB/OL]. [2016-12-05]. http://www.mundiconsulting.com.

② Stifterverbandes. Über uns[EB/OL]. [2016-12-05]. http://www.stifterverband.org/.

的培训关系，并根据官方职业培训章程自主安排课程。学员则按照合同规定服从管理，完成学业，同时可获得报酬。培训企业要在学员通过各种严格考试之后，才能颁发相应的职业资格证书。企业培训的形式既包括劳动岗位实习，也包括专门培训工场的训练。

三是举办私立教育机构。德国学校分为由国家举办的公立学校和由非国家机构举办的私立学校。其中，私立学校的举办者和出资者除了私人和各类社会团体外，还有不少是企业。近年来，有越来越多的大企业进入到教育领域之中。如全球顶尖装配和紧固件企业伍尔特集团在巴登－符腾堡州金策尔斯奥创办的安娜·索菲自由学校，大众汽车集团在沃尔夫斯堡创办的新沃尔夫斯堡学校。此外，专门从事教育的私人教育康采恩也发展迅速。黑尔米希家族控制的汉堡教育投资股份公司2007年向德国国际大学和罗斯托克私立汉萨大学投资2 300万欧元。Phorms Education SE是一家总部位于柏林的大型私营中小学教育集团。[①]该公司在柏林、汉堡、黑森、巴伐利亚、巴登－符腾堡开设有五家主要从事德语－英语双语教学的私立教育子公司。

---

① Phorms Education. Who we are[EB/OL]. [2016-12-05]. https://phorms.de/en/about-phorms/who-we-are/.

# 第三章　德国教育治理的运行机制及基本特征

以合作联邦主义和代表多元主义的结构为基础，联邦德国逐渐形成了一套较为完整的教育治理运行机制。独具特色的教育治理结构和运行机制，不仅保证了德国教育目标的顺利完成，也为德国社会的平稳健康发展奠定了基础。

## 第一节　教育治理的运行机制

在长期的历史实践中，德国逐渐形成了具有本国特色的分级决策和多元合作的教育治理运行机制。

### 一、教育治理的决策

通常来说，德国教育治理的决策机制主要由以下三个环节组成，首先由官方咨询小组或委员会、公共教育研究机构、私人咨询公司及其建立或支持的智库等三大渠道根据国家需要搜集数据并提供建议，再由国家决策者据此制定法律和政策，最后再由各相关部门颁布法律实施细则并监督其执行。

#### （一）咨询与建议

20世纪60年代以来，国家决策越来越离不开科学数据和建议的支撑。在此背景下，由联邦和州国家机关、各类社会团体共同形成了联邦德国教育治理的咨询与建议机制。

按照主体的不同，国家获取信息和建议的渠道主要有以下三种：一是从官方咨询小组或委员会获取；二是从公共教育研究机构获取；三是从私人咨询公司及其建立或支持的智库获取。

为了便捷地获取建议及提高决策效率，某些国家机关专门设有自己的咨询团队。这些团队有的是由某个国家机关单独设立的，如联邦移民与难民署设立的“移民、融合与避难研究中心”；有的是由不同国家机关联合设立的，如全国科学代表大会；有的只针对某个教育领域，如州中小学顾问委员会；有的则针对整个教育领域，如1953—1965年间由各州文教部长常设会议与联邦内政部建立的德国教育委员会、1965—1975年间由联邦与州教育主管部门建立的德国教育咨询会、1987—1990年由联邦议院建立的“未来教育政策——2000年教育”咨询委员会、1999—2001年在联邦教研部倡议下建立的“教育论坛”以及2007年联邦和州根据《基本法》新确定的共同任务“在国际比较中确定教育绩效”而建立的联合工作小组。不过，针对整个教育领域的国家咨询机构，常常因为内部意见的不统一而难以发挥更大的作用。如德国教育委员会就是因州的反对而最终停止工作的。联邦议院“未来教育政策——2000年教育”咨询委员会的报告也是个综合各方意见、缺乏可操作性的妥协案。因此，从总体上来看，只有在争议较少或联邦与州权力划分比较清晰的教育治理领域，官方咨询渠道才能更好地发挥作用。

国家获取建议的第二个重要渠道是公共教育研究机构。这些机构基本上均属于公法性组织。在德国，无论公共教育研究机构是否是官方机构，一般都可以获得国家财政支持，同时又可以保持研究活动的相对独立性。其中，在高校内部主要是与教育相关的专门研究机构，如多特蒙德大学的中小学发展研究所、基尔大学的理科教学研究所、哈勒大学的高等教育研究所。全国性校外研究机构则以法兰克福的德国国际教学研究所、柏林的马克斯·普朗克教育研究所、联邦职业教育研究所为代表。在公共财政和第三渠道资金的支持下，这些研究机构大都从事政策应用性研究，并以此为基础向国家提供决策建议。

除了公共研究机构外，企业和企业支持的基金会也是国家决策的重要咨询途径。它们往往对教育问题有独特的观点和务实的解决方式，希望通过自身的创议来推动社会改革。这些机构借助科学分析与报告、试验及结构性资助等手段，对教育治理的决策和执行都产生了重要的影响。例如，科学捐赠者协会不仅可将他们的研究结果与建议以经济界院外活动的方式传达给各政党和决策者，同时还可以通过与科研机构展开对话的形式，直接对教育治理的运行产生影响。

另外，教育领域和其他领域的社会利益代表集团也会在国家立法及政策制定过程中提出相关建议。但这些建议更偏向于一种利益表达，而不是中立、客观的科学咨询。

近年来，随着理念和技术的发展，教育治理的咨询建议工作越来越偏重于以数据为基础、以绩效为导向的实证研究。受此影响，除了上述三类机构越来越重视一手教育数据的搜集与整理外，联邦统计局在教育治理中的咨询作用也日显突出。作为最权威的信息来源，联邦统计局在其官网“社会与国家－人口”一栏设有各类教育统计数据专栏。①为了能进一步获得大量翔实准确的数据，各类调查研究机构之间还不得不积极展开合作。其中最典型的例子，就是在联邦教研部和文教部长常设会议的主持下，德国国际教育研究所招募各类研究咨询机构的专家共同撰写“国家教育统计报告”白皮书。这些数据和报告为官方决策提供了重要的依据。

从上述三类机构获取的信息，一般会以报告、评价、建议等形式递交决策者。有时，为了更好地对这些信息进行加工，国家还会成立由专家及相关利益代表组成的专门工作小组。当然，科学界提出的咨询与建议，有时与决策者所关注的政治利益并不一致。实际上，建议者与决策者之间的博弈过程，恰恰是多元性国家决策的一个必要过程。

### （二）国家决策

国家决策是教育治理运行机制中一个非常关键的组成部分。这是因为国家在教育中“具有提供者和承担者的双重角色”。在中小学和高校这两个教育的核心领域，国家占据垄断性地位；而且在职业教育、继续教育和学前教育领域，国家也发挥着重要的作用。国家决策的形成，是不同层次国家机

① Statitisches Bundesamt.Bildungsstand[EB/OL].[2016-12-05]. https://www.destatis.de/DE/ZahlenFakten/GesellschaftStaat/BildungForschungKultur/BildungForschungKultur.html; jsessionid=1CA426DBF1AF7916F37619310F42B865.cae1.

关或多或少的彼此合作和协商的结果。联邦制下，由于主体权力来源的多样性，因此无论是在纵向治理结构还是在横向治理结构中，都存在着不同的竞争性权力中心。无论是部长、行政管理机构，还是议会，它们都会在自身的职权范围内做出决策，而且它们都有自己的一套咨询和执行机制。

教育治理中的国家决策者包括联邦和各州的各类立法、行政和司法机关。其中，各州州长（州总理）及教育主管部门、文教部长常设会议和联邦教研部的作用尤其重要。根据调查数据和专家建议，政府决策者首先会形成政策动议。这些动议会在分析调查和研究结果的基础上，对未来政策的重心做出规划。如在公布德国参与国际学生评价计划结果和国家教育统计报告的时候，联邦教研部和各州文教部长常设会议都会提出相应的政策建议。这些政策建议有时会以立法动议的形式递交议会。在广泛征询各方意见之后，议会会对政府法律草案进行修改和三读表决，最终颁布施行。

在联邦制下，各州拥有文化主权。它们将教育决策视为自身当然的权力。各州的教育决策权主要集中在学校教育领域。传统上德国各地的教育体制各不相同，但每个州的国家机关都有权对本州的学校体系和学校教育政策做出规定。如无明确法律规定，联邦不得对各州学校事务进行干涉。各州制定学校教育政策的过程一般是根据文教部长常设会议的指导意见，州议会制定相应的法律；法律颁行之后，各州教育主管部门制定相应的实施细则，并领导州内各级教育机关监督法律的执行。在实践中，州长和州教育主管机关常常扮演学校教育政策决策者的角色。各州文教部长有权在常设会议中代表本州签署相关指导文件；与学校教育相关的立法动议一般都是由州文教部代表政府提出；文教部拥有专业的行政业务班子，可以高效地完成法律草案的起草工作；在法律颁布后，文教部制定的实施规章往往比法律应用得更加频繁和广泛。自20世纪90年代以来，随着新公共管理主义和新自由主义的兴起，各州陆续将绩效制度引入教育，在简政放权的同时，逐步建立起了学校之间和学校内部的绩效竞争机制。在这一背景下，各州越来越倾向于通过法律手段而非行政手段来进行决策。

当然，联邦也不是完全不能参加学校教育的决策。由于各州财力有限，联邦常常可以通过经济手段介入学校政策的制定。如对符合条件的学生给予助学金、参与决定高校大型科研设备的投资建设和“卓越大学计划”等；《基本法》还允许联邦通过竞争性立法权参与学校（尤其是有关高校和职业学校）教育的决策，以提高全国学校教育政策的统一性。如联邦可参与决定高校的录取和毕业标准，可通过颁布职业教育法律来影响职业学校政策的制定等。

相比较来说，联邦在校外教育领域，尤其是在企业培训和非高校科研事务的决策中拥有更大的发言权。根据联邦《职业教育法》《手工业规章法》，联邦教研部和其他专业部门可以通过工商业协会等公法性团体决定企业培训政策；在非高校科研事务中，通过提供必要的资金支持，联邦教研部不仅可以参与校外科研机构的设备投资决策，还可以和州一起编制推动科研项目发展的计划。同时，联邦还有权制定移民教育政策，指导一般学校体系之外移民融入教育的开展。

另外，联邦还在海外教育中拥有决策权。在外交、教研、经济合作等部门的推动下，联邦政府制定海外教育政策和对外教育交流与合作政策，并将相关立法动议递交联邦议会。议会颁布法律后，联邦外交部会发挥核心协调作用，和其他联邦专业部门、各州及民间对外教育交流组织一起实施德国的海外教育政策。

## 二、教育治理的执行

在教育治理的执行过程中，德国国家只起到必要的监督作用，国家政策所规定的任务主要由各教育机构自主完成，同时国家和各种社会力量也会在政策落实过程中展开合作。

### （一）国家有限监督下的学校自治

德国法律规定，为了大众的利益，国家将承担起教育的责任。因此，国家是德国教育治理中最重要的主体。一方面，国家是绝大多数教育机构的开办者和资助者；另一方面，通过结构性立法，国家对整个教育的运行实行监督和控制。

国家在教育领域拥有广泛的控制和监督能力。它不仅对公共教育机构的规划、组织、人力、财务及考试拥有指导权，也可以对私立教育机构进行监督和干预。联邦可以通过财政资助和政策引导的方式，对符合《职业教育法》和《手工业规章法》的部分职业学校进行规范。除此之外，其他绝大多数学校的监督管理权都归各州。

德国各州对学校的监督包括业务监督、职务监督和法律监督。这三种监督方式各有侧重、互为补充。业务监督是由具有专业知识的督学通过听课和监考等方式对专业教学内容和教学方法进行的监督；职务监督是对教师和教辅人员履行职务义务的监督；而法律监督则是对学校教职员工违反法律的客观行为进行干预和惩戒。在基础教育和职业教育领域，国家对学校的监督一般要通过督学来实现；而在高等教育领域，国家则主要实行的是法律监督。

在国家的监督之下，德国各级各类学校或多或少都享有一定的自治权。自20世纪90年代两德统一以来，脱胎于新公共管理主义、新自由主义的教育治理思想兴起，德国大多数州开始在教育领域建立绩效考核制度，把过去对学校的投入导向型控制转变为产出导向型控制，同时赋予学校更大的自治权。目前，德国各级各类学校的自治权主要体现在：

首先，学校在教学、科研等专业业务方面享有自主权。中小学教师有权依照国家规定确定课程教学的具体内容、教学方法、参考教材及教辅资料，有权组织教学活动并通过合适的方法对学生做出考评。在高校，由于教授治校传统的影响，教师依法进行的教学、科研活动完全自主，国家不得干涉。新公共管理主义和新自由主义引入教育治理思想后，有些州将确定中小学课程教学目标和教学大纲的权力也交给了学校。而在高校，不仅新设专业的培养计划可在国家的监督下自主编制，许多专业课程也可以根据教学需要来自主设置。

其次，学校在财务方面享有一定的自主权。传统上，学校提出的预算经费申请只要论证充分，各州教育主管机关一般不会对其进行重大修改。但这些预算也必须经州议会批准后才能由各学校自主执行。自20世纪90年代以来，在新的教育治理理念的影响下，一些感到教育负担过重的州，开始考虑将绩效考核制度引入到教育经费的拨付体系之中。这些州通过采取一系列预算改革措施，逐步将本州教育经费拨付模式从“投入导向拨付”转变为“整体拨付”。所谓整体拨付模式，就是国家在预算中将经费“打包”拨给学校，再由学校在校内各单位之间进行自主分配的一种模式。整体经费拨付模式的引入，可使学校通过调配绩效结余资金，而获得更多的财务自主权。

再次，学校在行政管理方面也享有自主权。传统上，德国学校内部的行政管理部门权力很小，其主要担负的是上传下达的协调功能和为学校教学等业务活动服务的功能。即使是校长，也因为上级教育主管机构和学校教师代表会议的限制而缺少实权。它既无权决定学校的人事安排，也不能决定学校的预算分配。因此，有人将德国传统上的教育管理形容为国家—教师的直线管理模式。但是，自20世纪90年代之后，随着各州在教育领域实行简政放权，加强学校行政机关、尤其是校长权力的呼声也越来越高。部分州将原来属于教育主管机关的行政管理权下放给学校，同时邀请第三方社会力量参与学校治理，加强校长和学校管理机构的权力。比如有些州开始尝试公开竞聘校长的制度，有些州则将教授的任命权交给了高校新组建的多元化管理机构。

### （二）多元合作的执行机制

为了落实教育治理的任务，各类相关组织和群体进行了广泛的合作，并建立了一系列合作执行机制。

在教育机构之外，国家、社会力量和教育机构之间存在着密切的合作关系。国家常常委托社会力量对教育机构进行监管和评估，而教育机构则配合这些社会组织完成国家赋予的教育治理任务。如在联邦政府和州政府的委托下，工商业协会有权以主管机构的名义对企业培训行使监管权，而各个企业和跨企业培训机构则负责培训的具体事宜。再如国家会委托第三方机构对学校的教学质量进行评估，学校则根据这些评估进行教学改革。与此同时，教育机构之间也存在着很多合作，比如双元制职业教育就是由职业学校和企业共同完成的。此外，德国还有许多所谓的“治理共同体”，即为了完成特定的治理任务而建立的组织或平台，如德国国际学者网等。

在教育机构的内部，各种合作机制也广泛存在。在国家的监督下，各级各类教育机构都享有较高的自治权。这种自治权主要通过学校教师及其代表对学校事务的控制权实现。但根据各州的中小学法和相关高等教育法律法规的规定，学生、家长甚至有些知名校友也可以参与学校内部的治理。学校一般都设有学生会和学生发言代表。通过选举学生会和学生发言代表，高年级中学生、大学生可以和校方以及教师等共同参与学校治理。学生会不仅是学生在学校事务中的利益代表组织，有时还具有一定的政治性，通过参与政治活动或与政党保持联系来影响国家决策。学生发言代表则主要在校内代表学生就学校教育教学安排、课外学生活动和学生权益保障等问题发表意见。另外，在中小学，还有家长和校友也可以参与治理。家长通过选举本校的家长委员会参与学校事务，如教育教学、后勤保障、升学就业和安全保障等。校友会则利用校友的社会资源，资助学生和教学、课外活动，促进相应学校的建设和发展。

## 第二节　教育治理的基本特征

受历史传统、盟国改造、社会形势变迁及新公共管理主义和新自由主义的影响，德国在教育治理实践中形成了三大基本特征，即“以州为主、分工合作”“国家办学、自主竞争”“问题导向、与时俱进”。

### 一、以州为主、分工合作

在德国，各州拥有教育自治权，但联邦和其他社会力量也可以依法参与教育治理。不同类型、不同级别的主体各司其职，交流妥协，形成了具有鲜明德国特色的多元合作体系。

#### （一）以州为主

在德国教育治理中，州一层级扮演关键角色。根据《基本法》和各州宪法的规定，德国在教育领域奉行合作联邦主义和代表多元主义原则，教育事务属于各州的权限范围。而在实践中，作为教育治理中最主要的学校教育治理，也确实是在各州的主导下完成的。各州不仅可为学校教育制定法律并监督法律的实施，还可通过联合建立文教部长常设会议协调各自政策，为学校教育制定全国相对统一的标准。

在财务领域，各州是所有主体中对教育贡献最大的，其经费负担比例远远高于联邦、地方和第三方社会力量。传统上由各州负责的教育开支主要包括两项：一是教师薪金。各级各类公立学校，包括中小学、职业学校、高等学校的教师工资和福利津贴均由各州统一拨付；二是高等教育一般经费。德国各级各类公立高校均由州举办，高校的财政经费也主要来自于各州政府的教育或科学主管部门；除了高校教师工资外，高校日常管理经费、日常教学经费和科研经费也主要由州负担。

此外，州还在以下方面为分担教育经费做出了贡献：部分州规定中小学信息化设备的支出由州统一负责；另有一些覆盖区域较大或较为重要的学校，如某些专业学校也直接由州来举办，相应地其所有开支也都要由州来负责承担；此外，由于地方财力有限，各州常常会根据州文教部或财政部的规定，在预算中设立给地方专款专用的教育补贴项目，或根据地方的需求，对兴建校舍等给予一次性补助。[①]城市州等管辖范围较小的州，直接由州财政承担基础教育的所有教学经费。

**表 3-1　德国不同主体教育投入占总教育投入的百分比**[②]

| | 联邦 | 州 | 地方 | 私人 | 外国 |
|---|---|---|---|---|---|
| 2005 | 8.4 | 51.1 | 16.7 | 23.5 | 0.3 |
| 2007 | 10.9 | 52.8 | 15.5 | 20.6 | 0.3 |
| 2009 | 12.1 | 52.4 | 14.4 | 20.8 | 0.3 |
| 2011 | 12.6 | 52.9 | 14.7 | 19.5 | 0.3 |
| 2013 | 10.2 | 53.3 | 15.6 | 20.5 | 0.4 |

---

① Kultusministerkonferenz. Das Bildungswesen in der Bundesrepublik Deutschland，2013/2014 Darstellung der Kompetenzen，Strukturen und bildungspolitischen Entwicklungen für den Informationsaustausch in Europa[EB/OL].（2014-09-01）[2016-12-03]. https://www.kmk.org/fileadmin/Dateien/pdf/Eurydice/Bildungswesen-dt-pdfs/dossier_de_ebook.pdf，S.83.

② Autorengruppe Bildungsberichterstattung（Hrsg.）. Bildung in Deutschland 2008[M]. Bielefeld：W. Bertelsmann Verlag GmbH，2008，S.31. Autorengruppe Bildungsberichterstattung（Hrsg.）. Bildung in Deutschland 2010[M]. Bielefeld：W. Bertelsmann Verlag GmbH，2010，S.31. Autorengruppe Bildungsberichterstattung（Hrsg.）. Bildung in Deutschland 2012[M]. Bielefeld：W. Bertelsmann Verlag GmbH，2012，S.36. Autorengruppe Bildungsberichterstattung（Hrsg.）. Bildung in Deutschland 2014[M]. Bielefeld：W. Bertelsmann Verlag GmbH，2014，S.35. Autorengruppe Bildungsberichterstattung（Hrsg.）. Bildung in Deutschland 2016[M]. Bielefeld：W. Bertelsmann Verlag GmbH，2016，S.233. 为保持资料原貌，本书对数据未作改动。

在人事领域，中小学和职业学校的师资培训由各州统一做出规定，公立学校的教师聘用和监督也大多由各州教育主管部门来进行。德国实行的是文化联邦主义，不同地区、不同类型教育机构的师资培训与聘用标准并不完全相同。不过，为了保证教师队伍的质量，各州还是为本州各级各类教育机构聘用教师设立了相对统一的标准。重要的私立教育机构，如私立替代学校的教师也必须获得各州认可的教师资格才能上岗。一般中小学和职校教师的在职培训也主要由各州教育主管部门统一安排。

在教学管理领域，各州教育主管部门不仅可以根据文教部长常设会议的指导意见为普通中小学和职业学校制定相对统一的课程标准和考试说明，还有权认可或批准多数公立高校自主编制的专业人才培养计划。此外，各州教育主管部门传统上还可以监督普通中小学和职校的教学运行过程。其监督范围包括教学计划及安排、教材和特殊教学媒介的引入、班级规模及分班、评价体系及转学制度等。这些工作通常由一位与教育主管当局关系密切的督学来实行。

### （二）各司其职

除各州外，其他主体也都依法在各自擅长的教育领域承担职能，参与治理。

联邦主管部门主要在学校教育之外的领域，尤其是校外职业教育、高等教育和移民教育等方面发挥国家治理功能。地方则主要负责本地中小学和职业学校的日常运营、设施维修和后勤保障等工作。作为德国公共教育经费的三大主要负担者，州、联邦和地方在教育治理中发挥了非常巨大的作用。

还有其他一些公法性组织也在德国教育治理中发挥着自己独特的作用。官方或独立的公共调查研究部门，如联邦统计局、联邦职业教育研究所、德国研究联合会等，主要通过量化调查和数据研究为国家治理的决策和执行提供参考。基督教会不仅可以自主举办和运行各级各类教育机构，而且还有权培训、派出和指导学校宗教课教师。各地工商业协会则在联邦和州的领导下为企业培训制定细则、培训师资、组织考试，同时还可以通过建立企业外联合培训点来直接参与职业教育治理。大学校长协会则有权参与高校人才培养方案的核准。另有许多公共基金会为教育提供资金，甚至直接接手高校治理工作。

除了公法性组织外，各种社会利益集团，尤其是教育科学领域和经济社会领域的利益集团，也扮演了重要的角色。教师利益代表组织不仅在国家和社会面前代表教师群体的利益，担负教师法律权益保护、职业信息提供和教育研究项目支持等职责，而且还可以参与国家决策，就学校教育政策和教师培训政策等发表看法。大中学生利益代表集团可依法代表学生利益参与学校管理，同时还可以通过与政党的联系对国家教育政策产生影响。德国具有重要影响力的劳资利益集团也可在州及联邦议会选举时以动议、出版物、项目、活动等形式提出自己对教育政策的看法。

私人和私人企业也在教育治理中发挥着自己的作用。它们不仅在《基本法》的保障下设立了许多类型的教育机构，还通过各种形式为德国教育科研提供奖学金和项目资金，甚至还和高校联合建立研究所，实现产学研相结合。各类企业还通过提供实习工作岗位，积极参与职业教育治理。另外，还有一类比较特殊的专业咨询公司或智库型企业。它们专门为国家教育治理提供咨询和评估服务。

作为特殊公法性组织的德国公立学校当然也发挥着重要的职能。学校依照联邦和州的法律、法规和政策方针研究拟定学校发展战略和年度计划，执行国家认可的人才培养方案，组织实施办学体制改革。各级各类学校是直接从事教学活动的主体，所有的人才培养战略都需要由学校来实现。此外，学校还有权根据财务管理制度管理学校教育经费，并依法对本校人事政策和行政管理制度做出安排。

### （三）合作治理

除分工之外，合作治理也是德国教育治理最突出的特色之一。德国具有悠久的合作主义传统。德国学者维尔纳·阿贝尔斯豪泽称，这种普遍存在于德国政治、经济、社会领域的传统“诞生于封建帝国，在魏玛共和国得到了充分的发展，在纳粹统治下成了独裁制度，现在（战后）又新生了”[①]。在

① 阿贝尔斯豪泽 W. 德意志联邦共和国经济史（1945—1980）[M]. 张连根，吴衡康，译. 北京：商务印书馆，1988：63.

这一传统的影响下，合作治理成为德国教育治理中的重要特色之一。所谓合作治理，是指多种治理主体如联邦与州的国家机关、社会组织、企业等在平等、自愿、协商的原则下共同合作参与公共事务的治理方式。作为走向和谐社会的重要途径之一，合作治理不仅提倡社会自治和国家与社会分工协作，还要求在承认社会利益多元化的前提下，不同主体按照利益互惠的原则通过协商达成妥协，进而凝聚出共同的治理理念和价值观。德国教育中的合作治理主要表现在以下几个方面：

第一，联邦与州之间存在纵向合作。

联邦与州的纵向合作主要集中在《基本法》中"共同任务"和"竞争性立法权"所规定的领域，如校外职业教育、青少年儿童教育救助、规范职业教育资助、推动科学研究、公教人员法律地位与法律义务、高等教育的录取与毕业、在国际比较中确定教育绩效等。如果《基本法》对共同任务及竞争性立法权的规定发生改变，联邦与州的合作也将随之而进行调整。如2006年《基本法》修改之后，1975年以来曾对整个教育的规划产生过重要影响的联邦－州教育计划与科研促进委员会被改组为全国科学代表大会，联邦与州在该委员会中的合作也被局限在高等教育领域。当然，联邦与州在教育领域的合作也不完全局限于共同任务和竞争性立法权领域。即使是完全属于联邦的任务，有时也需要各州的配合才能完成。如在海外教育领域，由于联邦外交部的工作需要各州在师资等方面的支持，所以全国科学代表大会还专门成立了联邦－州海外中小学事务委员会。

第二，同级国家机关之间存在横向合作。

一方面，联邦教研部和各州文教部分别在联邦和州政府内部的合作中发挥重要作用。作为校外教育治理的总协调人，联邦教研部和许多部门有合作，如：向联邦议院提出立法动议，并为联邦议院所公布的法律制定实施细则；对联邦经济部制定的职业培训章程进行审核；与德国联邦经济与能源部、联邦内政部和联邦交通与信息基础设施部合作出台教育信息化相关文件；与联邦外交部在海外教育领域进行合作等。各州文教部也在州政府内部各部门合作中扮演关键角色。如州文教部与经济主管部门合作参与职业教育治理，与媒体电信局合作参与信息化教育治理。

另一方面，更为重要的是，各州文教部的横向合作还缔造了德国最重要的教育横向治理机构——各州文教部长常设会议。该会议由16个州的文化教育部长自愿参加，代表各州共同的要求处理跨地区性的文化教育事务。文教部长常设会议对各级各类学校教育拥有广泛的建议权和指导权，几乎所有的全国性教育指导规范全部都是先由它来制定和颁布，再交由各州执行。

第三，国家与社会之间也存在广泛的合作。

在决策过程中，各类社会组织、私人企业和教育机构常常以研究者和建议者的身份向决策者提供咨询。在执行的过程中，国家以监督者和守夜人的角色与各类社会主体和学校展开合作。此外，国家和社会还常常按照德国的合作主义传统建立各种教育治理共同体，以便更好地进行沟通与协作，完成教育治理任务。

第四，学校内部不同利益群体之间也存在合作。

合作治理的前提是承认多元化利益的存在。只有在此基础上才能通过不同主体之间的协商达成共识，凝聚出共同认可和遵守的理念和价值观。因此，德国就是先承认学生和家长的利益诉求有别于校方，允许学生和家长建立自己的利益代表组织共同参与学校治理，才在学校中普遍形成了师生合作及校方与家长之间的合作机制。

## 二、“国家办学”、放权增效

在坚持“国家办学”[①]的前提下，将新公共管理主义和新自由主义应用于教育领域，实现简政放权和引入绩效竞争，这是目前德国教育治理的又一主要特色。

### （一）“国家办学”

作为欧洲大陆教育体制的代表之一，德国也遵循着“国家办学”的原则来发展教育事业。中世纪早期，西欧的学校教育几乎全部为天主教会所把

---

① 此处“国家办学”主要指国家投入财政资金举办教育事业，与“管办分离”中的学校办学自主权并不矛盾。

持。神圣罗马帝国及德意志地区[①]各邦国的国家机器非常简单。世俗君主和贵族们一般不插手学校的创办和管理，也不直接对学校给予资助。[②]宗教改革之后，路德宗诸侯接受马丁·路德等人的思想，开始制订国家教育计划，挑战天主教会在教育领域的权威。19世纪洪堡改革后，以普鲁士为代表的德意志地区各邦国逐步将基础教育甚至高等教育都抓在自己的手中。此时，尽管教会学校和私人学校仍然存在，但国家无疑已成为最重要的角色。德意志邦国虽然参与和控制教育，但又赋予了教育机构一定的办学自主权。最典型的例子是，19世纪初期洪堡创立柏林大学的时候，他一方面保证学校可得到国家的财政支持，另一方面也保证国家不会肆意干涉学校的教学活动。此后，除了纳粹专制主义时期外，虽然德国绝大多数中小学和国立大学都处在国家的管理之下，并接受国家财政资助，但学校——尤其是大学的内部事务却很少受到国家的直接干涉。

联邦德国建立后，“国家办学”的原则被沿袭下来。即使是在新公共管理主义和新自由主义在西方兴起后，德国依然将其作为教育治理的基本原则之一。这意味着，与英美等私立教育发达的西方国家相比，德国教育治理具有如下特点：

首先，国家是绝大多数教育机构的开办者和资助者。教育被列入州和联邦的预算，且在预算中所占比例从2008年的8.9%持续上升至2011年的9.9%[③]；国家不仅不向在公立学校就读的学生收取学费，还根据《联邦教育促进法》，为十年级以上家庭贫困的中学生、职校生和大学生提供生活补助金。2007年共支付69 700万欧元，有大约31.2万名中学生得到了资

① 公元9世纪法兰克帝国分裂后，“德意志”一词逐渐成为东法兰克帝国德语族群居住地的名字。公元10世纪“德意志国王”头衔出现后，“德国（Deutschland）”便取代东法兰克成为德意志国王治下领土的名字。但直到1871年德意志帝国建立前，“德国”一直只是一个地理名词，而不是一个政治概念。为避免歧义，本书采用“德意志地区”这一概念指称1871年之前讲德语的日耳曼人邦国和领地。

② 鲍尔生 F.德国教育史[M].滕大春，滕大生，译.北京：人民教育出版社，1986：18-20.

③ Autorengruppe Bildungsberichterstattung. Bildung in Deutschland 2016[M]. Bielefeld：W. Bertelsmann Verlag GmbH，2016，S.221.

助。[①]2013年，共支付89 100万欧元，有29.3万名中学生和66.6万名大学生、硕士生获得了补助金。[②]在2015年之前，学生补助金由州和联邦一起按照7∶3比例分担。但此后这项支出就改为完全由联邦负责。

其次，教师的聘任、培训和继续教育由国家教育主管部门统一负责。学校正式在编教师绝大多数为国家聘任的公务员，其工资、津贴由国家直接发放。2014年，德国公立教育机构教师平均月收入为：小学4 700欧元，中学5 200欧元，职业学校5 400欧元，大学教授7 800欧元[③]，远远高于3 000欧元的社会平均收入水平。同时，国家培养和聘任教师的标准也相对严格。在德国，要想成为中小学教师，必须先在大学学习专业知识及教育学理论，通过第一次国家教师资格考试或硕士学位考试，之后再到中小学参加教学实习，并通过第二次国家教师资格考试。如果是职业学校的准教师，在教学实习的同时一般还需要继续学习有关职业师范教育的理论和技能。而想成为大学正式在编教师尤其是教授，则必须经过漫长的学术积累并取得丰硕的成果之后，再通过校学术委员会和海内外同行专家的评议，才有机会竞聘成功并获得国家任命。国家对私立教育机构的师资要求也非常严格。私立替代学校聘用的教师必须获得国家教师资格；企业培训中的教员也必须通过严格的培训和同业协会经国家授权举办的师傅资格考试。另外，教师的在岗培训和继续教育也需要由国家教育主管部门统一负责。

再次，联邦和各州均在各自负责领域为德国教育的人才培养制定了相对统一的标准。如在移民教育领域，联邦移民与难民署根据《国家融入计划》等文件的规定制定考试标准；在职业教育领域，联邦经济部以“培训章程”的形式制定各职业的标准，并经联邦教研部核准公布；在基础教育领域，各

① HEPP G F. Bildungspolitik in Deutschland[M]. Wiesbaden：VS Verlag für Sozialwissenschaften，2011，S.145.

② Kultusministerkonferenz. Das Bildungswesen in der Bundesrepublik Deutschland 2013/2014 Darstellung der Kompetenzen，Strukturen und bildungspolitischen Entwicklungen für den Informationsaustausch in Europa[EB/OL].（2014-09-01）[2016-12-03]. https://www.kmk.org/fileadmin/Dateien/pdf/Eurydice/Bildungswesen-dt-pdfs/dossier_de_ebook.pdf.

③ Autorengruppe Bildungsberichterstattung. Bildung in Deutschland 2016[M]. Bielefeld：W. Bertelsmann Verlag GmbH，2016，S.37.

州文教部均根据文教部长常设会议的协议制定了相对比较统一的各科“课程标准”，学生在不同州所获取的各类学校的毕业证书也可以得到全国范围内的认可。除制定和认可相关人才培养标准外，国家还会监督这些标准的实施，并通过引入第三方评估体系或组织学生参加学习能力测评等方式，对学校的人才培养质量实施评估。

**（二）简政放权**

在新公共管理主义、新自由主义的影响下，目前德国大多数州开始逐步减少对教育机构的行政干预，并赋予这些机构更大的自治权。

其一，除了可以依法确定课程教学具体内容、方法、教材和组织安排教学活动外，有些州将确定中小学课程教学目标和教学大纲的权力也交给学校，教育培训机构可根据相关标准自主编制全部或部分人才培养方案。传统上，只有联邦德国高校才能自主编制各专业的人才培养方案。即便如此，在20世纪60—70年代，国家仍然对高校的自主权进行限制。除高校外，国家在制订培养方案的方面留给其他教育机构的自由空间并不是很大。新公共管理主义兴起后，为了调动教育者的积极性，提高人才培养质量，国家决定在教育领域实行简政放权。在这一背景下，教育机构才获得了更大的自主权。不仅高等学校可以为新设立的专业或学位项目自主编制非标准化的培养计划，连中小学也可以根据教学主题自主编制教学计划、教学大纲和课程表。此外，在信息化教学等领域，各教育机构也可以自主编制发展计划。

其二，在官方颁布培养计划或自主制订的培养计划经官方认可之后，教育机构可自主执行这些计划。联邦德国各教育机构本来就可以根据自身的需要自主执行人才培养方案，以便能够因材施教，有效提高人才培养质量。如中小学、职业学校和企业培训机构不仅可以自主安排课程、选定教材及教辅资料，还可以独立开展教学活动并对学生进行评价。而高校的日常教学活动更是极少受到外部的影响。国家开始简政放权后，各教育机构执行培养计划的自主权进一步扩大。随着州教育主管部门越来越倾向于通过法律手段而不是行政手段来实现监督，学校在日常教学活动中所受的干预，尤其是原先在中小学比较常见的业务监督已变得越来越少。国家与教育机构之间的监督与被监督关系变为平等的伙伴关系，故而进一步减少了对教学运行过程的直接干涉。

其三，很多学校都在国家的要求下引入教学质量自我评估体系。如20世纪90年代在高校逐步建立的自我评估体系，主要对人才培养的以下指标展开评估：学科系部的结构与组织、教和学的目标、教和学的过程、培养计划、考试制度、学术资源、硬件设施、教师和学生对教学的看法、毕业生就业情况等。职业学校的人才培养自我评估体系则主要包括：教学过程评估，如“教学情境”与实践的契合度，以及师生互动关系是否民主等；Q2E教学管理评估，评估对象包括学校领导、学校组织、同事合作、校园文化等与学校治理密切相关的指标。

其四，学校在行政管理方面也享有更多的自主权。大部分州逐渐将原来属于教育主管机关的行政管理权下放给学校，同时邀请第三方社会力量参与学校管理，加强校长和学校管理机构的权力。如近年来德国高校在师范生学位考试方面的控制权就比以前有所扩大；部分州甚至将教授的最终聘任权也下放给了高校或主持高校的基金会。

其五，学校在财务方面也享有更多的自主权。学校提出的预算经费申请只要论证充分，各州教育主管机关一般不会对其进行重大修改。一些州的学校在获得教育经费之后，可由学校自主在校内各单位之间进行分配。

### （三）绩效竞争

德国国家教育经费的投入主要依靠的是财政预算机制。各校向主管部门提出建议，形成教育预算草案；之后再由州政府将各类预算草案一起报送州议会，最终由议会批准执行。自20世纪90年代以来，在新的教育治理理念的影响下，一些州开始考虑将绩效考核制度引入到教育经费的拨付体系之中。这些州通过采取一系列预算改革措施，逐步将本州教育经费拨付模式从“投入导向拨付”转变为“整体拨付”。所谓整体拨付模式，就是国家在预算中将经费“打包”拨给学校，再由学校在校内各单位之间进行自主分配的一种模式。一般情况下，整体拨付的教育经费分为基本经费和绩效经费。其中，绩效经费的拨付要以单位的绩效和负担水平为标准，并需要通过协商为绩效目标的达成编制单个计划。[①]

绩效经费拨入学校后，学校也会按照上述原则与各单位签订协议，对学校内部各项资金的使用进行绩效控制。整体经费拨付模式的引入，可使学校通过调配绩效结余资金，从而获得更多的财务自主权。通过引入绩效考核制度，学校还可以对自身的人才培养机制进行有效的评估和改进。同时，学校也可以通过处置学校财产和进行社会服务，从第三渠道为教育获取更多的资金支持。

不过，由于坚持“国家办学”原则，德国即使在引入了绩效竞争机制之后依然十分强调教育机遇的公平。

## 三、问题导向，与时俱进

面对信息化和外来移民所带来的种种问题和挑战，德国教育治理体系中的各类主体迅速做出反应，采取一系列措施推动相应领域治理结构和运行过程的完善。

### （一）迎接信息化时代挑战，完善信息化教育治理

信息化时代的到来使世界各国的教育发展面临着重大的挑战。面对种种问题，参与德国教育治理的传统主体和许多信息技术领域的治理机构纷纷推出自己的政策或建议，共同努力完善德国信息化教育治理的状况。进入21世纪后，联邦教研部、经济能源部和信息技术主管部门先后发布了一系列重要文件，推动信息化教育的发展。不少州也制订了信息化教育发展规划，要求教育主管部门将信息化列入相关政策文件，同时督促州信息技术主管机构提供硬件支持。在国家的大力推动下，德国许多社会团体和企业也纷纷加入到信息化教育的治理之中。不仅许多研究机构、社会团体和企业积极提供资金和技术支持，许多高校也制订了信息化发展方案。同时，来自不同领域的机构和组织还建立了所谓的“数字治理共同体”，共同为信息化教育治理出谋划策。在各类治理主体的积极努力下，德国的信息化教育很快达到了世界一

① HEPP G F. Bildungspolitik in Deutschland［M］. Wiesbaden：VS Verlag für Sozialwissenschaften，2011，S. 239.

流水准。

### （二）关注移民融入问题，完善移民教育治理

大量移民和难民的涌入也使德国出现了严重的移民“融入问题”。由于在语言、文化等方面的隔阂，这些新来的移民和难民难以与德国主流社会融为一体，使德国社会面临着碎片化的风险。面对日益严峻的移民融入问题，拥有多样性文化政策传统的德国，在吸收其他西方移民国家文化整合政策的基础上，根据联合国教科文组织和欧盟移民、教育和文化政策的要求，结合本国教育治理和移民治理的实际状况，逐渐形成了以“和而不同”为主要特征的文化多元主义移民教育体系。在国家层面，一方面，分别由联邦移民与难民署和联邦教研部牵头发展移民融入（语言）教育和移民职业教育，减少移民融入主流社会的困难；另一方面，各州文教部长常设会议和教育主管部门在中小学课程标准中加入跨文化教育的内容，同时在联邦主管部门的配合下，完善移民非德国毕业证书和职业资格证书的认证体系，希望通过尊重移民的文化传统和原有知识技能，赢得他们对德国的认同感。在社会层面，许多社会组织和企业，包括移民组织和移民开办的企业，都开始为移民教育提供咨询建议或开始承担移民教育的实际任务。在学校层面，各级各类公立中小学都按照当局的要求在原有课程中加入了有关跨文化教育的内容；私立学校中，既出现了许多提供移民融入课程的语言学校，也建立了一些专为移民创办的跨文化国际学校；高校也通过开设与移民融入教育和跨文化教育相关的专业、课程及研究所，对移民教育的理论和实践展开研究，同时还为移民教育培养了师资力量。

# 第四章　德国基础教育治理

基础教育治理是德国教育治理的重要组成部分。在德国基础教育治理中，虽然各州始终扮演着关键的角色，但联邦、地方和其他社会主体的作用也不容忽视。近年来，由于受到新公共管理主义和新自由主义的影响，德国在基础教育领域的简政放权和绩效改革也在稳步推行之中。

## 第一节　基础教育治理的结构

在德国基础教育治理结构中，各州居于核心位置，联邦只在少数几个领域发挥有限的作用。各级各类中小学必须在州及其下属国家机关的监督下独立开展教学和管理工作。社会团体可以依各州法律参与教育政策的制定，也可以在州及其下属国家机关的安排下直接参与中小学的内部事务。

### 一、基础教育的国家治理体系

联邦《基本法》和各州宪法均明确规定中小学[①]教育受国家监督治理。联邦可以对中小学教育治理施加间接性影响，但联邦一级并没有直接监督中小学教育的职能，对中小学实施监督治理的实际上就是各州及其合作治理机构。

#### （一）联邦一级的基础教育治理机构及职能

联邦立法机构可以通过制定法律、核定预算和监督政府的方式参与基础教育治理。在立法机构的监督下，联邦政府也可以通过行政手段参与基础教

① 在德语中，Schule一词表示中小学的含义。但为了行文方便，本书有时将其译为“学校”。在本章中如无特殊说明，学校一般就是指中小学。

育的治理。不过，联邦国家机关对基础教育治理的参与仅限于以下范围：

首先，参与基础教育的调查研究。《基本法》规定联邦可以在国际比较的背景下和州一起确定教育绩效。2007年，联邦与州达成一项行政协议，决定共同撰写报告，提出建议，提高德国教育质量。为此，联邦和州教育主管部门的国务秘书和下属机构的首脑还专门成立了8人组成的控制小组。各州文教部长常设会议秘书长和主要教育研究机构的首脑也有权列席小组会议。小组不设办公机构，其在基础教育领域的主要职责是：协调德国中小学参加国际教育质量比较研究，撰写国家教育统计报告，根据专家建议和研究结果提出基础教育的发展目标。通过参与调查研究，联邦可以间接地对各州基础教育进行结果导向型控制和教育质量监督。如联邦教研部目前所进行的一系列研究就是通过指明目前基础教育中所存在的问题，来迫使各州加强相应教育改革的。①

其次，参与基础教育领域的对外交流与合作。海外教育是联邦专属立法权范畴。2014年，联邦议院颁布《海外中小学法》，作为德国各级各类机构参与海外中小学治理的主要法律依据。联邦教研部设有欧洲与国际教育研究合作司，其工作重心之一便是推动基础教育领域的国际化和国内外中小学生的交流。联邦外交部则专设"对外科学、教育、研究政策与对外文化政策专员"，负责参与德国海外中小学的创办、资助和管理。当然，实现基础教育领域的国际交流与合作，不仅需要联邦政府多个部门之间的鼎力合作，也需要各州和社会力量的积极配合。

最后，安排学生资助。青少年儿童资助属于联邦和州的竞争性立法范畴。1971年联邦议院颁布的《联邦教育促进法》，规定联邦和州将按照13∶7的分担比例向家庭困难的中学生提供生活补助金。该法律后经多次修改。到2015年时，联邦成了补助金的唯一提供者。《联邦教育促进法》目前在基础教育领域的资助对象主要是不和父母同住的附加普通学校学

① HEPP G F. Bildungspolitik in Deutschland[M]. Wiesbaden：VS Verlag für Sozialwissenschaften，2011，S.143－144.参见Bundesministerium für Bildung und Forschung.Rahmenprogramm，empirische Bildungsforschung[EB/OL].[2016－12－05].www.empirische－bildungsforschung－bmbf.de/.

生，2016年8月1日后资助标准为每月504欧元（第12条第2款第1项）。由于德国基础教育不收取任何费用，所以这些学生所获得的补助金其实就是用来支付日常生活开支的。

此外，联邦参与基础教育治理的方式还包括规定公立学校教师的法律地位、救助青少年儿童等。

### （二）州一级基础教育治理机构及职能

在基础教育领域行使治理权，是各州的文化教育主权的主要体现之一。很多州宪法都规定了公民在基础教育阶段所享有的权利和所应尽的义务，以及与基础教育相关的行政、财务原则。各州中小学法则对基础教育进行了详细的法律性描述，如基础教育的目标和原则、学校体系、课程、教材、教学、考试、人事、学校管理、教育行政管理与督导等。

除立法机关外，在基础教育治理领域影响最大的国家机关当属各州政府的文教部。文教部负责本州基础教育的规划、管理、资助和评价，有权协调州内各级教育机关的政策，对各中小学的开办、人事、财务、日常管理和学业评价给予指导。有权设立和指导基础教育的研究部门。

各州文教部都是州政府的重要组成部分，其部长都是由州长提名，经州议会通过后任命。按照惯例，大多数州文教部还设有由部长领导的国务秘书（相当于副部长），主要负责协助部长分管相应的事务并与议会保持沟通。下面以北威州和巴伐利亚州为例介绍州文教部的基础教育治理职能。

北威州主管基础教育的部门称为“中小学与继续教育部”。中小学的建立、管理、考核等均由该部负责。该部下设5个司和若干个独立单位。其中，一司负责预算、人事、组织、州宪法、规划和公共关系，二司负责中小学人事、与北威州《公务员法》和《中小学法》相关的事务，三司负责职业教育、教育融合、全日制学校、体育教学、宗教事务，四司负责师范教育、教师继续教育、个人发展、继续教育、国际化和教育质量，五司负责普通中小学和特殊学校。独立机构主要包括：州立中小学教育研究所、州教师考试处、33个中小学教师实训中心、克隆堡中小学教师继续教育局、国家远程教育中心等。此外，该部还负责领导和协调各地方中小学教育局的工作。[①]

巴伐利亚州主管基础教育的部门称为“教育、文化、科学与艺术部”。该部职能涵盖教育文化和科学艺术两大领域，分别由两位司长领导。司长下设11个局和若干独立机构。其中与基础教育相关的部门包括：核心任务、信息化和综合事务局（主要负责人事、组织、内务、信息化教育、文教部长常设会议事务、联邦参议院事务和其他事务），预算局，中小学及过渡学校局，实科学校与基本问题局（主要负责实科学校、教师培训、教育质量保证、全日制学校和家长事务），文理中学局等。[②]

### （三）地方基础教育治理机构及职能

历史上德国各邦和普鲁士邦的各省之下的地方国家机关（包括大区和市、县）在法律许可的范围内也有权参与中小学的治理。

在德国，巴伐利亚州、北威州、黑森州和巴登－符腾堡州等设有大区一级教育机关的州，通常由大区和市县教育局分类别监督各自辖区内的中小学；而没有设大区一级教育机关的州，如不来梅州、汉堡州、柏林州等城市州和其他平原州，则由各州直接负责学校的监督或由州和市县合作监督各学校。此外，《基本法》关于乡镇自治权的规定，使德国的基层乡镇也和各州共享文化教育的治理权。

大区教育管理机构，有的单独设立，有的在大区政府内部设立。依据各州中小学法，大区在基础教育领域的主要职能是：在州的领导下对本地区的基础教育进行规划、组织、管理和监督，包括组织考试、提供咨询、培训教师、评估质量等，同时对权限范围内的中小学进行监督。市县教育局的主要职能是：为权限范围内的中小学发展制订规划、聘任教师和校长、对小学招生和小学生择校、定向分流进行监督。市县教育局的业务监督职能由州政府

① Ministerium für Schule und Weiterbildung des Landes Nordrhein–Westfalen. Organisationsplan [EB/OL].[2016–12–02].https://www.schulministerium.nrw.de/docs/bp/Ministerium/Organisation/Orga.pdf.

② Bayerisches Staatsministerium für Bildung und Kultus，Wissenschaft und Kunst. Organisationsplan [EB/OL].[2016–12–02].http://www.km.bayern.de/download/6940_organigramm_januar_2016.pdf.

任命的督学负责。

大多数情况下，大区一级教育主管机关主要负责主体中学以外的普通中等学校、职业中学的监督，而市县教育局则主要负责小学及其附属幼儿园、主体中学和特殊学校的监督。但两者的具体分工也因州而异。以北威州为例，其5个大区政府内设有学校教育局，主要负责对各级各类中学，如实科中学、综合中学、文理中学、职业中学以及继续教育学校、特殊学校进行业务监督和职务监督，同时对主体中学、州中小学教师考试局、中小学教师实训中心、克隆堡中小学教师继续教育局给予指导。如北威州科隆大区政府内第四局即为中小学教育主管部门。这一机构的主要职能是对辖区内教师、教师实训中心和学校给予全面的监督。①其主要下属机构包括：小学和过渡学校处，主体和实科中学处，文理中学处，综合中学处，职业学校处，教师培训与继续教育处，人事与职位规划事务处，中小学法律、管理、建设、教会事务、预备学校、体育、体育设施建设、继续教育处，艺术及文化扶助、公共图书馆处，以及作为独立机构的中小学质量分析中心。②北威州在大区之下还设有53个市县的地方教育局。例如隶属杜塞尔多夫大区的杜伊斯堡市教育局，其职能范围为“在州的监督下负责中小学事务，监督范围包括职务监督和业务监督、维持秩序、中小学需求支持、教学支持、相关人员（如学校举办者、校长、教师、学生）的督促等”，监督对象是小学、主体中学和特殊学校，基层乡镇亦可参与监督。③

巴伐利亚州设有七个大区，大区政府内中小学管理局监督的重点是职业学校，而县市教育局监督的重点则为国民学校和特殊学校。④但两者的分工并不绝对。如上巴伐利亚大区中小学管理局的职能是对辖区内中小学、

① Birzirksregierung Köln. Abteilung 4−Schule[EB/OL].[2016−12−02].http://www.bezreg−koeln.nrw.de/brk_internet/leistungen/abteilung04/.

② Birzirksregierung Köln. Organisationsplan [EB/OL].[2016−12−02].http://www.bezreg−koeln.nrw.de/brk_internet/orgaplan.pdf.

③ Duirsburg am Rhein. Schulamt für die Stadt Duisburg [EB/OL].[2016−12−02].https://www.duisburg.de/vv/40schulamt/schulamt.php.

④ 杭州大学德汉翻译和信息中心.联邦德国普通行政管理及教育行政管理[M].杭州：杭州大学出版社，1994：171.

过渡学校、职业学校进行业务监督和法律监督，尤其是在这些学校的人员供养、教师培训、课堂教学、质量评价等方面享有发言权。[①]在大区中小学管理局中，有四个部门负责职业教育，其余部门里负责基础教育的主要是中小学教育教学与质量保证处、中小学组织人事处和中小学监督处。[②]上巴伐利亚大区所辖的慕尼黑县教育局的主要职责包括：学校组织和人员待遇、学校咨询与需求、促进学校发展的措施、教师建议与评价、与学校合作者进行协调、处理纠纷等。教育局内设四个处，分别负责相关业务并对口监督不同的中小学。[③]

地方政府中除了各级文化教育主管机关外，青少年局也可以通过资助和帮扶贫困中小学生来参与基础教育治理。

**（四）国家教育合作治理机构及职能**

各州文教部长常设会议是德国主要的跨州级基础教育治理机构。各州根据文教部长常设会议的建议制定自身的基础教育政策，并通过这一机构对政策做出调整。文教部长常设会议由各州文化教育部长自愿参加，代表各州共同的要求处理跨地区性的文化教育事务。它实际上是一个咨询机构，旨在通过签订联合协议使得全国教育政策协调一致。文教部长常设会议的决策机构是大会，由各州文化教育部长和文化教育评议员参加。大会选出主席团、主席及各种专门委员会。各州在大会和各委员会中有一票表决权。文教部长常设会议所颁布的协议，首先由各专门委员会起草准备，然后提交大会表决。其中关于教育政策的协议必须经各州一致同意才可通过。但即使是一致通过的协议，也不具备法律上的约束力。只有经过州议会批准后，这些建议才能在各州成为法律。

---

① Regierung von Oberbayern. Bereich 4–Schulen Grund–und Mittelschulen，Förderschulen und berufliche Schulen[EB/OL].[2016–12–02]. https://www.regierung.oberbayern.bayern.de/aufgaben/schulen/.

② Regierung von Oberbayern. Organisationsplan[EB/OL]. [2016–12–02].http://www.regierung.oberbayern.bayern.de/imperia/md/content/regob/internet/dokumente/z/orgaplan/rob_orgaplan.pdf.

③ Staatliches Schulamt im Landkreis Münster. Organisationsplan Schulamt（Aufgabenbereiche der Schulärte）[EB/OL].[2016–12–02].http://schulamt.landkreis–muenchen.de/fileadmin/files/schulamt/Organisationsplan_Schulamt_ML.pdf.

文教部长常设会议虽然不是一个立法和行政机构，但它在联邦德国的基础教育治理中一直发挥着重要的作用。各州基础教育体系的变革，很多都是以它的建议为基础。如在20世纪50—60年代教育统一的过程中，文教部长常设会议曾于1964年10月28日通过《联邦德国各州关于教育领域标准化的协定》，协定以1959年德国教育委员会《关于改革和统一普通教育体系的总纲计划》和1960年德国教师协会联合工作组的《不来梅计划》为基础，要求各州延长普通义务教育的年限，并在双轨制教育体系内设立定向阶段或观察阶段。70年代教育扩张和模式改革期间，各州文教部长常设会议又于1972年出台《关于改革文理中学高级阶段的协定》（又称《波恩协定》），同意对文理中学高中阶段进行综合的改革。进入21世纪后，文教部长常设会议基于德国中小学生学习质量低于西方国家平均水平的状况，又出台了一系列全国统一的基础教育标准。这些协议对半个多世纪以来的德国基础教育治理产生了重要的影响。

现在文教部长常设会议对自己在基础教育领域的职能定位是：保证基础教育过程和毕业的一致性和可比较性；协商各阶段升学的科目要求；对不同的课程给出教学内容建议；保证教师教育的质量和师资力量的流动性；制定教育标准，参与国家教育治理比较研究，出版官方教育报告，设立质量发展研究所和国际比较中心；发展个性化教育，使每个学生可以有机会获得最佳的教育；通过教育促进移民子女融入社会等。①

作为联邦与州之间的合作治理机构，联邦－州教育计划与科研促进委员会在基础教育领域也单独出台过一系列重要的文件，如1973年通过的《综合教育计划》就直接推动了综合中学的建立。不过，随着21世纪联邦一级基础教育治理权的不断缩小，联邦－州教育计划与科研促进委员会于2007年12月31日正式改组为全国科学代表大会，不再参与基础教育治理。

① Kultusministerkonferenz. Allgemeinbildende Schulen，Aufgaben und Schwerpunkte der Kultusministerkonferenz[EB/OL].[2016-12-02]. https://www.kmk.org/themen/allgemeinbildende-schulen.html.

## 二、中小学内部的治理结构

在各州的监督之下，中小学通过设立各类权力机构行使自治权。

### （一）行政领导机构及其职能

德国中小学的行政领导机构主要是校长、副校长组成的校务领导会议。根据各州中小学法的规定，校长是学校的领导者，负责整个学校的事务，如在校内维持法律和校纪、行使校舍管理权、决定学校物资分配、参与教师聘用、确定教学任务和教辅人员的职责、对外代表学校等。巴登－符腾堡州《中小学法》第41条规定，校长是全体教师代表大会主席。校长负责领导和管理学校，在如下领域拥有权力：招收和开除学生，关注义务教育，分配教学资源、制订教学计划；对外代表学校，处理与家长、教会、职业培训机构、青少年扶助机构和公众的关系；监督学校设备和建筑；维持校园安定；处理学校委托事务；约束学校举办者，防止其干预学校内部事务等。[①]而柏林州中小学校长的职责则包括：全面负责学校的管理工作，确保法律和行政规章的实施，维持校园安定，分配学校的人力与物资，在学校自治范围内依法决定法律事务；在相关法律框架下参与招聘和分配工作人员；决定教学事务尤其是教师教学事务，对外在中小学协会中代表本校。[②]巴伐利亚州的每所中小学也都有一位校长。“校长不仅是教育方面的负责人，同时还是学校这一机构的理事。他经常被学校或学校出资者任命为学校财产的管理人并被授予财权。巴伐利亚州的中小学法规不允许学校实行集体领导。”[③]

除校长外，德国较大规模的中小学还设置有协助校长处理学校事务的副校长。有些州为了加强学校的管理层，还允许学校设立由校长、副校长和教

---

① Die Regierung des Landes Baden–Württemberg. Schulgesetz für Baden–Württemberg（SchG）in der Fassung vom 1. August 1983[G]// GBl.1983：397.

② SchulG Berlin– § 69 Stellung und Aufgaben der Schulleiterin oder des Schulleiters [EB/OL]. [2016–12–02]. http://www.schulgesetz–berlin.de/berlin/schulgesetz/teil–vi–schulverfassung/abschnitt–i–schulpersonal–schulleitung/sect–69–stellung–und–aufgaben–der–schulleiterin–oder–des–schulleiters.php.

③ 杭州大学德汉翻译和信息中心.联邦德国普通行政管理及教育行政管理[M].杭州：杭州大学出版社，1994：173.

师代表组成的校务领导扩大会议。根据2015年修订的巴伐利亚州《教育教学法》，巴伐利亚州引入由教职工授权的具有领导和人事管理职能的校务领导扩大会议，通过听课和谈话等方式保证人事工作的效率。该法第57a条还规定，为了支持自己完成《教育教学法》第57条第1~3款的规定，公立学校的校长可以向常设国家主管部门申请设立校务领导扩大会议。会议由常设代表和必要的教职工组成，依法行使行政和人事管理权。[①]

### （二）学校代表大会及其职能

学校代表大会是德国中小学的必设机构之一。在不同的州，其称呼有所不同。学校代表大会一般由校长、副校长、教职工代表、学生代表、家长代表和学校出资者代表等组成。学校代表大会既是校领导的咨询机构，又是各方利益的协调机构，并对学校一般事务握有最终决策权，可以否决校长、学校出资者和其他学校部门的意见。

根据巴登－符腾堡州《中小学法》的第40条规定，在排除不足法定年龄的学生代表且至少有四名教职工代表参与的前提下，学校代表大会有权和学校出资方一起参与决定校长人选。第47条规定，学校代表大会是全校性组织，其任务是寻求校领导、教师、家长、学生和学校出资方的合作，协调不同意见，就对学校具有重大意义的事务提出建议并根据《中小学法》的规定做出决定。学校代表大会可以向校务领导扩大会议和其他会议提出倡议和建议；就学生运送问题表明校方态度；为建立自由的工作共同体奠定基础；对出资者提出资金要求等。以下事务须要听取学校代表大会的意见：教师代表大会关于教育和课程的决议、关于学校在其办学目标的整体框架下可支配资金使用的决议；关闭学校；改变学校的种类、形式、用途，长期的分割、合并、扩展学校及提升学校办学档次；学校的科学研究任务；关于教育和秩序的措施制定；对出资方的设施、校舍建设表明校方态度。以下事务应该听取学校代表大会的建议或获得其谅解：通过学校和校舍法令；关于班级工作

---

① Gesetz zur Änderung des Bayerischen Gesetzes über das Erziehungs−und Unterrichtswesen [EB/OL].（2013−08−01）[2016−12−02].：7−8. https://www.km.bayern.de/download/5566_bayeugndge.pdf.

和家庭作业的整体性问题；在学校统一贯彻法律规章的决定；为涉及全校的特别活动制定纲领；为校外活动制定纲领；确定及修改学校自己的课表等；在相关问题上对学校举办者拥有建议权；全校代表大会最少要有14名教职工代表成员：校长（即主席）；家长委员会主席（即常务副主席）；6名教师代表；5名家长代表；6名学生代表（最少是七年级以上的学生），其中1名为发言人。

### （三）教师代表大会及其职能

教师代表大会由学校全体或部分教职工共同组成，参与学校重大事务尤其是与教育教学相关的事务，协助校长和学校代表大会治理学校。各州中小学法对于教师代表大会的组成和职能一般都有明确的规定。

如巴登－符腾堡州《中小学法》第44条明确指出，教师代表大会讨论和决定与学校教育教学相关的一切必要措施，以及所有需要以教师参与的形式来解决的问题。它寻求合作、获取支持、交流经验。各校教师代表大会要依据法律规章展开工作和做出决定，遵循每个教师的教学原则、服从学校领导层的管理，同时要参考其他学校教师代表大会、本校学校代表大会和其他相关机构的职能。教师代表大会的决定对校长和教师都具有约束力。如果校长认为教师代表大会的决定违反了相关法律规章或无法执行，教师代表大会又坚持己见的话，校长可以将此分歧提交监督机构裁决。在这一过程中教师代表大会的决定暂停执行。

教师代表大会包括全体教师代表大会和部分教师代表大会。前者每个学校只有一个，后者则只包括某个年级或教研组老师。在不损害学校代表大会权力的前提下，教师代表大会可以对学校重大事务提出建议和做出决定。其中，班级教师代表会议可以对本班教育教学中具有全局性意义的问题提出建议和做出决定，专业教师代表会议就本专业的问题提出建议和做出决定，部门教职工代表会议就部门的问题提出建议和做出决定。对区域性联盟中的教育中心或中小学来说，可由所属教师组成教师代表大会，对具有全局性或可由表决通过的事务提出建议和做出决定。

行政领导机构、学校代表大会和教师代表大会通常是德国中小学治理的权力核心。除这些机构外，可参与德国中小学内部治理的还包括家长委员会、学生会等相关利益群体的代表组织以及秘书处、食堂等辅助保障机构等。

## 附：迪尔曼文理中学个案分析

迪尔曼文理中学是巴登－符腾堡州首府斯图加特一所具有150年历史的文理中学。它的内部治理体系主要由以下四个部分组成：[①]

其一，行政领导机构。即学校领导班子，由校长、常务副校长、数学与自然科学分部部长、语文分部部长等共同组成。学校领导班子是行政决策的核心。其中校长除了根据巴登－符腾堡州《中小学法》第41条的规定行使职权外，还分管学校创造性写作课程的管理；其他领导班子成员也都分管相应的行政管理事务。学校领导班子成员都是由教师兼任，他们在担任行政职责的同时还必须完成本职教学工作。

其二，合作治理机构。首先是学校代表大会，由8名教师代表、8名家长代表和6名学生代表组成，主要职能是根据巴登－符腾堡州《中小学法》第40条和第47条的规定对学校各项事务提出要求和建议；其次是学校发展合作会议，每年大约召开四次，由家长和教师共同围绕某一主题开展活动；再次是校友会、基金会等学校与社会的合作治理机构。校友会的主要职能是在“年轻人和老年人之间搭建桥梁”，实现“快速的知识和信息交流”。而属于私法性质的学校基金会，其主要功能是通过各类项目支持来改善学生发展的条件。

其三，校内各利益群体的参与治理机构。首先是教师代表大会，主要职能是根据巴登－符腾堡州《中小学法》第44条的规定讨论和决定一切与教师相关的事务；其次是家长委员会，该委员会每年最少召开两次会议，每个班级和年级可选举两名家长代表参加会议

① Organisation [EB/OL]. [2016-12-02].http://www.dillmann-gymnasium.de/gymnasium/organisation/.

讨论学校事务；最后是学生会，主要功能是表达学生意见和组织学生活动。

其四，辅助保障机构。首先是秘书处，主要职责是辅助和支持领导班子，完成学校日常行政工作；其次是学校社工，主要功能是通过“预防和介入”，“促进学生个人及其在社会和学校中的发展”。具体职责包括提供信息、协调冲突、辅助社会课程和社会教育等；三是后勤机构，如学校食堂等。

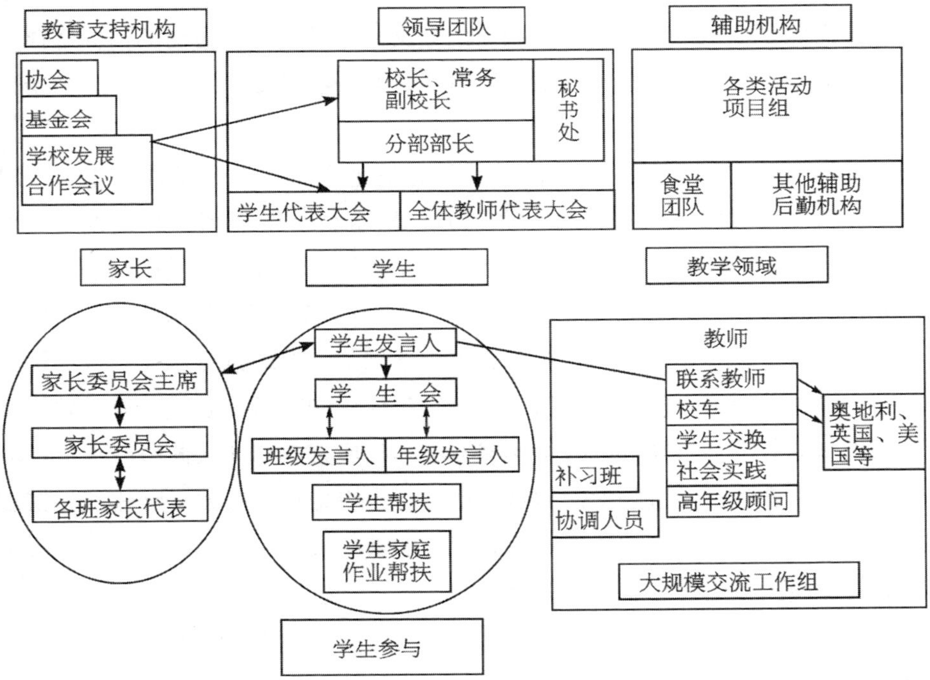


**图 4-1　迪尔曼文理中学组织结构图**

## 三、基础教育的社会治理结构

德国参与基础教育治理的社会团体主要有基督教团体、教育领域的各种利益集团和公法性团体等。它们在各自的职能领域发挥特长，共同为基础教育的发展贡献力量。

### （一）宗教团体及其职能

在德国，宗教团体可以直接参与基础教育治理。德国有60%以上的人信奉基督教。在基督教影响较大的德国南部、西部、西南部等地区，教会不仅可以直接开办中小学，还可以通过在中小学开设宗教课程、举办宗教活动等参与基础教育治理。

德国基督教在历史演变进程中主要形成了两大教派，即天主教和路德宗。教会所创办和资助的学校，也相应地被分为天主教学校和路德宗学校。不同教派的学校只向学生讲授本教派的教义，家长则根据自己的信仰送孩子去不同的学校学习。据统计，整个德国有1 100多所路德宗学校和900多所天主教学校。

德国《基本法》明确规定，宗教教育是公立学校的必备课程之一。巴登－符腾堡州《中小学法》第96条规定，所有公立学校都必须开设宗教课程，宗教课程的内容，教师都要与相应的宗教团体协商，接受这些宗教团体的委托和监督。第97条规定，能够开设宗教课程或进行宗教指导的，必须是经过教会或国家培训的教师，需要获得神学硕士学位或具有教授宗教课程的工作经验和教会认可的资历。所有教授宗教课程的教师都必须获得宗教团体的认可，相关教师培训标准应由州文教部与相应宗教团体共同协商制定。从教会聘任宗教教师及教师返回教会的事宜，也将由州文教部、财政部与宗教团体协商后确定。宗教团体指定宗教课程的教学大纲和教材，并通过具有宗教教育经验的专门人员监督宗教教育。

在学校之外，宗教团体还广泛参与青少年的校外教育事务。德国基督教会将宗教教育视作青少年道德和价值观教育的重要组成部分，他们关注中小学生的心理健康和道德素质培养，尤其关注对那些所谓的“问题青年”“问题少年”的规劝引导。与此同时，他们也参与和组织各种课外教育活动，包括各种兴趣班、夏令营、远足、志愿者活动等，并对学生进行一定的课业指导。

另外，随着穆斯林移民的迅速增加，伊斯兰教在德国的影响也越来越大。为了体现信仰自由的原则，国家也允许伊斯兰教等少数派宗教团体参与学校和校外的基础教育事务。

### （二）教育领域的利益集团、公法社会团体及其职能

代表教育领域特定机构或群体利益的利益集团和为实现某种教育目标而设立的联谊性、联合性公法社会团体也可参与基础教育的治理。

中小学教育领域的利益集团主要有德国小学联合会、德国私立中小学联合会、德国（中小学）教师协会、德国中（小）学生联邦代表大会等。以德国（中小学）教师协会为例，该协会是德国公务员联合会的成员，其下属分会包括文理中学各科教师协会、德国实科中学教师联合会；德国财经学校教师联合会等。其主要目标是：保持和发展多元化的中小学系统，在主体中学、实科中学、文理中学、特殊学校和各种类型的职业学校中允许个性化教育的发展；加强文化联邦主义；解决学校发展中的实际问题；中小学最佳教学方法和实际教学条件的改善；教师自主选择教学目标和手段。①

联谊性公法社会团体的代表是中小学的校友会。这些校友会利用校友的社会资源，资助学生和教学、课外活动，促进相应学校的建设和发展。例如，在柏林州，许多文理中学都有自己的校友会或相关组织，利用各自校友的资助和社会影响，发展学校事业。以马克斯·普朗克文理中学为例，其校友会的主要目标是支持学校的教育教学工作，尤其是课外教育工作。具体任务包括：整理校史；对具有特殊才能的学生进行专门资助和培养；帮助经济困难的学生；改善学校的教学办公条件；推动学校的社会活动等。②校友会的成员包括法定成员、荣誉成员和其他人员。其中，法定成员须签署书面声明，并由校友会理事会同意才能招收。

区域性、专门性青少年发展促进组织和青少年协会则是联合性公法社会团体参与基础教育治理的主要代表。这些团体主要以促进青少年健康成长、为中小学生提供资助为目标。如德国的青少年协会，各地区、各类少年儿童天赋促进组织等。其中，尤以体育类社会团体对基础教育治理的参与最多。

---

① Deutscher Lehrerverband（DL）. Wir stellen uns vor：DEUTSCHER LEHRERVERBAND［EB/OL］.［2016－12－02］.http://www.lehrerverband.de/.

② Max－Planck－Gymnasiums. Schulförderverein［EB/OL］.［2016－12－02］.http://www.mpg－berlin.de/ueber－uns/schulfoerderverein/.

作为大众体育事业高度发达的国家，德国拥有为数众多的体育俱乐部和相关场馆设施。德国中小学的体育教育，是由体育俱乐部和教育机构共同展开的。1956年9月24日，德国体育协会和文教部长常设会议签署《支持中小学和高校体育教育的建议》，开启了体育俱乐部与中小学之间的合作。1972年7月7日，德国体育协会、文教部长常设会议、联邦教研部、基层社区联合会签署的《中小学体育行动计划》，1985年4月17日的《第二中小学体育行动计划》，进一步加强了体育俱乐部与中小学之间的合作。①目前，德国中小学体育教育主要包括校内体育课、校内自由活动和校外俱乐部活动三个组成部分。而作为校外俱乐部体育活动的主要组织者，德国体育协会在基础教育中扮演了十分重要的角色。例如，德国足球优秀的青少年后备人员，基本上全部是27000多个遍布全国社区乡镇的足球俱乐部培养的。

## 第二节　基础教育治理的运行机制与具体措施

“以州为主、国家办学、分工合作、放权增效”是德国基础教育治理的主要特色。无论是在咨询、决策和执行等运行环节中，还是在财务、人事、质量保障等领域的具体实践措施中，德国基础教育治理都体现出这一特色。

### 一、基础教育治理的运行机制

根据文教部长常设会议的规定和指示，各州在充分听取官方和独立咨询机构的意见之后，通过立法和行政命令等手段制定本州的基础教育政策。当然，联邦在《基本法》规定的青少年儿童救助及“在国际比较中确定基础教育的绩效”等方面也享有决策权。中小学负责具体落实各项国家政策，同时在学校内部开展合作治理。

---

① Kultusministerkonferenz.Zweites Aktionsprogramm für den Schulsport [EB/OL].(1985-04-17)[2016-12-02].http://www.kmk.org/fileadmin/Dateien/veroeffentlichungen_beschluesse/1985/1985_04_17-Aktionsprogramm-Schulsport.pdf.

### （一）咨询与建议

德国基础教育治理中的咨询与建议，是由联邦和州国家机关、各类社会团体协力完成的。向国家提供政策建议和调查数据的机构，既有官方的工作小组和委员会，也有受官方资助的独立公法性调查研究机构，甚至还包括一些私人咨询公司及其支持的基金会。

以官方设立的咨询工作小组和委员会为例。在联邦推动下建立的针对整个教育领域的官方咨询机构一般都会在基础教育领域提出建议。1965年，联邦与州在联邦德国教育委员会的基础上合作设立了联邦德国教育咨询会。在它存在的十年期间里，该组织为推动联邦德国基础教育改革和基础教育治理的完善做出了重要的贡献。如1970年出台《教育结构计划》，就对中小学教育、师范教育、教育管理、教育支出等领域的进一步改革均提出了详细的建议。之后，联邦议院和联邦教研部也都曾建立过类似的咨询机构，企图通过制订整体教育规划为基础教育的发展出谋划策。不过，由于国内对联邦直接参与基础教育事务一直存在较大争议，所以上述官方咨询小组或委员会的存在都无法持久，它们在完成相关任务之后随即会被撤销。目前仍然发挥较大咨询作用的组织，是2007年时联邦和州为了完成《基本法》新规定的“在国际比较中确定教育绩效”的共同任务，通过行政协议而建立的联合工作小组。该小组共有8名拥有投票权的成员和文教部长常设会议秘书长、教育质量研究所所长、德国研究联合会研究信息与质量保证研究所所长、科学咨询委员会主席等没有投票权的成员。8名有投票权的成员中有4名分别来自联邦和州的相关职能部门。联合小组必须有7票通过才能做出相关决议。联合工作小组内还聘有教育专家为决策提供建议。与联邦－州教育计划与科研促进委员会的区别在于，联合工作小组没有独立的办事机构，它主要是通过向文教部长常设会议和联邦教研部提供咨询报告的形式，在以下与基础教育相关的事务中发挥协调作用：参与国际教育比较研究；形成国家教育统计报告；为科学咨询委员会工作进行前期准备等。

与此同时，各州也设有官方基础教育咨询机构——州中小学顾问委员会。如巴登－符腾堡州《中小学法》第71条规定，州中小学顾问委员会的主要职责是在中小学教育问题上向州文教部提供建议。该机构由家长、教师、职业教育利益相关人、学生、社区联合组织、教会及受承认的宗教团体、劳资利益团体的代表共同组成。州中小学顾问委员会的成员由州文教部提名，主席由委员会成员选举产生。主席负责领导委员会的日常工作并对外代表委员会。委员会成员任期三年，在有必要的情况下，州文教部可以通过立法为委员会的召集、成员组成、权力、选举、事务等制定更为详细的规章。相比各州文教部长常设会议来说，州中小学顾问委员主要是对本州基础教育政策提供咨询和具体意见，对国家决策只能产生局部的、有限的影响。

除此以外，独立的公法性研究所和私人公司及其资助的智库集团也发挥着重要作用。如多特蒙德大学的中小学发展研究所、咨询公司等。这些官方和非官方机构提供的调查报告为国家基础教育决策提供了重要的依据。

近年来，随着理念和技术的发展，基于数据的实证性研究和建议越来越受到决策者的青睐。在教育治理理论影响下兴起的中小学教育质量测评国际比较研究，为德国教育治理的咨询工作提供了新思路。这些测评与以往的调查不同，它是针对教育系统绩效能力的总结性分析。其中不仅包括对各国优势的展现，也包括对缺点的批判，不仅有评价者的观点和明确的应对建议，也有基于数据和指标的教育效果的描述，如个人学习成绩－社会筛选情况和职业教育评价等。2008年，联邦教研部和各州文教部长常设会议首次公布了2006年经合组织“国际学生评价计划”中对德国中小学生能力调查结果。2009—2015年期间，联邦与州继续组织德国学生参与多项学习能力的国际比较测评，获得了大量关于德国基础教育质量的一手数据。基于数据的实证研究在咨询领域产生了巨大的影响。各种研究机构不仅更加重视一手教育数据的搜集与整理，还在国家的引导下通过合作积极展开数据分析与研究工作。如作为传统上德国最权威信息来源的联邦统计局，除了继续在其官网“社会与国家－人口”一栏发布有关中小学教育的统计数据外，[①]还积极参与到基础教育研究和咨询工作之中。自2006年起，包括联邦统计局在内的众多官方

---

① Statitisches Bundesamt. Allgemeinbildende und berufliche Schulen [EB/OL]. [2016-12-02]. https://www.destatis.de/DE/Zahlen Fakten/GesellschaftStaat/Bildung Forschung Kultur/Schulen/Tabellen/Allgemein Bildende Berufliche Schulen Schularten Schueler. html.

和民间研究组织，还会在每两年发布一次的“国家教育统计报告”中提供有关基础教育的重要数据和政策建议。这些基于数据的报告和建议为官方决策提供了重要的依据。

### （二）国家决策

2006年改革后，各州重新成为基础教育领域的主要决策者。除极个别情况外，中小学的立法工作完全由各州负责，联邦不得干涉。各州有权依法对基础教育进行规划和监督，并为学校的开办和运行提供财政支持。此外，与基础教育相关的基础设施、自然保护、社会融合等，也由各州负责。一般情况下，州视基础教育为核心主权领域，坚决反对联邦以任何形式危害自身的利益。但这一传统同时又给各州的造成了严重的负担，以至于对州议会的选举都会产生影响。

在联邦制下，各州的教育制度存在差别。执政风格、社会结构、财政状况、文化传统、个人因素等都会对决策产生影响。各州行政机关根据文教部长常设会议的指导意见，结合自身情况提出立法动议，再由州议会制定相应的法律法规；法律法规颁行之后，各州教育主管部门负责领导州内各级教育机关监督法律的执行。

根据《基本法》和各州宪法的规定，基础教育的决策权在州议会和行政机关。州议会进行立法，而行政机关依法制定规章和指令。在议会制度下，立法机构和行政机构并不是决策与执行的上下级关系，而是分工决策的伙伴关系。在实践中，法律给予行政部门巨大的活动空间，基础教育领域的大部分改革计划、立法动议和创新管理活动都是由行政部门和政治领导人发起的。这又被称为“执行领导权”。在大多数州，直接关于基础教育治理的行政规章的数量要远远超过法律，行政机关可以在很大范围内通过这些准法律手段规划、协调、控制中小学的发展。与此同时，州议会的立法却往往受制于政府。由于政府拥有完善的行政管理系统，所以几乎所有基础教育的立法都是由政府在立法动议中提出草案；如果不出意外，这些草案经过修改后，会在执政党占多数的议会中得到通过。政府立法动议一般首先在州教育主管部门中形成。相应的行政机构在这一阶段会通过召开非正式和正式的听证会，听取各方意见。经各方协调之后，部门会形成妥协案，之后再对草案的执行效果进行评估。行政机关不仅可以影响立法，还负责执行法律。因此，它在基础教育治理中的决策者地位是不容忽视的。不过，在新自由主义和新公共管理主义兴起后，随着各州决定逐步将绩效制度引入基础教育领域，州教育主管机关的行政决策逐渐减少。各州越来越倾向于更多地通过法律手段来行使决策权。

联邦也可以参与基础教育的一些决策。《基本法》规定，联邦在青少年儿童救助及“在国际比较中确定基础教育的绩效”等方面与州拥有竞争性立法权。1969—2006年间，联邦还可以和州以竞争性立法的形式共同决定中小学教师的工资。《基本法》第31条规定，当联邦法与州法冲突时，前者的法律效力高于后者。因此，从理论上说，在实施竞争性立法的教育领域，各州的法律决策应当服从于联邦。以青少年救助领域的国家决策为例。先由联邦议院于1990年6月26日通过《青少年儿童救助法》。根据该法的基本原则，各州再从自身的情况出发制定相应的执行政策。如北威州就制定了一系列《青少年救助法执行法》。

除竞争性立法权外，联邦还在海外中小学事务中拥有全权。根据《基本法》的规定，属于对外文化教育政策范畴的海外中小学事务是联邦的职权范围。德国在文化外交领域的国家决策过程一般是，先由联邦外交部牵头组织多部门参加的会议，确定对外文化教育政策的总体原则和实施计划；同时联邦议院对外政策委员会的相关机构也会组织“专家咨询会”，对外交部制定的政策提出建议和质询；然后联邦外交部会协调和领导其他部门和社会机构开展包括举办海外中小学在内的对外文化活动。活动经费方面，首先也是要先由联邦议院酝酿和确定预算，然后再由联邦外交部会同其他部门决定具体项目和机构的资助数额。

### （三）国家监督下的中小学自治

依据各州宪法和中小学法，德国中小学采取的是州和地方监督下的民主自治。州内各级国家机关对中小学的监督包括业务监督、职务监督和法律监督。三种监督方式各有侧重、紧密联系且互相补充。具体来说，各州对中小学的监督主要体现在：

首先，校长的选拔和任命由各州的国家机关负责。2000年以后，随着治理理念进入教育领域，学校的自主权有了很大的提升，各州对校领导的选拔和任用也提出了更高的要求。巴登－符腾堡州《中小学法》第39条明确规定，校长由监管机构负责任命。该州下属的图宾根大区则进一步对校长的个人能力、社会能力、教学能力、管理能力提出了要求。各州监督机构对校长的公开招聘一般都有规定，他们会对外公布校长缺岗情况，组织符合条件的教师进行竞聘，再由地方教育主管部门及其相关的人力议事会进行考察，最后将确定的候选人报送学校代表大会。学校代表大会通过后，地方教育局将正式任命校长。

其次，教师代表大会也必须根据各州的中小学法由国家教育监督机关批准设立。巴登－符腾堡州《中小学法》第46条明确规定，州文教部有权依据《中小学法》的相关规定制定代表大会章程，对全体或部分教师代表大会的组建做出更为详细的规定，包括其任务、主席和成员的构成及其权利和义务、投票权、议事程序等；文教部还可以决定，哪些部分的教师代表会议可以作为班级代表会议，哪些班级可以不参加协作联盟，哪些教师可以成为班级教师等。

最后，对日常教学活动和教学管理的监督。包括确定教学安排、科目及教学计划；监督教材和特殊教学媒介的引入；确定班级规模及分班；确定评价体系及转学制度；规范私立学校举办人的权利和义务；负责教师教育等。这些监督通常由一位与教育主管当局关系密切的督学来实行。督学是经各州教育主管严格选拔产生的专业教育监督人员，其主要职责是监督学校教学，同时也对学校的行政管理给予指导。虽然督学与当局关系密切，甚至本身就是国家官员，但它在行使职能时可以保持较大的独立性。

同时，在国家严格监督下，德国中小学也拥有较大的自主权。可以依据本校的具体情况采取措施，完成学校治理。如巴登－符腾堡州《中小学法》规定，每个中小学都必须设置一位校长，校长的权力受到法律保护，且必须是在职教师。除法律授权的监督事务外，各级教育主管机关一般不干涉学校内部的日常管理。

自20世纪90年代以来，许多州都在进一步缩小国家对中小学的监督范围，通过引入绩效制度和给予学校管理方面自主权，实现基础教育治理中的

“去国家化”。例如，巴伐利亚州根据2015年修订的《教育教学法规修改法》，提出给予校长更大的自主权。对国家来讲，给予学校和教师更大的自主权，意味着要重新定位自身与学校的关系，通过权力“下移”来让更多的社会力量参与教育治理。国家因而从管理者变成建议者。更好的教育质量和结构，是不能通过单线控制和自上而下的指导来实现的。研究表明，赋予学校更大的自治权不仅可以提高各个学校的成绩，而且还符合学校师生的愿望。[①]20世纪90年代以来，在新公共管理思想的影响下，许多学校引入企业的绩效管理方法，以提高公共财政手段的利用效率和效果。与此相对应的，就是要分散行政权力，实现底层决策，并将以前以财政投入为特点的投入导向型控制转变为以学校自我管理为特点的产出导向型控制，同时引入外部评价体制，通过自主预算控制和分散资源管理来保持生产的自由创造空间。

### （四）学校内部的“合作治理”

依据各州中小学法，德国中小学校内部治理，是校长负责制之下的学校全体成员共同参与的合作治理。除了教师之外，家长和学生也可以参与中小学治理，这是德国基础教育合作治理的重要表现之一。家长可以通过选举本校的家长委员会参与学校事务，如教育教学、后勤保障、升学就业和安全保障等。家长们按班级组成家长会议，并通过选举全校的家长委员会参加学校代表大会、校务领导扩大会议，或邀请教师和校方代表参加家长委员会，将自己的意见反馈给学校。学生会则是德国培养中学生自主民主意识和互助合作能力的重要组织。通过选举学生会和学生发言代表，中学生和校领导、教师、家长等平等地参与学校治理，并在班级学生事务中握有重要发言权。学生发言代表由相应的学生们选举产生，负责学生会全体代表大会，讨论学校教育教学安排、课外学生活动和学生权益保障等问题，并可邀请校方和教师代表共同协商。学生会和家长委员会也会互相派代表参加对方的会议，实现家长与学生在学校事务中的合作治理。

---

① HEPP G F. Bildungspolitik in Deutschland[M]. Wiesbaden：VS Verlag für Sozialwissenschaften，2011，S.181–182.

## 二、基础教育治理的具体措施

经过多年发展，德国逐渐形成了独具特色的基础教育治理体系。在财务、人事、质量保障等领域，德国各州基础教育治理的具体实践措施虽然存在一定差别，但它们在不同程度上都体现出“以州为主、国家办学、分工合作、放权增效”的特点。

### （一）教育财务治理的具体实践措施——以经费分担与投入政策为例

所谓教育财务治理，是指在筹措、投入和使用教育经费的过程中，不同层次、不同类型的相关主体行使权力和发挥影响的结构、过程和机制。因此，探讨经费的分摊和投入政策，对了解德国基础教育财务治理的具体实践措施有着十分重要的意义。

首先，实行以州为主的财政投入机制。

根据《基本法》和相关教育法规，虽然联邦、州、地方等各级国家机关和社会主体都在基础教育领域有所投入，但其中投入最多的则当属各州。

**表 4-1　德国不同主体教育投入占总教育投入的百分比（普通基础教育部分）**[①]

| | 联邦 | 州 | 地方 | 私人 | 外国 |
|---|---|---|---|---|---|
| 2007 年 | 1.9 | 80.7 | 15.0 | 2.4 | 0 |
| 2009 年 | 2.2 | 80.6 | 14.3 | 2.9 | 0 |
| 2011 年 | 3.6 | 79.4 | 13.6 | 3.4 | 0 |
| 2013 年 | 0.7 | 82.4 | 13.7 | 3.2 | 0 |

根据《基本法》，州的预算与联邦是互相独立的。因此，各州在教育预算中对基础教育的投入，是德国国家基础教育投入的最大组成部分。巴伐利亚州《预算条例》规定，必须为州政府各部及其他最高行政主管部门编制预算单项计划。州文教部因业务范围广泛而被编入两个单项。在关于教育的单项计划中，章、目被分配给各个具体的单位。以2015年巴伐利亚州预算为

① 不含学前教育和职业教育，数据来源是历年德国“国家教育统计报告”。

例，州文教部的财政预算按多年来的习惯被列入第五个单项计划，其中与基础教育直接相关的内容包括：第三章《〈中小学资助法〉下的绩效》、第四章《绩效之外的课程与教学》、第九章《国家教育咨询》、第十章《国家教育监督》、第十一章《国家中小学教育行政管理》、第十二章《公立中小学》、第十三章《公立继续学校和护士学校》、第十四章《州立残障学校》、第十五章《职业学校和财贸学校》、第十九章《公立文理中学》等。[①]

和其他各州类似，巴伐利亚州对基础教育的财政投入过程可分为如下四个环节：（1）确定：州文教部制定基础教育预算并报州议会批准；（2）执行：州文教部及下属基础教育机构执行预算案，并由所属出纳机关和会计室完成现金支付和簿记；（3）结算：州文教部公布账目，并与其他各部一起将账目汇总至财政部，完成决算并接受州最高审计署的审计；（4）注销：财务决算和审计报告在州参议院听证后交由州议会注销。

其次，在以州为主的前提下，允许联邦及地方参与分担基础教育经费。

德国传统上由各州负责学校的“软件”，即以教师工资福利为主的内部流动性支出。而地方财政负担学校的“硬件”，如教材、仪器、校舍、装备、设备、维修、管理、非教学人员的工资等与地方事务相关的实物性、服务性支出。总体来看，这些硬件支出在基础教育财政支出中所占的比例并要远远低于各州的“软件支出”。

与此同时，也不能完全忽略联邦对基础教育财务治理的影响。联邦虽然在这一领域的财政支出很少，但它却可以通过各种途径对各州中小学财政政策产生间接影响。如引导各州开展教育论坛等。2002年，施罗德政府试图通过“全日制学校计划”直接参与中小学投资。经过激烈斗争之后，各州接受了这一计划中所列的联邦财政资助，但却将计划的执行权牢牢地握在手里。即使如此，这一做法还是在2006年之后的教育治理改革中遭到各州的阻挠。直到2009年，联邦政府才在刺激经济的计划中再次做出对中小学教育设施给

① Staatsministerium für Bildung und Kultus，Wissenschaft，und Kunst des Landes Freistaat Bayern. Einzelplan 05 für den Geschäftsbereich des Bayerischen Bildung und Kultus［C］//Haushaltsplan，2015/2016，S.2.

予110亿欧元直接投资的决定。另外，根据1971年《联邦教育促进法》，联邦对十年级以上的中学生给予补贴。2007年时共支付69 700万欧元，有大约31.2万名中学生得到了资助。2015年之后，各州不再负担学生资助事务，而联邦教研部将在这一方面发挥越来越大的作用。

最后，引入绩效机制，加强中小学对经费投入及使用的控制权。

传统上，德国中小学是国家预算的执行者，其在经费使用方面缺少自主权。但2006年之后，在地方中小学经费负担者的推动下，越来越多的州通过立法，决定根据资源管理的非集中化原则在中小学年度预算中单独划出一笔用于有形资产的控制。这可能会是一种以绩效为导向的整体经费拨付模式下的预算，也可能会是一笔不可在下一财年结转使用的“财政保证金”——学校可以通过自我限制其中的某些开支来将结余款项用于其他方面。这种设计将为中小学节约出更多资金用于教学提供了可能。与此同时，州中小学还可以自主地争取捐款、出租或出售学校财产。①

### （二）人事治理的具体实践措施——以教师培养与聘任政策为例

所谓教育人事治理，就是指在教育机构从业人员的培训、选拔、聘用、管理、晋升、给薪、奖惩的过程中，不同层次、不同类型的相关主体行使权力和发挥影响的结构、过程和机制。而德国基础教育人事治理的具体实践措施，可从中小学教师的培养及聘任政策中管窥一二。

首先，各州教育主管机关负责对中小学教师资格进行考核及认定。而高校、实习学校等机构则根据国家要求承担中小学师资培养的具体工作。师资培训过程主要包括两个阶段：第一阶段是大学教育阶段，未来的教师们需要在这一阶段学习专业学术知识、本学科教学法知识、一般教学法知识和教育学原理，同时获得职业生涯的首次教学实习机会。本阶段以通过学位考试或各州教育主管部门举办的第一次国家教师资格考试为终点。第二阶段在19世纪晚期出现，其具体过程因州而异。该阶段主要是让师范生将学校中学到的理论知识应用到教学实践中来。准教师们必须在中小学实际授课，在某些州

---

① HEPP G F. Bildungspolitik in Deutschland[M]. Wiesbaden：VS Verlag für Sozialwissenschaften，2011，S. 185.

他们还要接受指导教师监督和评价。顺利完成这一阶段学习并通过相应国家考试的师范生将获得中小学“候补”教师资格。

其次，由各州教育主管机关负责中小学教师聘任。在达到第二阶段培训目标、顺利获得国家教师资格后，新教师可以根据州政府或学校发布的公告参加应聘，通过后即可与教育主管部门签订工作合同，以国家公务员或合同聘任人员的身份开始自己的执教生涯。以柏林州为例。该州发布的2017—2018学年中小学教师招聘公告中，将获得师范类教育学硕士或通过两次国家教师资格考试作为申请教师职位的前提条件。同时，将各级各类教师的具体待遇和申请流程都进行了详细的说明。符合条件的应聘者可以根据自己的情况选择不同的渠道进行申请。申请者只有通过教育机关审核之后，才能最终到学校任教。

最后，在坚持国家标准的前提下，将更多权力下放给师资培养单位。受博洛尼亚进程①的影响，德国各州开始减少国家对中小学师资培养的干预，同时将更多的自主权留给师资培养单位。如在学位考试方面高校的控制权就比以前有所扩大。但与此同时，国家也为中小学教师培养制定了更为严格的“产出导向型”标准，要求各高校在制定教师培训方案时必须要达到国家所规定的最低标准。②

### （三）质量治理的具体实践措施——以学生培养质量保障政策为例

保障和提高教育质量，需要建立完善的学生培养机制和培养质量评价机制。这是由教育的目的和任务来决定的。学生培养质量不仅是家长和学生评价教育机构的主要参照，也是衡量一个国家教育是否成功的关键。人才培养状况无疑也会对学校和行业的声誉带来巨大的影响。教育质量治理的过程，在一定程度上可简化为学生培养机制的确立—执行—评估—改进的循环。

建立和完善公正高效的学生培养质量评价体系是基础教育治理的核心任

① 博洛尼亚进程，是指29个欧洲国家于1999年在意大利博洛尼亚提出的欧洲高等教育改革计划，其目标是打通欧洲高等教育体制，实现欧洲高等教育和科技一体化。

② KUHLEE D. Governance in der Lehrerausbildung：Analysen aus England und Deutschland Governance in Initial Teacher Education：Perspectives on England and Germany[M]. Wiesbaden：Springer VS，2015，S.117，128.

务之一。为了保障中小学学生的培养质量，德国主要采取了如下政策：

首先，各州文教部长常设会议就中小学教学标准提出建议。

战后初期，联邦德国各州自行制定教育法律和政策，全国性教育评价考试标准一直没有形成。20世纪60年代中后期开始，文教部长常设会议制定了一系列关于中小学课程建设和考核的标准、建议，如1970年的《小学工作建议》、1972年的《关于改革文理中学高级阶段的协定》、1973年的《关于文理中学高级阶段毕业考试的协定》等。

2000年国际学生评价计划的测验结果引起了德国教育界的震惊。自2002年秋季开始，各州文教部长常设会议组建了由各州教育专家组成的跨州工作小组，起草基础教育标准，制定文理中学学生毕业考试的新标准。各州文教部长常设会议还组建了由常设会议的学校委员会主席担任负责人的指导委员会，在听取教育学家和教学法专家的意见后，为工作小组制定行动指南。自2003年起，文教部长常设会议先后颁布了一系列基础教育阶段各科目的全国统一教育标准，如高中（十年级）毕业水平的德语、数学、第一外语标准（2003年12月），主体中学毕业水平的德语、数学、第一外语标准（2004年10月），小学毕业（四年级）时的德语和数学标准（2004年10月），高中（十年级）毕业时的生物、化学、物理标准（2004年12月）等。

其次，各州教育主管部门贯彻决议、制定相关标准。

在文教部长常设会议的指导下，各州文教部均制定了相对比较完善的基础教育课程标准，这是德国基础教育治理中非常重要的一环。例如，中部各州所有小学的课程或者课程标准是由隶属各州文教部的教育规划和学校发展研究所的机构研制的。在保护教师自主性的前提下，各校的教学活动受到课程标准的约束。各州文教部在考试、成绩评定和升级标准方面，也需要根据文教部长常设会议的要求做出相应的部署。各州文教部大都规定基础教育各阶段、各年级的考试要求，并要求中小学严格执行。在中部各州，文教部甚至对不同年级的考试次数和时间都做出了规定。①

① US Department of Education. The Educational System in Germany，Case Study Findings[M]. [s.l.] CreateSpace Independent Publishing Platform，2014，p.43.

不过，早在2002年7月之前，部分州就开始了改革，如增加课程标准的灵活性，将课改的重点从课程标准编制转向评价程序的研制等。2002—2004年文教部长常设会议陆续颁布全国基础教育标准后，各州也逐步完成了小学至初中的新课程标准的修订，改变了过去各州各类学校缺少共同教学标准和考试标准参差不齐的情况，教材和教辅材料也随之发生了很大的变化。

再次，允许学校和教师灵活执行教学计划。

在国家监督之下，德国中小学有权自主开展各种教学活动。学校依据教师们的意见选择教科书。在不违反州课程标准的前提下，教师可以以教科书为参考，拟定自己的教学计划，对教材做出一定的调整。在实科中学，教师认为，现有物理教科书太难。文理中学高中部的学生证实，在呈现课程内容时，教师较少依赖教科书。“学生不能很好地使用物理教科书。教科书的作者不能成功地编写易于为学生使用的教科书。某些部分可用于课堂教学，但是仍然需要做些解释。然而使用整本教科书是很难的。”①在中部各州，政府颁布的课程指南具有约束力，但是它一般也不过分限制教师的自由，教师可以根据学生的需要和实际情况选择合适的计划和内容安排教学。在文理中学的高级阶段的教学中，教师更加注重与学生进行合作。

在考试和学业鉴定方面，学校教师的责任和权力也不小。在中部各州，各所文理中学确定的毕业标准不同，考试的难度也各不相同。与中部各州相比，南部、东部各州对文理中学之间和文理中学内部的质量监控比较严格，以便确保学生课业成绩的可比性。在这些州，文理中学毕业考试全州统一，由州文教部出题。

进入21世纪后，在新公共管理主义和新自由主义的影响下，德国中小学在教学方面的自主权进一步扩大。学校可以制订独具特色的发展计划，并将自身的教学理念和模式融入其中。可以根据教学主题自主编订教学计划、教学大纲和课程表，并以此在教学上获得更大的自由空间。甚至可以建立自己

---

① US Department of Education. The Educational System in Germany，Case Study Findings[M]. [s.l.] CreateSpace Independent Publishing Platform，2014，p.51.

的评分系统。[①]

最后，在国家引导下，借助各种方法对学生培养质量进行评估。

2006年6月文教部长常设会议通过了《教育测评总战略》，希望通过国际学生评价计划、教育质量发展研究所的全国教育统一标准测评和比较测试等，对基础教育质量进行统一的评价。2007年底，在默克尔的大力支持下，联邦与州提出《提高教育参与度及通过教育改善社会地位的质量化动议》，并召开了一系列教育高峰对话会议。2007年5月21日，联邦与州签订行政协议，双方承诺通过共同提出报告和建议，提高中小学教育质量。[②]

为了便于工作，联邦和州还建立了联合工作小组。2009—2015年期间，工作小组组织德国中小学生参与多项周期性学习能力国际比较调查，如继续参与三年为一周期的国际学生评价计划；在小学四年级进行五年为一周期的“国际小学生阅读能力调查”；在小学四年级末进行四年一周期的“数学与自然科学基本能力调查”等。通过参与这些调查，联合工作小组不仅获得了大量关于德国基础教育质量的一手数据，而且还在这些调查数据的基础上进一步向联邦和州提出改革的具体建议。

① HEPP G F. Bildungspolitik in Deutschland[M]. Wiesbaden：VS Verlag für Sozialwissenschaften，2011，S.184.

② HEPP G F. Bildungspolitik in Deutschland[M]. Wiesbaden：VS Verlag für Sozialwissenschaften，2011，S. 140.

# 第五章　德国高等教育治理

在长期的实践中，德国高等教育治理呈现出“以州为主、高校自治、分工合作、放权增效”的特色。在各州国家机关及文教部长常设会议的指导和监督之下，德国高校享有高度自治权，其他主体也可在各自的职权范围内共同参与高校治理工作。随着简政放权和绩效改革的推行，德国高校的权力会进一步得到扩大，国家对高校的监管模式也会随之发生改变。

## 第一节　高等教育治理的结构

德国高等教育的治理结构主要由国家治理体系、社会治理体系和高校治理体系三个相互关联却又彼此独立的部分组成。在德国高等教育治理结构中，各州占有十分重要的地位，州级国家机关与其他相关主体在不同领域中分工合作，共同完成高等教育治理的重任。

### 一、高等教育的国家治理结构

在高等教育的国家治理结构中，尽管联邦的作用比它在基础教育领域的作用要大不少，但各州依然是最主要的权力主体。根据联邦制原则，只要《基本法》没有做出其他规定，那么行使国家职权和完成国家任务都是各州的事情。2006年《基本法》改革之后，各州重新收回了许多原先交予联邦的高等教育管理权。

#### （一）联邦高等教育治理机构及其职能

联邦一级早期并没有高等教育主管机关，直到1961年才成立了联邦科学研究部。该机构统一协调各州科学研究和技术开发政策，并对高校科研给予一定的资助。20世纪60年代初，联邦德国高校数量迅速增长，各州和文教部长常设会议难以应付这种局面，联邦开始实质性参与高等教育治理。1969年5月，新成立的社民党－自民党政府修改《基本法》，扩大联邦在高等教育治理方面的权限。1969年秋天，联邦教育科学部成立，其涉及高等教育的职权包括：教育规划和学校教育研究，教育促进以及培养科学后继人才，职业教育和职业教育促进，《高校总纲法》的制定，高等院校基本建设和科学促进等。1994年联邦教育科学部和联邦研究技术部合并，4年后技术政策职能划归联邦经济部，形成现在的联邦教育与研究部。

目前，联邦教研部主管高等教育的部门是科学系统司。该司一处为高校处，负责高校政策与高校发展、德国研究基金与未来事务、高校法律与高校研究、培训促进之立法、培训促进之基本事务、科学后备力量与科学继续教育、高校领域的国际交流与国际化等事务。除教育主管机关外，联邦政府的其他部门和联邦议院等也都在联邦德国的高等教育治理中发挥了重要的作用。

1969—2006年间联邦主要在以下几个方面参与高等教育治理：

其一，参与大学生资助。根据《联邦教育促进法》，家庭条件不好的德国大学生可领取一定数额的助学金；自1971年以来，联邦负担了大学生资助经费的65%，为高等教育资源的公平分配做出了贡献。20世纪八九十年代联盟党－自民党执政时资助力度相较70年代社民党－自民党执政时有了明显降低，2001年时，施罗德领导的红绿联盟政府又对资助提出进一步的前提条件。但到2005年，仍有四分之一的学生领受国家资助。同时，从1998年开始，联邦还对优秀学生进行重点资助。

其二，参与高校建设。20世纪60年代初联邦就已经开始对高校建设的某些领域进行资助，在1960—1975年的高校大扩张中，联邦更是出力甚多；1964年联邦和州签订了共同建设高校的行政协议；1969年通过《高校建设促进法》，联邦出50%的经费，各州共出50%的经费，进行大学建设；通过将高校建设费列入常规预算，联邦在高等教育领域的控制力大大加强。在第34期（2005—2008年）资助计划中，联邦将拨付资金从2004年的10亿多欧元削减至2005年的8亿多欧元。各州为争得这些资助必须在许多问题上对联邦妥协。[①]通过干预高校建设，联邦可以影响到各州的高校结构政策。

其三，参与高等学校总体规划和一般原则的制定。根据1976年联邦议院颁行的《高校总纲法》，联邦参与全国高等学校总体规划和一般原则的制定。1985年，联盟党执政后修改《高校总纲法》，正式承认了应用技术大学的法律地位。但进入21世纪后，联邦政府修改《高校总纲法》的两次努力均因州的反对而宣告失败，联邦教研部在高校治理中的职能被进一步缩小，核心职能只剩下录取、毕业、人事和质量监督。

其四，参与推动高校发展和改革。1989—1990年间通过《高校特别计划一和二》提出了改善高校办学条件和人员待遇，培养青年科学家，提高科研人员中女性的比例，加强应用技术大学建设，推动欧洲国家的学生交流的目标。1996年《高校特别计划三》提出了推动教师中心媒体的应用和高校国际化的计划。1999年《高校及科学计划》，提出了科研和教学中的男女平等的目标。2000—2004年的《进一步发展德国高校信息教育的紧急计划》也在相应领域产生了重要的影响。

其五，建立联邦国防军大学。1973年和1978年，联邦国防部在汉堡和慕尼黑主持建立了两所国防军大学，主要用于培养联邦国防军中下级指挥官。这两所军事院校目前由联邦国防部和所在州的文教部共同领导，联邦政府可直接插手管理。

2006年之后，州在与联邦争夺高等教育治理权的斗争中取得上风，许多原来赋予联邦的职权都被取消。根据修订的《基本法》第91a条，联邦不能再参与高校及高校医院的新建和扩建，《高校建设促进法》也于2007年1月1日终止；虽然联邦在短期内还会对财力较弱的州给予一定的资助，但根据《基本法》第143c条，此类资助到2019年之后就不得再继续进行；修订《基本法》第91b条后，联邦失去了参与整体教育规划的权力，不能继续在联邦-州教育计划与科研促进委员会中与州进行合作；删除《基本法》第74a条

---

① HEPP G F. Bildungspolitik in Deutschland[M]. Wiesbaden：VS Verlag für Sozialwissenschaften，2011，S. 150.

后，联邦也不再能够参与对包括大学教师在内的州公务员的资助。[①]

但联邦仍然通过《基本法》的授权保留一定的治理权：根据第74条保留对高校录取和毕业的竞争性立法权；根据《基本法》第91b条第1款，联邦与州在推动科研方面的共同任务依然保留，联邦可参与的资助范围包括校外科研设施建设及科研活动、校内科研活动及包括大型设备在内的硬件设施建设；根据第91b条第2款，可以与州通过行政协议共同对高等教育发展提出报告和建议。[②]此外，联邦政府还可以继续资助青年学生进入大学学习，并与欧盟和世界其他国家在高等教育领域展开合作。[③]

### （二）各州的高等教育治理机构及职能

联邦制原则是德国高教管理体制的一项基本原则。只要《基本法》没有做出其他规定，那么行使国家职权和完成国家任务都是各州的事情。在联邦制的框架内，高等教育主要属于各州的职责范围。州宪法规定了公民在基础教育阶段所享有的权利和所应尽的义务，以及与高等教育相关的行政、财务原则。

教育学家克里斯托夫·福尔指出："在高等教育事业领域中，1969年以后，联邦政府和各州政府之间的权限划分如下：（1）联邦政府负责制定总法；（2）其他的一切都由州政府负责，举办和组织权、法律监督、财政主权和人事主权均系各州的权限。"[④]其实，《高校总纲法》主要关注高等教育治理运行的一般原则，高等教育立法权和行政管理权依然在各州手中。

2006年改革之后，联邦在高等教育领域的权限被大为缩减。除了高校科研设施建设、大学生资助、国际交流、录取与毕业以及高校发展促进计划以外，其他所有事务几乎全部都是各州单独负责的。

---

① HEPP G F. Bildungspolitik in Deutschland[M]. Wiesbaden：VS Verlag für Sozialwissenschaften, 2011，S. 153.

② HEPP G F. Bildungspolitik in Deutschland[M]. Wiesbaden：VS Verlag für Sozialwissenschaften, 2011，S. 115-118.

③ HEPP G F. Bildungspolitik in Deutschland[M]. Wiesbaden：VS Verlag für Sozialwissenschaften, 2011，S. 109-110.

④ 福尔 C.1945年以来的德国教育：概览与问题[M]. 肖辉英，陈德兴，戴继强，译. 北京：人民教育出版社，2002：57.

首先，州议会确定法律框架性条件，州政府负责本州高等教育规划。州议会确定法律框架性条件，州政府负责监督大学的教学。德国各州都制定有高等学校法。这些法律在《高校总纲法》出台后曾进行过相应的修改。在《高校总纲法》列入废除程序后，各州高等教育法实际上就成为德国高等教育治理的主要法律依据。各州高等学校法一般都会对本州高校的主要任务、基本规则、组织机构、教学考试和监管等做出规定。但在州议会的选举中，高校政策一般不会成为争论的焦点。

其次，在法律规定下，联邦德国几乎所有的公立高等学校都是由州政府创立的。1969—2008年，州与联邦依据《高校总纲法》在联邦－州教育计划与科研促进委员会内展开合作，共同规划公立大学（其实就是州立大学）的发展。但即便是在此期间，高校规划和设立的具体工作也是由各州负责的。在州的法律框架内，德国大学的成立必须得到州文教部的批准。2006年之后，各州进一步将高校治理权下放，但许多重要事务，如校长、校务领导会议主席的任命等都必须获得州的认可。

最后，高等学校的主要经费来源是州政府的拨款，州政府在财政上负有维持高等学校发展的责任。在各州，高等教育机构具有公法团体身份。包括传统的公立大学和最近几年出现的基金会大学，都可从各州获得经常性经费和专门性经费。高等教育机构年度预算是州预算的一部分，由州议会审议和批准。在高校预算编制的基础上，州文化教育部负责向州议会编制、提交正式的预算申请，批准后学校一般不得在项目之间相互挪用。

在高等教育治理领域影响最大的国家机关当属各州政府的相关业务主管部门，尤其是州文化教育部。

### （三）合作治理机构及其职能

在德国，作为横向合作治理机构的各州文教部长常设会议和作为纵向合作治理机构的联邦－州教育计划与科研促进委员会及其后继者全国科学代表大会都在高等教育治理中发挥着重要的作用。

各州文教部长常设会议是各州在高等教育领域的横向合作组织，它负责协调高等教育规范和标准，对各州高等教育政策提出指导意见，“讨论跨地区具有重要意义的文化政策，旨在形成共同的意志和代表共同的愿望”。跨州高等教育政策是文教部长常设会议继基础教育政策和文化政策之后的第三个工作重点。为了保证“高校的整体结构及其发展”，它与大学校长协会及其他科研机构保持密切的合作。文教部长常设会议所制定的高等教育指导意见，涉及基本结构问题、质量发展与评估、教师培养、学习考试、学生工作、岗位聘用与待遇、高校医疗与健康、图书馆、国际事务等诸多领域。通过各州执行这些建议，文教部长常设会议对高等教育治理产生了重要的影响。

1975—2007年存在的联邦－州教育计划与科研促进委员会也曾为高等教育治理提供过不少重要的建议。该委员会除将之前的科学委员会纳入旗下外，还设有州专业部长委员会、高校建设计划委员会、联邦及州政府顾问委员会等与高等教育相关的咨询机构。联邦－州教育计划与科研促进委员会的决议将以建议的形式提交联邦－州政府咨询与决策委员会，但建议通过后由州执行，联邦无权干涉。政策执行的评价权则掌握在联邦－州教育计划与科研促进委员会手中。在委员会存在的37年间，它克服重重困难促使联邦与州合作达成了许多在高等教育领域具有深远意义的协议。1973年通过联邦德国首个整体教育计划，并得到了州及联邦的支持。在1977—2007年间经联邦－州教育计划与科研促进委员会协议投入的科研经费翻了两番，1989—2006年间通过《高校特别计划》《高校及科学计划》和《进一步发展德国高校信息教育的紧急计划》共投入高校建设经费5 800万欧元，其中联邦投入3 300万欧元。通过《2020年高校协议》还计划在2010年投入7亿欧元。然而，由于联邦在教育治理中的权限被缩小，联邦－州教育计划与科研促进委员会于2007年12月31日正式改组为全国科学代表大会。全国科学代表大会仍可以从科研领域继续对高等教育治理提出建议。

## 二、高等教育的社会治理结构

在社会治理结构中，高等教育领域的公法性团体、利益集团，以及私营企业和多方合作平台等都是重要的权力主体；它们在国家的监督和协调下，发挥各自专业特长，共同为德国高等教育治理贡献力量。

### （一）高等教育领域的公法性组织机构、利益集团及其职能

德国有许多独立于国家的专业性公法组织机构和利益集团，都在高校治理中发挥着重要作用。

专业性公法组织机构以大学校长协会为代表。大学校长协会是德国公立或国家认可的大学及高等教育机构联合组成的一个独立组织，2008年涵盖全德259所高等教育机构，98%的在校注册大学生。[①]大学校长协会既是德国高校的利益代表，也是推动高校整体办学思想形成的专业性机构和论坛。其主要工作有：第一，为高校提供信息；第二，形成和代表高校的政治立场；第三，支持成员高校进行改革；第四，对联邦和州的政治、行政部门提供建议；第五，保证教学质量和学生交流；与贝塔斯曼基金会联合建立了高校发展中心，重点关注高校的质量管理；第六，与其他机构和组织展开合作；第七，开展高等教育的国际合作；第八，在欧盟教育与科学政策的框架内代表德国高校；第九，搜集和整理协会的文件等。[②]协会的决议既代表着成员的利益，也对成员具有一定的约束力。

根据大学校长协会的章程，作为最高决策机构的全体成员代表大会由成员单位按学生人数比例选举产生，主要负责讨论和通过具有重大意义的决议，选举主席和副主席，确定和修改章程，接收和讨论主席团的报告，讨论预算等；理事会主要负责与高校和州大学校长协会就重大问题交换意见，并在此过程中提出地区性或跨地区性建议；主席团由主席、五名由全体成员代表大会选举产生的副主席和若干名由高校选举产生的副主席构成，其职责是在主席的领导下根据全体成员代表大会和理事会的决议展开工作。主席团内设常务委员会，由成员机构推荐；主席是协会的首脑，根据日程召集全体成

① KLEIN A. Kulturpolitik，Eine Einfuhrung[M]. Wiesbaden：VS Verlag für Sozialwissenschaften，2009，S.81.

② Die Hochschulrektorenkonferenz（HRK）. Aufgaben und Struktur[EB/OL].[2016-12-02]. https://www.hrk.de/hrk/aufgaben-und-struktur/.

员代表大会、理事会和主席团，并执行上述机构的决议。[①]大学校长协会由自己的基金会提供活动经费。

除了大学校长协会之外，还有一些专业性的公法组织机构也在德国高等教育治理中发挥重要作用。其中，作用最大的当属独立的科研机构，如资助外国科学家和博士研究生在德国学习的亚历山大-洪堡基金会，向政府提供科学咨询、在国际科学事务上代表德国的德国国家（利奥波第那）科学院，资助德国和其他国家大学生、科学家交换项目及国际科研项目、代表国家执行对外文化教育交流任务的德意志学术交流中心，负责科学研究基金评审和管理的德国研究联合会，主要承担国家长期性科研任务的亥姆霍兹联合会，主要由大学外各专业研究机构组成的莱布尼茨联合会，涵盖所有基础科学研究领域的独立科研联合组织马克斯·普朗克协会等。上述参与高等教育治理的科学及咨询机构还一起组成了“德国科学组织大联盟”。

对高等教育治理有重要影响的专业利益集团主要是高校师生的利益代表组织。如1950年重建的德国高校（教师）协会。作为高校教师，尤其是教授的利益代表组织，德国高校（教师）协会在国家和社会面前代表全体或单个高校教师的法律、经济利益。其主要功能有：出版《研究与教师》月刊，提供高等教育领域的最新动态；发布研究型大学的职位招聘启事；提供全面的个人法律咨询；对高校政策、法律及线上、线下书籍出版信息提供电子月报等。[②]而各种大学生联合会和青年联合会则根据自己不同的政治立场，代表相应青年学生群体的利益就高校相关政策发表意见。这些大学师生的利益集团，通过自己的专业经验参与政策制定过程中的利益交换和力量博弈，在高等教育治理中发挥作用。

---

① Die Hochschulrektorenkonferenz（HRK）. Ordnung der Hochschulrektorenkonferenz（HRK）Konferenz der Rektorinnen und Rektoren sowie Präsidentinnen und Präsidenten der Hochschulen in der Bundesrepublik Deutschland in der Fassung vom 13. Mai 2015[EB/OL].（2015-05-13）[2016-12-02]. https://www.hrk.de/fileadmin/_migrated/content_uploads/Internetfassung_Ordnung13_Mai_2015_01.pdf.

② Der Deutsche Hochschulverband. Aufgaben und Ziele[EB/OL].[2016-12-02]. https://www.hochschulverband.de/aufgaben-und-ziele.html#_.

### （二）企业及其职能

德国企业参与高等教育治理的途径主要有以下三个：

首先，企业为高校和科研机构提供资金，参与高等教育的财务治理。在德国高校获取资金的渠道中，经济界的捐赠和资助正变得越来越重要。来自企业的资金不仅投入到了高校的教学科研活动当中，而且还为高校的人才引进做出了贡献。传统上德国高校的教授职位是由国家设立并资助的。高等教育财务的绩效化改革开始后，德国高校出现了由企业资助设立的教授职位。

其次，与高校和科研机构合作开展研究，实现产学研相结合。在国家的大力支持下，德国经济界与科学界围绕着一系列项目，如“卓越大学计划”、科技园区建设计划等积极展开合作。目前，德国企业参与科研和人才培养方面比较成功的例子有：蒂森·克虏伯集团与波鸿鲁尔大学合作、参与建设的“新材料模拟跨学科研究项目”，以及柏林投资银行推出的、旨在促进企业和科研单位合作的“促进合作计划”等。

最后，对高等教育状况展开调查和评估，并为国家和学校提供咨询。如德国高校科研中心有限公司就是一个专门研究高校和科学体系的公司。它通过向政府和科学界提供相关数据，影响高等教育治理。[①]

### （三）合作治理平台及其职能

以2013年建立的德国国际学者网为例。该平台是由德国联邦教研部与洪堡基金会、德意志学术交流中心、德国研究联合会、弗劳恩霍费尔协会、亥姆霍兹联合会、莱布尼茨联合会、马克斯·普朗克协会、大学校长协会九大科研机构和学术组织共同建立的。其主要功能是，通过每月提供有关德国科研职位的最新信息，吸引旅居美国的德国学者回国服务。[②]该网络已成为大西洋两岸信息交流的重要途径以及北美德国学者的交流论坛。2016年9月9日—11日，平台组织主题为“在德国做研究：德国为博士后、年轻科学家和初级

---

① Das Deutsche Zentrum für Hochschul-und Wissenschaftsforschung（DZHW GmbH）. Forschungsbasiertes Gestaltungswissen für Hochschule und Politik[EB/OL].[2016-12-02]. http://www.dzhw.eu/gmbh.

② GAIN. Wer wir sind [EB/OL].[2016-12-02]. http://www.gain-network.org/WER.

大学教师提供的机遇”第16次代表大会。有超过70个德国的大学、研究所和基金会提供了相应的项目和工作岗位。

## 三、高等学校内部的治理结构

在高校治理结构中，传统上主要由教授组成的各级评议会（或称学术委员会）握有较大权力，校长及系主任等必须依靠评议会的支持来行使权力。但随着新公共管理主义和新自由主义的兴起，包括校外人士的高校委员会正在逐渐成为权力的核心。

### （一）行政领导机构及其职能

在德国，高校的行政领导机构（即校务领导会议）一般是由校长、副校长等组成的校长委员会或主席、副主席等组成的主席团。

大学校长（主席）是学校的领导人和行政主管，对内负责整个学校的管理，对外则代表学校。原来德国公立大学的校长一般是由大学教职员工代表大会从教席教授中选举产生。在20世纪60年代学生运动的影响下，德国高校建立起来多方协商的集体决策模式，这种模式过多地考虑了民主和公正，却忽视了效率。为此，后来许多州都尝试扩大校长实际权力的做法，希望能借此在高校治理中建立具有德国特色的校长负责制。

高校委员会制度逐步成型后，包括校长在内的“高校管理层由高校委员会选出，并由国家任命”。①校长任职期限和报酬也由国家立法规定。以巴伐利亚州《高等学校法》为例。该法规定，校长必须受过系统的高等教育并具有多年的行政或经济管理经验。校长由高校委员会建议并由校评议会主席任命，但任命必须得到州文教部长的认可。其罢免也是由校评议会主席经高校委员会和州文教部同意进行。校长是高校行政部门的领导、法定的预算专员，为文教部及其他雇主服务。

德国高校除校长外还有若干名副校长，有的还包括一名妇女专员。在副校长中有一名财务主管（常务副校长），它既是州政府委托任命的财务督查，又在学校内全面主持财务工作，并直接对州文教部长负责。

---

① 姜峰.当代德国高等教育改革研究[M].上海：上海外语教育出版社，2015：25.

在一些州，由高校委员会选举产生的校务领导会议或主席团握有比校长更大的行政权力。巴伐利亚州《高等学校法》规定，除法律另有安排外，校务领导会议主管一切学校事务，尤其是：确定高校政策目标和发展规划；与州文教部签订学校任务目标；制定评价和质量保障的基本原则；对国家财政计划或经济计划提供建议；执行财政计划或经济计划；依法分配学校岗位和资金；对学校规章制订及其修改提供建议；对学校科学、艺术机构和企业、行政部门的设置做出决定；聘任或辞退经济、艺术机构和企业的领导；与其他高校签订协议；决定高校聘任教授的建议等。

校务领导会议或主席团的负责人是主席。主席由高校委员会选举并提名给州文教部。经高校委员会三分之二多数可停止选任。主席可以是本校教授或接受过系统的高等教育的高级人才，但必须具有多年行政管理经验。主席“代表学校，召集校务领导会议，主持和执行校务领导会议及其他学校核心组织的会议”；主席“为学校发展提出动议并拟定学校政策目标的基本原则，将学校重要的相关行政事务告知评议会和高校委员会，并要向高校委员会作年度报告”。主席还可以确定校务领导会议其他成员的分管事务。

从总体上来看，行政领导机构并不是德国高校治理的权力中心。不过，作为高校的“核心机构”之一，它们依然在高校治理中发挥了重要的作用。

### （二）传统核心决策机构——评议会及其职能

评议会（Senate）①，是德国高校传统的学术评议和决策机构，有的还负责确定校长候选人和批准教授候选人名单。历史上评议会是德国大学的主要决策机构，且长期为教授群体所把持。20世纪60年代，在大学生运动的推动下，大学生和一些处于基层的助教提出了高等教育改革方案。经过激烈斗争之后，评议会吸收了不少基层教职工和学生参加，成为一个多方共决机构。

巴伐利亚州《高等学校法》第25条规定，评议会由5名教师代表、5名科学艺术机构工作人员的代表、5名特殊工作人员代表、1名学生代表和1名妇女专员组成。其主要职能包括：公布学校规章；对学术研究的基本意义、科学和艺术后备人才的培育和公平履行义务等问题做出决定；确定重点研究

① 国内也有学者将其翻译为校务委员会。

领域，对特殊研究设施、博士生讲座及其相应配套设施的申请做出决策；对设立、变更、撤销专业做出决定；采纳聘任委员会的决定，任命教授；根据系部学术委员会的建议对荣誉教授的建议做出决定；授予评议会荣誉委员、荣誉公民、高校荣誉成员；如果高校没有系部，行使系部学术委员会职责；对高校委员会中非高校成员的认定做出决定；根据法律可参与的其他事务等。①

近年来，随着高校委员会的引入，部分高校已经将学校的决策权转交给了这个新成立的机构。但仍有不少州还将评议会作为高校的法定自治和决策机关。

### （三）新兴核心决策机构——高校委员会及其职能

高校委员会最早于1993年出现在萨克森州。1997年11月10日，德国大学校长协会提出在德国高校中设置高校委员会的建议。1998年，《高校总纲法》进行第四次修订，删除了有关高校内外部组织和管理的规定，各州在高等教育治理中的权力由此得到加强。通过修订相关法规，勃兰登堡和不来梅两州率先建立州高校委员会，虽然其主要成员还是来自高校内部，但也开始包括校外成员。目前，德国各联邦州均已在各自的高等学校法中列有设置高校委员会或类似机构的条款，但各州高校委员会的情况并不完全相同。大部分州采取双元模式，由校内和校外人士共同组成，校外人士占多数。另外还有的则全部是外部成员，如黑森、萨尔、梅克伦堡－前波美拉尼亚、萨克森－安尔哈特、石荷州等。高校委员会的目标是多元的，但首要是要提高高校的治理绩效。它应该领导各级学术自治机构，如校评议会、院系评议会等。但实际上，由于德国教授治校传统的存在，这一点很难实现。对这种情况的反制措施是，部分州将原来属于各州文教部和校内自治机构的监督权力部分转交给校长，再由校长承认高校委员会的控制监督权。巴登－符腾堡州甚至直接将高校委员会称之为监事会。很多州校长的任命权也从校评议会转移至高校委员会。高校委员会在很多州不仅削弱了传统学术自治机构的权

① Bayerisches Hochschulgesetz（BayHSchG）vom 23. Mai 2006［G］//GVBl. München：Verlag Bayerische Staatszeitung GmbH，2006：245.

力，也削弱了国家对高校的监督和控制。例如，在巴登－符腾堡州高校委员会不仅可以制订高校的结构发展规划，还可以编制学校的预算和经济计划，甚至可以为教学科研的绩效方案制定基本原则。不过，有些联邦州高校委员会并没有这么强势的地位，最极端的是梅克伦堡－前波美拉尼亚，高校委员会只是由校外人士组成，并且只有建议权，没有决策控制权。

以2007年北威州《高校自治法》为例。该法规定高校委员会的职责主要包括：对校务领导会议提供咨询并监督其工作；监督、遴选与罢免校务领导会议成员；介入和检查高校的日常事务等。高校委员会成员的遴选由专门的遴选小组负责，遴选小组的五名成员中有两名来自校评议会、两名来自上届高校委员会、一名来自州创新科研部，体现了国家与学校的合作精神。遴选小组决定的人选须得到评议会和州创新科研部认可，并由部长任命，任期五年。其中至少要有半数的校外人士。[①]通过《高校自治法》，高校委员会在北威州不仅获得了部分属于州创新科研部的权力，还接管了大部分校评议会的职责。评议会不再有权参与校长的遴选，而只能对高校委员会选出的校长进行程序上的确认。

2012年1月，在年度高校委员会论坛举办期间，包括慕尼黑大学等40多所高校的高校委员会主席联合签署《作为高校自治机关的高校委员会》声明，强调高校委员会的决策权与监管权，但拒绝执行权。此次发声表明高校委员会要在德国高校治理中发挥重要作用的决心。

高校委员会在目前德国高校治理中的重要地位是毋庸置疑的。它加强了高校在国家面前的独立地位，并可充当国家和高校之间的中介。通过外部人士的参与，高校教学与科研的实践性、职业性倾向明显增强。这对加强经济的跨地区联系、促进科技转化和获得第三渠道的资金显然有利。但是，对于高校委员会在高等教育治理中的作用，至今仍难以评价。2009—2012年汉斯－伯克勒基金会和联邦教研部联合进行了《高校的新式管控——对德国高校系

① Hochschulfreiheitsgesetz（HFG）vom 31. Oktober 2006[G]//GV.NRW. Ausgabe Nr. 30，2006：473.

统治理改革的评价》，也未能对此得出明确结论。[①]事实上，高校委员会不仅很难控制德国高校传统的学术自治机构，也可能会将浓厚的商业气息带入到校园。因此，许多德国高校仍然以传统的评议会为学校决策机关，以保护学术自由。

**（四）基层组织机构及其职能**

德国大学的基层组织结构一般分为院系（Fachbereich）和研究所（Institute）两级。

院系相当于美国或中国大学的学院，是德国高校的二级组织。大学评议会和主席团的决议，通常要下达给各个院系执行。战后联邦德国的大学一般有10个左右院系。一个院系至少有20位的教授。在学校与院系之间，有的大学还设有无实际职能的“学部”。

院系对内部机构和成员的领导相当松散，主要起协调作用。院系最主要的行政机构是办公室，负责执行校主席团、评议会和院系评议会的决议，领导院系各专门办公室，安排本院系的教学科研行政事务。院系办公室成员通常包括院系的主任、副主任等，有的还有学生代表。院系主任负责处理日常事务，但并无决策权，一般由本院系教师或院系评议会中的教授轮流担任。院系办公室下一般还设有若干个专门的行政办公室负责处理教学、科研等日常事务。

院系评议会即院系学术委员会，传统上由教授组成，但现在其中往往也有学生、一般学术工作人员和技术行政管理人员的代表。在职能上，院系评议会可以和学校评议会进行类比。院系评议会被称为院系“唯一真正的决策机构”。“从结构上看，院系评议会对教授来说‘既是一个议会又是一个俱乐部’，是一个由地位相同的高级人员组成的松散的大学组织。”[②]为了行使职责，院系评议会一般还要设立专门的咨询委员会。

---

① HEPP G F. Bildungspolitik in Deutschland[M]. Wiesbaden：VS Verlag für Sozialwissenschaften，2011，S. 243.

② 范德格拉夫 J.学术权力——七国高等教育管理体制比较[M]. 王承绪，张维平，徐辉等，译. 杭州：浙江教育出版社，2001：23.

各个院系下可以再设研究所。[1]研究所相当于中国大学的教研室或院系内的研究所，是最基层的教学和科研组织。研究所的研究领域有大有小，灵活多变，如亚琛工业大学就同时设有历史研究所、经济社会史研究所、科技史研究所等。研究所是一个独立单位，拥有进行一般教学科研活动的所有人员和设备。随着学生人数增多，许多研究所下面还设有工作组（设于理工科）、教席（一般设于文科）等更小的单位，通常由一位教席教授领导。在研究所及其内设机构的一切重大问题上，尤其是与教学和科研相关的问题，都由教授决定。

除了上述这些组织外，德国高校内还有一些其他的组织可以参与本校的治理，如学校的全体代表会议等。它们和高校的核心组织一起，共同构成了德国高校的内部治理结构。必须指出的是，德国的高校和中小学一样，其内部治理结构并不是千篇一律的，而是会根据学校类型、传统和所在地域的不同而有所不同。

## 附：柏林自由大学个案分析

柏林自由大学的内部治理体系主要由以下四类部门组成：

第一类是领导决策部门。

主席团、学术评议会和理事会是柏林自由大学的核心决策机构，它们主要在各类职能机构的协助下开展工作。

由主席（校长）、第一副主席、副主席和校务长组成的主席团，主要负责学校内部的行政决策并对外代表学校。主席主要负责大政方针指导、领导主席团、校园管理、规范校办企业、决定保留或重新制定校内规章、对外交往等事务；第一副主席即常务副主席，主要负责代表主席主持日常工作，同时分管人事、大学医院、兽医学系、生物和化学系、植物园和达姆勒研究中心等事务；其他副主席也各自分管一部分院系、研究所和校直属机构；校务长负责协助主席们工作、处理日常行政事务及为学校预算提供咨询，同时分管学校的信息化和健康环境事务。

---

[1] 除研究所外，文科传统上还可设立“研讨班”，医科则设立类似的“医学研究所”。

校学术评议会由13名教授、4名学生、4名非教授学术工作人员和4名其他工作人员共25名成员组成，任期两年。学术评议会不仅可以根据相关规章就学校教学和科研事务做出决策，其扩大会议还负责选举主席，是学校的主要权力部门之一。理事会由柏林州高校主管领导、5名社会人士和4名学校成员共10人组成，主要负责确定学校预算和主体机构设置。

此外，学校还设有教学质量保障委员会、“卓越大学”委员会、科研委员会、教学委员会、博士生奖学金分配委员会等，分别在各自职权范围内提供建议或做出相关决议。

第二类是行政执行部门。

首先是领导决策部门的执行协助机构，主要包括：（1）主席办公室，由主任、常务主任和秘书若干共同组成。主任是办公室领导，常务主任可在除上诉程序外的一切事务中代表主任，并协助主席团进行人事选聘和工程管理；（2）协助主席团的顾问机构，包括新闻通讯、法律事务、国际网络大学、战略规划与报告、能源与可持续发展等各类专业团队；（3）负责协助主席团、理事会和评议会展开工作并作为“柏林各大学主席会议”秘书处的专业职能部门。

其次是行政业务部门。主要包括：人事与协调处，其中一科负责学术人员/公务员和差旅分居补助，二科负责非学术人员、学生助理和培训，另外还有负责人力发展及选举的专门科室；财务、采购和职位管理处，内设预算、会计和采购等部门；技术处，内设基本建设、规划、建筑设备等科室；国际处，内设基本事务、科学交流、学生交流、大学预科、校友会等科室；教务处，内设教学、学生发展、继续教育等部门；科研处，内设科研委员会秘书处、成果转化、法律、科研信息等科室。

再次是具有较强独立性和专业性的各类专员。如数据保护专员、妇女专员、信息安全专员、残疾人专员、动物保护专员等。

第三类是基层的教学科研部门。

柏林自由大学设有法律、经济、社会科学部，人文文化科学部，自然科学部和兽医学部等4个学部，下设历史文化学院等11个教学科研院系。

院系评议会即院系学术委员会，是柏林自由大学教学科研院系的决策部门。柏林州《高等学校法》规定的院系评议会职责主要有：公布院系章程，执行有关教学和考试的法律规定，协调教学与科研的关系；提出教师职业建议；通过教师的高校执教资格；分配和取消计划外行政服务岗位和物质资源；对全职和兼职法定聘任关系的建立及取消提出建议等。[①]历史文化学院的院系评议会的成员包括7名教师、2名学术性工作人员、2名学生和2名其他工作人员。

柏林自由大学的院系一般设有院系办公室、教学办公室、考试办公室、行政办公室、博士生办公室等行政部门。院系办公室一般由1名院系主任、2名分别主管科研和教学的副主任及1名行政办公室主任组成。柏林州《高等学校法》规定，院系主任由院系评议会从本院系教师中选任。主要职责是对外代表本院系，指导院系的服务性工作，尤其是教学和考试工作，并有权对教师以外的院系行政工作人员发布命令。院系主任还兼任院系评议会主席，可在评议会无法做出决定时采取必要措施处理事务。其他职能部门在院系办公室的领导下开展各类日常工作。

各院系下设研究所。在研究所内部，由教授负责本教席或工作组的教学科研工作。研究所主任由教授担任，往往只具有协调功能，没有决策权。

第四类是服务保障部门。

服务保障部门包括学生服务机构、学习合作中心、大学档案馆、图书馆、职业安全保障机构、幼儿园、校医院等。这些部门属于大学的附属部门，但在高校治理中也发挥着重要的作用。以学生服务机构为例，由于德国大学生的学习和生活是高度自主的，高校治理往往需要校方和学生共同协作才能完成。而为数众多的学生服务机构就在其中扮演着关键角色。如大学学习信息中心、大学学习心理咨询中心以及学生会等会为学生提供重要的学习策略咨询；大学生服务中心、柏林大学生后勤处、学生票办公室和学生会等会为学生提供必要的生活服务。

---

① Berliner Hochschulgesetz（BerlHG）[G]//GVBl，2011：379.

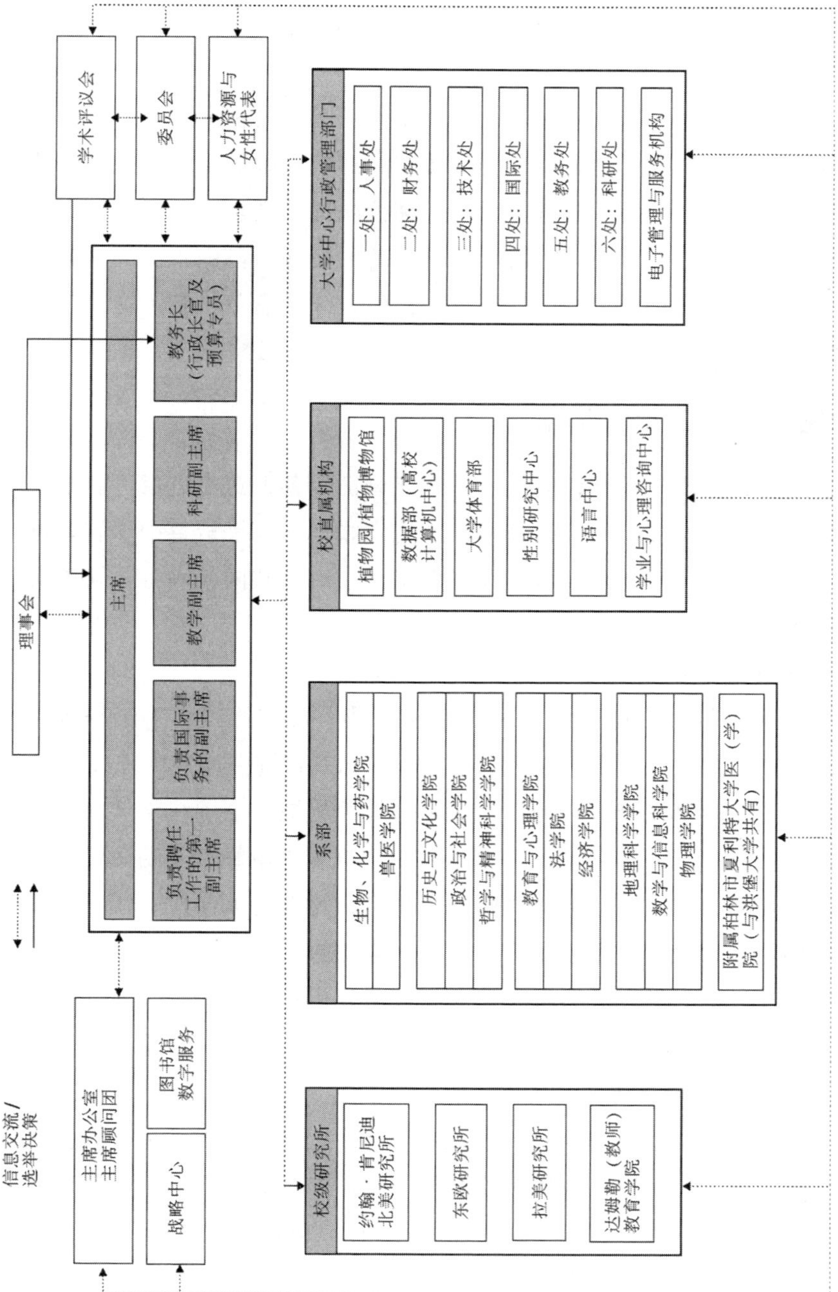


**图 5-1　德国柏林自由大学组织结构图**[①]

① Freien Universität Berlin. Organigramm[EB/OL].[2016-12-2]. http://www.fu-berlin.de/einrichtungen/media/organigramm_freie_universitaet.pdf.

## 第二节　高等教育治理的运行机制与具体措施

在高等教育治理的运行过程中，联邦和州也常常根据官方联合咨询机构的建议进行决策。但由于受“教授治校”传统的影响，国家决策的范围一般仅限于拨款、评估等高校外部事务，而对于高校内部的教学、科研等核心业务，国家则很少干涉。近年来，随着新公共管理主义和新自由主义的兴起，国家还决定在高等教育领域实行简政放权，并引入绩效竞争机制。这些改革对高等教育治理在各领域的具体实践措施产生了深远的影响。

### 一、高等教育治理的运行机制

各州根据文教部长常设会议的指示，在充分征询各方意见之后，制定本州的高等教育政策。不过，由于《基本法》规定联邦在高等教育中享有多项重要权力，所以，联邦和州也常常建立联合工作小组，共同就高等教育事务进行协商并做出决定。

#### （一）咨询与建议

联邦德国高等教育治理中的咨询与建议，是由官方的工作小组和委员会、官方或独立的公法性调查研究机构以及一些私人咨询公司共同完成的。

以官方的工作小组或委员会为例。在高等教育领域，全国科学代表大会领导下的科学委员会，即是国家高等教育和科学研究决策最重要的政策咨询部门之一。该委员会的主要任务是“向联邦政府、州政府就高校、科学和研究的内容和结构发展问题提供建议”。这些建议主要涉及两个领域：一是关于科学机构（包括大学、专科学院和非高校研究机构）的政策，尤其是结构、绩效、发展及财政政策；二是关于科学体系中重大问题的政策，包括对教学科研结构方面的某些政策，以及对某个领域或专业的计划、评价和控制的政策。科学委员会依据《基本法》及联邦和州之间达成的协议展开具体工作，如执行相关计划，对校外科研机构展开评价，参与高校统计工作，对研究设备的建设进行评估等。科学委员会由联邦和州共同资助，但运行上独立于国家。科学委员会内设科学事务委员会和管理事务委员会。科学事务委员会有32名成员，均由总统任命，其中24名为科学家，由大学校长协会等六家德国科学组织大联盟的成员联合提名，8名为具有较高社会声望的人，由联邦政府和州政府共同提名。管理事务委员会有成员22名，其中联邦政府代表6名，16个州各有代表1名。两个委员会在提供建议时负有相同的责任。因此，科学委员会实际上具有双重协调功能，它既是科学家与政治家之间的中介组织，又是联邦和州之间的调节机构。

此外，独立的公法性研究所和私人公司及其资助的智库集团，如大学校长协会、德国高校科研中心有限公司等机构也在德国高等教育治理的咨询工作中发挥着重要的作用。

近年来，受新公共管理主义等新教育治理思想和国际学生评价计划的影响，高等教育治理的咨询建议工作越来越偏重于基于数据的绩效导向型研究。各类研究组织越来越重视一手教育数据的搜集与整理，并以此作为研究高校绩效改革的基础。而作为传统上德国最权威信息来源的联邦统计局，不仅会定期在官网的“社会与国家－人口”一栏发布德国高等教育的统计数据[①]，还和其他多家研究单位一起参与“国家教育统计报告”白皮书的撰写，用大量基础数据来为官方制定绩效导向型高等教育政策提供依据。

### （二）国家决策

高等教育领域的决策权传统上也属于各州。不过，与基础教育决策不同的是，由于高等教育政策并不是州议会选举中的热点问题，所以它很少会直接进入公众的视野。各政党在高教政策中的分歧也非常少。而且，联邦在高等教育领域比在基础教育领域享有更多的决策权。

一般情况下，州政府的主管部门是各州高等教育决策的中枢。它会在考虑各方意见的基础上，尤其是来自欧盟、各州文教部长常设会议及高校的意见，根据本州实际情况制定相关法律草案，并向州议会提交立法动议；州议会颁行法律之后，州政府高等教育主管部门制定相关实施细则，并领导州内各级教育机关监督法律法规的执行。20世纪90年代之后，在欧盟博洛尼亚

① Statitisches Bundesamt.Studierende[EB/OL].[2016-12-02].https://www.destatis.de/DE/Zahlen-Fakten/GesellschaftStaat/BildungForschungKultur/Hochschulen/Tabellen/StudierendeInsgesamt-Bundeslaender.html.

进程的推动下，各州开始酝酿新的高等教育政策。州高等教育主管部门广泛吸取来自官方咨询小组科学委员会、公法性研究机构如非营利高校发展中心和经济界的建议，决定重建高校与国家的关系，在简政放权的同时，通过引入绩效机制来刺激高校之间的竞争。一方面，1998年修订《高校总纲法》后，大多数州就决定逐步减少对高校治理的细节的干涉，实现高等教育治理体系的“去集中化”；另一方面，各州政府还决定，加强高校在教学研究和获取第三渠道资金方面的竞争关系，刺激高校绩效结余资金的使用，同时对高校内部管理组织进行重组，建立内部绩效奖励机制。①

1957年，联邦开始通过财政援助手段介入高校发展政策的制订。之后，随着大学生流动性的加强和高等教育国际化的深入，联邦在高等教育领域的决策权越来越大。直到2006年联邦制改革之后，联邦依然在很多问题上与各州共享决策权。

自20世纪60年代起，联邦就已经开始参与高校建设的决策。高校建设属于高投入领域，很多州都需要联邦的支持才能完成这一任务。1964年，联邦与州签署协议，平均分担高校建设费用。1969年《高校建设促进法》通过后，联邦还和州联合建立了高校建设规划委员会。2006年之后，《高校建设促进法》被取消，但联邦依然可以参与资助校内科研活动及包括大型设备在内的硬件设施建设。

与此同时，联邦还可以参与决定高等教育的基本原则和总体框架。由于历史原因，德国各州高校的治理体系和原则都存在着一些差异。1969年宪法改革后，联邦拥有了在总体框架方面规范各州高等教育的权力。1976年，联邦出台《高校总纲法》，对高等教育基本原则、高校的教学与科研、高校的录取、高校工作人员、高校的法律地位、高校的国家认可等做出明确规定。2006年联邦主义宪法改革之后，联邦丧失了从总体上决定德国高等教育一般原则的权力。但与此同时，联邦依然可以通过所谓的竞争性立法权，参与决定高校的录取和毕业政策。而且，《高校总纲法》虽然被列入了废除程序，

① HEPP G F. Bildungspolitik in Deutschland[M]. Wiesbaden：VS Verlag für Sozialwissenschaften，2011，S.234–235

但联邦议院却一直迟迟没有完成这一程序。因为有议员认为，如果真的要废除《高校总纲法》，就必须先制定一部关于高校录取与毕业的联邦法律。

### （三）国家监督下的大学自治

国家在高等教育中的监督作用主要体现在：制定有关高校管理层的法律规章；提高教学科研体系的质量，在量化测评的基础上拨付资金；确保国家机关之间、国家与社会组织及高校之间的合作，平衡高校和国家的责任等。

但就政府与高等学校的关系而言，高等教育机构具有很强的自主权。这种自主权源自历史上的“学术自由”传统，即高校作为学术自治团体是不能随便被政府和警察所侵犯的。19世纪初洪堡教育改革之后，学术自由成为德国大学所奉行的基本原则之一，并传之世界。二战之后，纳粹时期建立起来的集权式大学管理制度被取消，高校自治重新成为联邦德国治理大学的基本原则。约翰·范德格拉夫指出：“州的边界亦已重划，因此导致11个州中的大多数丧失了原来较为统一的政治或行政传统。此外，由于在纳粹统治下曾经出现的政治极端主义，州政府的管理是否明智颇受人们的怀疑。因此，虽然从理论上说许多州的权力仍然保留，但实际上学校很容易维护自己的独立性。”①

早期联邦德国大学被视为国家机构，各州文教部对大学非学术性事务进行监督和管理。各州议会则通过立法手段对高等教育实施治理。作为国家机构，德国大学在组织建设与管理决策权限等方面必须依据州高等学校法的规定，同时在学术事务和行政事务方面按公法性团体进行自我管理。这一时期联邦德国的大学治理又恢复到纳粹统治之前的“国家监督、高校自治”的模式。

随着高等教育规模不断扩张，再加上全球化、欧洲一体化背景下“博洛尼亚进程”和2006年以来国内教育改革的影响，德国大学的教学和科研都呈现出多元化、自主化的趋势。很多州都通过修改相关高等教育法律法规，将州政府的高等教育治理权逐渐缩小，进一步放开高校活动的自由空间。（1）

---

① 范德格拉夫 J.学术权力——七国高等教育管理体制比较[M]. 王承绪，张维平，徐辉等，译. 杭州：浙江教育出版社，2001：19.

在人事方面，将教授从直属各州转为隶属高校，解除了教授职位与各州文教部的直接联系。（2）在财务拨款方面，通过在部分州的高校引入绩效机制，激励高校进行成本控制，减少或取消州政府对经费使用细节的干预，提高拨款使用的灵活度。（3）部分州在高等教育领域引入非官方基金会大学管理模式，改变过去大学的公法性机构和国家机关的双重属性。（4）引入竞争机制，让高校为获得好的生源和更多的资金支持而互相竞争。（5）对高校领导层进行改革，如延长校长和院系主任的工作时间，提高他们的专业工作能力，仿效企业监事会建立有校外人员参加的高校委员会等。

以北威州为例。2006年7月7日北威州正式通过《高校自治法》，废除了使用多年的《高等学校法》。《高校自治法》中，高校只保留公法法人角色，州政府不再负责高校的业务监督和日常管理，而把这些权力移交给高校。除建筑和硬件设施外，学校其他事务都可由校长代为管理。教职工聘用也改为高校负责，州文教部长不再是学校教师和其他人员的上司。黑森州则在2008年通过修改《高等学校法》，将法兰克福大学转制为基金会大学。这种大学也不再兼具国家机关和公法法人的双重特征，而仅是一个由基金会举办的公法性机构。州文教部对基金会实施监督，而将原来监督高校的许多权力，如教职工聘用、招生、设施监管等，转交基金会所有。基金会取代州政府与法兰克福大学教职工签订劳动合同。不过，教授和主席团的高级人员仍为公务员。校长对全校教职工实施监督，而高校委员会主席对校长实施监督。①

此外，还有的州试图通过引入“合同管理模式”（各州名称不同）来进一步扩大高校的自主权。这种模式最初于1997年出现在巴登－符腾堡州。现已为所有的联邦州所采用。其主要特点就是各州文教部与高校签署一项将拨款和目标任务相结合的“合同”，进而使原本在行政管理体系中处于上下级位置的政府与大学有了更多的互动空间。采取这一新的调控模式意味着重新定义政府对高校的干预方式，表现为从传统的官僚式的国家调控转变成以结果和绩效为导向的调控模式。其中第一类，是州政府与全州高校经长期协商

① Hessisches Hochschulgesetz［G］//GVBl. I 2009（Gliederungs-Nr.:70-258）：666.

后制定协议，再以州文教部与每个高校的协议为补充。采用此种协议的州主要包括：巴登－符腾堡州、巴伐利亚州、勃兰登堡州、不来梅州、黑森州、下萨克森州、北威州、萨克森州和图林根州等。第二类则是由州政府与单个高校签订协议，协议中既包括总体目标协议，也包括以绩效为导向的专门目标协议。采取此种协议的州主要包括柏林、汉堡、萨克森－安尔哈特、梅克伦堡－前波美拉尼亚和莱茵兰－普尔法茨等。1997—2007年间，各州总共签订320个类似的协议。以柏林州为例。该州《高等学校法》第7条规定，高校改革是高校与上级国家机构的共同任务，包括发展新的结构组织形式。1998年第7条增设实验性条款，规定负责高校的州政府部门可以根据高校的申请（经校评议会商议、高校委员会批准），允许高校在固定期限内试验新的领导组织以及财政拨款模式。柏林州的合同管理模式就此诞生。但直到2011年，柏林州《高等学校法》才在第2条后增加了第2a条，标题为“柏林州与各高校的合约”，规定州文教部应该定期与各高校签订合约，合约内容涉及高校未来发展的基本要求以及完成任务所需的财政拨款，特别是科研与教学所需的拨款。根据修正后的《高等学校法》，柏林州将国家权力下放到高校，在坚持国家监督的前提下，进一步拓展高校的自由行动空间。

当然，由于各州的决策者理念不同，新的高校治理改革方案在各州落实的情况也不尽相同。总体上来说，在联盟党控制的州，执行情况要好过社民党执政的州。

### （四）多元合作下的教授治校——大学内部的治理

德国高校的大部分行政事务都受制于州政府，而教学科研活动则主要由教授负责。传统上在高校治理中具有决定性影响的评议会其实只是一个教授利益的协调部门。而校长和校务领导会议更是无权干涉教授的教学科研活动。这种制度，体现了自洪堡改革以来德国“教授治校”的特色。

传统上德国大学中的教授治校主要体现在：首先，学术评议会在德国高校治理中握有实权。无论是在学校一级，还是在院系一级，教授占多数的评议会均可对相应范围内的教学和科研事务做出决定。校学术评议会还有权参与决定学校的重大行政事务。因此，德国高校内的各级评议会是德国传统上保证教授治校的重要途径之一。其次，教授在自己的教学科研领域拥有自主决定权。尽管这种决定权依法要受到州文教部的监督，但实际上教授在正常的教学科研活动中基本上感受不到任何限制。在德国，经过漫长、曲折的晋升之路成为教授后，便意味着不仅在学术上获得了同行专家的认可，还可同时享有国家高级公务员的待遇，不再为生计发愁。教授以其在本学科领域的专业性，获得了独立开展学术研究和教育教学活动的权力。这种不受外界干扰的权力是德国高校学术自治和教授治校的基础。第三， 教授还是德国高校基层科研教学资源的主要掌握人。“在传统上，教授既是其研究领域中唯一一名讲座主持者，也是研究所唯一的负责人。”[①]基层所有的软硬件资源的分配，包括资金、设备、岗位等都由教授群体掌握。

历史上教授治校的权威不是没有受到过来自国家的挑战。纳粹时期教授们就被置于校长的控制之下。二战之后，有两次改革对教授的权力构成限制：一是20世纪60年代的“群体大学”改革。当时，愤怒的年轻助教和大学生们掀起高校改革运动，最终成功地将群体大学原则引入高校之中，即允许教授以外的群体参与高校治理，如在评议会、院系专业委员会中设置或增加学生及教辅人员的代表。二是20世纪末设立高校委员会的改革。某些州通过修改、制定高等教育法律法规，在高校中设立有校外人士参加的高校委员会，取代教授握有实权的评议会成为学校治理的实权机构。改革希望实现高校学术事务与非学术事务分离，并将效率和效益引入，改变教授群体自我封闭的保守状态，提高高校的创新意识和竞争能力。但是，这两场改革的范围局限性比较明显，而且也激起了教授群体的激烈反抗。因此，目前在德国大学中，教学、科研等核心业务仍然掌握在教授手中。可以说，处于基层的教授席（工作组）其实才是德国高校治理的真正核心。

## 二、高等教育治理的具体措施

经过长期发展，“以州为主、高校自治、分工合作、放权增效”成为德国高等教育治理领域的主要特点。在财务、人事和质量保障等主要业务领

---

① 范德格拉夫 J.学术权力——七国高等教育管理体制比较[M]. 王承绪，张维平，徐辉等，译. 杭州：浙江教育出版社，2001：22.

域，德国推行高等教育治理的具体措施均不同程度地体现出这些特点。

### （一）财务治理的具体实践措施——以经费分担与投入政策为例

**表 5-1 德国不同主体教育投入占总教育投入的百分比（高等教育部分）**[①]

| 年份 | 联邦 | 州 | 地方 | 私人 | 外国 |
| --- | --- | --- | --- | --- | --- |
| 2007 | 15.2 | 67.2 | 1.1 | 15.1 | 1.5 |
| 2009 | 17.0 | 65.5 | 0.5 | 15.4 | 1.7 |
| 2011 | 19.8 | 62.8 | 0.6 | 15.1 | 1.7 |
| 2013 | 19.5 | 63.9 | 0.4 | 14.1 | 2.2 |

首先，坚持以州为主的财政投入机制。

在联邦制的框架内，高等教育的财政拨款主要由州政府负责，并受州《预算法》约束。各高校每年必须向本州文化教育部提出经过详细论证的经常性经费申请报告，文教部再将经费预算向州议会提出来，由议会审核批准。以巴伐利亚州为例。该州《预算法》第13条规定，预算由单项计划、整体计划和系列计划组成。单项计划是为各部及其他州政府最高部门和一般的财政管理机构的业务范围编制的。州文教部的业务范围比较广泛，一般基础教育和高等教育会被分别编入两个单项计划。单项计划中分章、目两级。每个高校即可单独列为一“章”。章下的“目”则按照高校内部的收入支出的类别来划分。如2016财年，巴伐利亚州高等教育被列入第15单项计划。慕尼黑大学预算被列为1507章，其下再设人力、行政业务等具体收入支出项目。预算确定后，州文教部和高校遵守执行，并按规定从出纳和会计部门获取资金。本财年结束时，州文教部会公布所属大学的账目，经州财政部提请州议会进行财政决算，并接受州最高审计部门及其下属审计局的审计。决算通过后，州议会还要对决算进行政治审查，以确定是否能对财政预决算案进行注销。

① 数据来源为历年德国“国家教育统计报告”。

德国高校中绝大多数都是公立大学，这些大学的人员工资和行政业务经费等经常性开支完全是由州政府负责的。其中人员经费是高等教育经常性经费的主要部分，直接由州政府支付给教职工本人，不拨到学校，它约占高等教育总经费的3/4。除少数由基金会资助的岗位外，所有州立大学的人员开支都由州政府负担。行政业务经费按照具体用途被划分为多种经费类别和预算项目，如教学运行、科研材料、旅行费用、邮电通信、维修费等。一般来讲，高校的经常性经费是指定用途的拨款，不能改作他用。除经常性经费支出外，州政府还和联邦政府一起分担高等教育的基本建设支出和大学生资助的费用。

其次，允许联邦合理介入高等教育的资助拨款事务。

1969—2006年间，联邦和州根据《基本法》91a条和《高校建设促进法》在高校建设方面按1∶1比例分担费用。2006年改革后，高校建设投资的权力大都重新回归各州。此后，虽然联邦政府在高等教育领域的权限明显缩小，但财政拨款仍然是其参与高等教育治理的重要途径。

“卓越大学计划”是近年来联邦和州在高等教育财政投资合作方面的标志性工程，也是在联邦教育权限缩小后，它最有可能继续在高等教育领域发挥影响的工程。早在2004年时，红绿联盟政府就提出了“脑洞大开——德国需要顶尖大学”的口号，力图培育得到国际认可的精英大学。[①]在后来的各方讨论中，精英大学被更名为卓越大学。2006年10月13日，经德国研究联合会和科学委员会联合评审，共有9个大学入选成为卓越大学。2008年联邦政府总理和各州州长正式同意实施卓越大学创建行动计划，并在次年4月22日签署协议。计划首期五年，共拨款19亿欧元，联邦承担75%，大学所在州承担25%。2009年6月，联邦和州的政府首脑组成了联合管理委员会，负责第二期“卓越大学计划”的实施。为了确保已有申请者和后续申请者得到均等的机会，资助规模到2017年将比第一期增长40%，达到27亿欧元。

---

① HEPP G F. Bildungspolitik in Deutschland [M]. Wiesbaden: VS Verlag für Sozialwissenschaften, S. 161.

再次，在经费投入和使用过程中注重绩效原则。

进入20世纪90年代，随着新公共管理思想的传播，以绩效为导向的整体经费拨付模式正成为德国高等教育经费拨付模式的主流。所谓整体经费拨付模式，就是以绩效和负担水平为导向，根据绩效目标的达成制订单个计划的模式。[①]在维持原有基本框架的前提下，逐步引入绩效机制，将政府经常性拨款与高校绩效挂钩，以便在高校拨款中引入竞争机制。各州为实现整体拨付模式制定了多个绩效任务指标，如学校获得的第三渠道科研经费或科研项目数，引进的科学界和社会各界的精英的人数，在校学生数、学生辍学率、师生比、毕业生就业率、学生的实际修业年限、博士学位论文数等。这些指标往往会在州高等学校法中进行确认。各州一般将高等学校经费分为基本部分和绩效部分，并设置上下波动范围。大多数州与绩效挂钩的损失和收益不超过3%，但下萨克森州和莱茵兰－普尔法茨的浮动分别达到了12%和21%。[②]

目标合约是实现整体拨付模式的关键，也是高校与各州文教部谈判的重点。虽然从名称、形式和内容来看，各联邦州与本州高校签订的目标合约不尽相同，但这些合约中都引入了经常性财政资金的整体拨付模式。以柏林州为例。2011年，柏林州《高等学校法》在第2条“高校法律地位”后新加入了第2a条，要求州高等教育主管部门定期与高校签订合约，依据高校的基本需求及其所应该完成的任务进行财政拨款。[③]2014—2017年的合约拨款包括基本财政拨款及教学、科研/成果转化、多样性/平等3种绩效性拨款。[④]通过高校目标合约，德国将整体经费拨付模式引入高等教育领域，实现了将拨款金额与绩效指标相结合的目标，有利于激励高校提高经常性拨款的

---

① HEPP G F. Bildungspolitik in Deutschland［M］. Wiesbaden：VS Verlag für Sozialwissenschaften，S. 239.

② HEPP G F. Bildungspolitik in Deutschland［M］. Wiesbaden：VS Verlag für Sozialwissenschaften，S. 240.

③ Berliner Hochschulgesetz（BerlHG）［G］//GVBl，2011：379.

④ Senatsverwaltung für Bildung，Jugend und Wissenschaft des Landes Berlin.Gleichstellungsaspekte in den Hochschulverträgen. Rechtliche Grundlage der Hochschulverträge［EB/OL］.［2016-12-02］. https://www.berlin.de/sen/frauen/recht/berlhg/hochschulvertraege/.

使用效率。

最后，强调教育机遇平等，减轻学生上大学的经济负担。

20世纪60年代末，随着经济的快速发展，联邦政府和州政府的高等教育经费投入稳步增长；再加上大学生运动期间各方对教育公平的呼声日益高涨，德国学生缴纳学费的制度被完全废除。[①]20世纪80年代起，联邦德国开始实行新保守主义改革，重点是减轻国家负担，刺激经济增长。此后，德国有7个州先后在2007—2014年实行了大学学费制度，但对于家庭经济困难的学生，这些州也都出台了相关的学费减免规定。联盟党执政后，国家财政状况好转，大学适龄人口下降，各州为了减少大学生等群体的不满，又陆续取消了大学收费制度。[②]

在奉行长期零学费或低学费政策的同时，联邦德国还长期为青年大学生提供奖助学金，以保证来自不同家庭背景的学生能够平等地在大学就读。20世纪50年代，在学生组织的压力下，联邦政府从1958年起委托大学生服务中心资助家庭经济困难的大学生。由于这种模式最早是1955年由科学委员会和大学校长协会在北威州的巴特·霍内夫提出，所以又称霍内夫模式。20世纪60年代后期，社民党-自由民主党联合政府成立后，联邦议院于1971年9月1日通过《联邦教育促进法》，扩大了大学生接受资助的范围。学生领取补助的标准也不再是学习成绩，而是变成了家庭经济状况。1982年，主张削减政府开支的科尔政府对《联邦教育促进法》进行修改，资助范围受到严格限制。但进入21世纪后，随着德国经济状况改善，联邦政府又多次修改《联邦教育促进法》，扩大资助范围，提高资助金额。另外，法律还为处于从学士到硕士学习过渡阶段的学生制定了新的资助终止标准，延长了他们获得助学金的期限。

德国长期对大学生实行减免学费和提供资助的政策，体现出国家在高等教育财务治理中所秉持的公平原则。

---

① 废除的是大学收取普通学费的制度，超学习年限、第二学位及特殊类型大学学费征收制度依然存在。

② Studiengebühren in Deutschland[EB/OL]. [2016-12-02]. https://de.wikipedia.org/wiki/Studiengebühren _in_Deutschland.

**表 5-2　2001—2016 年《联邦教育促进法》对大学生的资助计划**①

| 年份 | 2001 | 2008 | 2010 | 2016（秋季开始） |
|---|---|---|---|---|
| 与父母同住 | 377 | 414 | 422 | 451 |
| 不与父母同住 | 466 | 512 | 597 | 649 |
| 单位：欧元 / 月 | | | | |

### （二）人事治理的主要特点——以教师聘任政策为例

首先，主要由国家根据相关高校和专业社会团体的建议来决定高校教师亦即教授岗位的设置。除个别由第三方资助的以外，德国绝大多数教授都是由各州支付薪水的国家公务员。一般情况下，州教育主管部门会与院系和校方商议后，确定某个教授岗位的设置和工资水平（W2/W3），并将其列入州财政预算。②不过，联邦和专业社会团体有时也会对高校教师的岗位设置改革提出自己的意见。2002 年，联邦教研部长埃德尔加尔德·布尔曼向联邦议院提出《高校总纲法》第五次修正案，包括设立初级教授（Junior Professur，又译青年教授）职位，建议自 2010 年起不再将教授资格论文作为获得教授职位的必要条件。③为促使各州接受初级教授职位，联邦计划通过“初级教授项目”向每一个职位资助 60 000 欧元，以此影响高校的人力资源政策。改革计划遭到了州势力占优势的联邦参议院的反对。联邦议院在 2004 年底重新通过了一个新的法案，规定初级教授职位的设立属于各州职权范围。2002 年后，各州陆续开始在高校中设立初级教授职位，但由于待遇偏低、门槛过高以及岗位设置期限过短等因素，目前设职数还远远没有达到预

---

① 2001—2010数据来自联邦统计局资料（Statistisches Bundesamt. Bildung und Kultur Ausbildungsförderung nach dem Bundesausbildungsförderungsgesetz（BAföG）Erscheinungsfolge: jährlich Erschienen am 18. Oktober 2013[M]. Wiesbaden：Statistisches Bundesament，S.12.）2016年数据来自德国大学生服务中心官网.

② Prof. Dr. Tassilo Schmitt，Dr. Nina Arnhold Magnus Rüde [J]. Berufungsverfahren im internationalen Vergleich Arbeitspapier，Nr. 53 März 2004：54.

③ HEPP G F. Bildungspolitik in Deutschland [M]. Wiesbaden：VS Verlag für Sozialwissenschaften，2011，S. 156.

定目标。大多数州的初级教授只能拿W1工资，中期考核合格后不含养老金收入可以提高8%。2006年改革后，为了加强高校的教学，开始设立教学为主型教授职位。在科学委员会和高校联合会的共同倡导下，德国试图在高校建立教学和科研两种教师序列，以补充扩展传统的教师体系。教学为主型教授配备较少的下属和承担较少的科研任务，但负有更高的教学义务。但目前大多数州都还没有接受这一建议，仍然按照传统模式招聘教授。巴登-符腾堡州2007年起设置高校讲师和初级讲师职位，以便为未来教学为主型教授的聘用奠定基础。

其次，国家通过立法一边对教授的聘任进行干预，另一边却又将教授聘任的主要权力放在高校手中。各州依据高等学校法对本州教授聘任进行监督。这是保证高校和科研机构教学研究质量的重要手段。“国家需确保任命教授的唯一评判标准是科研成果的质量。”[①]例如，柏林州《高等学校法》就为教授的聘任设置了多个基本条件。包括：大学文凭，具有获得法律承认的师范技能和卓越的科研或艺术才能。部分职位还要求至少五年的实践经历（其中至少有三年是在高校以外取得的经历等）。（柏林州《高等学校法》第100条）与此同时，根据各州高等学校法的规定，高校内部的聘任委员会在确定教授人选的过程中扮演关键角色。以黑森州斯图加特大学的教授聘任为例。在征得教育主管部门同意后，由正副校长组成的校长委员会将做出教授岗位的招聘决定。之后，校长委员会将与院系共同组建由一名校长或院长领导的聘任委员会。聘任委员会根据院系建议的人选组成，但其中教授必须占多数。黑森州《高等学校法》还对聘任委员会成员组成有如下规定：至少3名本院系教授；至少2名其他院系教授；至少1名校外专家；至少2名有专业联系的女性（理想状态下委员会应该男女数量平等），校妇女专员；至少1名学生代表。聘任委员会组成后，将依照规定发布招聘广告，确定遴选条件，组织招聘面试。之后，委员会还将对合格的候选者进行同行专家评议，并最终形成拟聘候选人建议名单。通常情况下，聘任委员会所拟定的教授人选就将获得学术评议会和校长委员会的批准，成为

① 姜峰.当代德国高等教育改革研究[M].上海：上海外语教育出版社，2015：23.

最终的聘任决定。[①]

最后，在坚持国家监督的前提下，部分州开始改变“国家雇主性质”，减少甚至不参与招聘程序。所谓“国家雇主性质”，是指各州教育主管部门既是教师的上级，又是雇主。近年来，出现了变化，很多时候高校开始代替国家成为教师的主管和雇主。在北威州、柏林州和一些基金会大学，这种情况变得尤为明显。在不来梅和黑森，州仍是主管当局，但许多权力已经移交到了高校。而在萨尔州，州的国家雇主性质基本上得以保留。随着国家雇主性质的改变，各州在教授聘任程序中所保留的最终审核权也逐渐下放到各高校。目前有8个州已经实现了这一职责的移交：巴登－符腾堡州、黑森州、梅克伦堡－前波美拉尼亚州、北威州、萨尔州、萨克森州、石荷州、图林根州。在勃兰登堡州，可通过相关规定将此项权力移交给高校。在莱茵兰－普尔法茨州和巴伐利亚州这种移交都是有期限的。另外，在教授的初次聘用中，各州的法律规定也各有不同。其中有些州“高校校务领导会议在任命教授方面已经起到决定性作用”。[②]

### （三）质量治理的具体实践措施——以人才培养质量保障政策为例

传统上，德国高等教育的质量由国家或各州教育主管部门进行控制。为了保证充足的经费投入及维护教育公平，国家在总体上对高等教育采取的是投入导向型控制。这种控制的特点主要包括：高等教育机构每年得到政府拨款，且原则上各校拨款的数额不会出现太大的差别和波动；正式教师、尤其是教授拥有公务员身份，由各州教育主管部门任命，且工资也由国家支付和调节；通过“双轨制”教育体系和文理中学毕业资格考试对学生进行选拔；国家主导或参与新高等教育机构和新专业的认可；由国家制定学生毕业标准和考试规则；各州同类高等教育机构之间不进行等级划分，一般也不进行排名。

在国家的投入导向型控制下，德国逐渐形成了一种具有一定统一性但又

---

① Leitfaden für das Verfahren der Erstellung von Berufungsvorschlägen für W2-，W3-Professuren.

② 姜峰.当代德国高等教育改革研究[M].上海：上海外语教育出版社，2015：25.

相对宽松的人才培养质量保障机制。一方面，在高校外部，州政府和大学校长协会通过制定学习和考试的框架性规章，对高校课程和学位标准进行指导。框架性规章包括学位课程方面的量化要求、获得学位的规定时间、必修课和选修课的教学时数、参加国家考试所需的学分数、考试细节、完成最后学位论文所需的时间等。[①]另一方面，联邦德国早期并无高校人才培养的外部评价机制，高校的教学质量必须靠学校师生的自觉自愿来保障。德国的大学教授，除了拥有公务员身份和待遇外，还是经过严格的同行评议层层选拔出来的，这些条件保证了大学教授在本领域拥有较高的权威和教学科研水平。德国的大学生被看作是拥有较强自主学习能力的高素质人才。多年以来，这种基于大学师生自觉自愿的机制一直被看作是保证德国高等教育质量的主要法宝。甚至有不少人认为，因为上述机制的存在，德国高校并不需要外部的质量评价机制。

20世纪80年代以来，随着新公共管理主义和新自由主义的兴起，德国试图通过引入竞争因素来保障高等教育质量。国家希望借此打破高校质量无差别的原则，提高高校在人才培养和学术研究方面的竞争力。在这种情况下，联邦、州、高校和大学校长协会等高等教育领域的公法性团体，一起开始完善高校的教学质量保障机制。

首先，扩大高校在人才培养方面的权力；国家要求高校对教学质量进行自我评估，[②]但同时也保留必要的监督权。1985年和1998年，联邦议会先后两次对《高校总纲法》进行修订，赋予了高等教育机构更多权限。允许高等学校提供非标准化的教学计划和学位，并对课程设置保有最终决定权；另外，将教学质量评价、包括对学生的评价也定为高校的法律义务。高校教学质量的自我评价主要包括以下指标：学科系部的结构与组织、教和学的目标、教和学的过程、培养计划、考试制度、学术资源、硬件设施、教师和学生对教学的看法、毕业生就业情况等。但是《高校总纲法》也保留了国家尤

① Stefanie Schwarz，Don F. Westerheijden. Accreditation and Evaluation in the European Higher Education Area [M]. Dordrecht：Springer-Science+Business Media，B.V.，2004，S.175-196.

② 德国大学生是指所有尚未获得硕士学位的高校注册生。德国传统的学位制度只有硕士、博士两级，没有学士学位。

其是各州教育主管部门和文教部长常设会议对高校人才培养质量的监督权。如高校所编制的非标准化的教学计划必须由各州文教部长批准；各高校的课程设置也必须报送州教育主管部门备案。且主管部门可以要求高等学校改变课程设置；各校的考试规定也必须由教育主管部门核准，并最终经由各州文教部长常设会议和大学校长协会通过。州文教部长要检查这些新编制或修改的人才培养方案是否与国家认证标准相一致。

其次，在高校外部建立本科和硕士培养的认证评价机制，并将外部评价与高校自我评价相结合。进入21世纪之后，为了刺激高校提高竞争力和创新精神，德国决定用认证制度代替以前的《考试总纲条例》，逐步建立以认证制度为核心的高校人才培养外部评价机制。认证制度是在引入国际通行的三级学位制度的过程中逐步建立起来的，德国大学校长协会和各州文教部长常设会议在引入新学士学位和硕士学位培养计划时率先提出了所谓的认证程序，并将其作为一种制度固定下来并进一步扩展到所有不受州政府控制的学位培养计划。同时，为新学位课程制定参考性框架的认证委员会，也变成了德国高校人才培养外部评价体系的核心。根据2002年各州文教部长常设会议通过的《认证组织法》，认证委员会的职责包括：在相对分散的认证过程中，对学士学位培养计划和硕士学位培养计划方面的课程提供一种可以比较的质量标准；同时对相应认证机构进行审核并批准评估标准及对学位计划进行认证的具体标准，协调指导认证机构所从事的学位计划审核和质量评议工作。认证委员会的成员来自政府、教育机构和其他领域，具有广泛代表性。在认证评价过程中，既要给予各高校足够的自主权，也要确保人才培养的质量和国际可比性。为此，认证委员会对申请认证条件、过程及认证机构资格都做出了严格的规定。经认证委员会批准并接受其指导的认证机构主要可分为以下三类：学科认证机构，如卫生和社会工作课程计划认证机构；地区认证机构，如汉诺威中央评价与认证机构；综合认证机构，如认证、证明和质量保障研究所等。

同时，外部认证评价体系还逐步与高校内部的自我评价机制也建立了联系。高校完成自我评价报告后，各地区评价和认证机构随即会将这份报告分发给其他同行审议。再由同行专家撰写关于自我评价的批评性报告。有时，高校和外部评价机构会达成协议，通过种种具有明确时间表的措施完善培养机制。

最后，通过引入外部评价，完善博士生等高层次人才的培养机制。德国的博士生并不是一个统一的学生群体。虽然一般会选择在高校注册学生身份，但他们仍被视为是高校的研究人员。传统上德国博士生的培养方式是“师徒制”。博士生录取的条件只是获得硕士学位及导师接受其研究计划；平时无须上课，只需在导师指导下完成科研任务；毕业只需通过本专业的学位考试，并由导师及答辩委员会通过其论文答辩。师徒制下的博士生主要和导师发生私人关系，而较少与高校及其他机构打交道。这种模式由于缺少校方和外部的约束而导致博士生修业年限过长、肄业率过高等问题。因此，自20世纪80年代以来，联邦德国通过推行和发展研究生院、博士生院等项目，将师徒制博士生培养机制转变为“结构化博士”培养机制，提高博士生培养的质量。在联邦政府和州政府的大力配合下，联邦－州教育计划与科研促进委员会、德国研究联合会及许多独立基金会投入一系列资金项目建设研究生院。2006年改革之后，联邦失去了参与高等教育发展规划的权力。但联邦仍可以在科研设备投资的名义下与各州联合推行研究生院项目，进一步完善结构化博士生培养机制。以著名的“卓越大学计划”为例。该计划的三大子项目之一即为“研究生院”计划。为了实现“在重要研究领域对优秀的博士生进行重点培养”的目标，[①]“研究生院”计划对“结构化博士”培养机制进行进一步完善。由于引入了导师之外的评价考核机制，如由录取委员会统一录取；提供3~4年的滚动淘汰制全额奖学金，博士生既无须工作又必须按时完成学习任务；博士生必须修课并通过考试；引入第三方考核评估机制等，因此，相对传统的“师徒制”来说，“结构化博士”培养机制更有利于提高博士生的培养质量。

① DFG. Graduiertenschulen（2005–2017）[EB/OL].[2016–12–06]. http://www.dfg.de/foerderung/programme/exzellenzinitiative/graduiertenschulen/index.html.

# 第六章　德国职业教育治理

一直以来，德国的职业教育在全世界范围内享有很高的声誉。在长期的发展过程中，德国建立起了一套主要由各级各类职业学校和企业培训机构组成的、比较完善的职业教育体系。[①]与世界上其他主要国家相比，德国职业教育的治理体系显得更加复杂，同时却也更加高效。各级各类职业学校不仅为学生提供了多样化的选择空间，还较为精准地为企业培养、提供所需要的各个层次的专业人才。

## 第一节　职业教育治理的结构

德国职业教育的治理结构大致可以分为三个组成部分，即：由联邦和州国家机关组成的国家治理体系，由地区性社会团体、同业协会和企业等组成的社会治理体系，职业学校内部的治理体系。

### 一、职业教育的国家治理结构

在职业教育的国家治理结构中，联邦国家机关主要负责学校之外的企业培训治理，各州则主要负责学校体系中的职业学校治理。

#### （一）联邦一级国家治理机构及其职能

德国的校外职业教育，尤其是企业举办的职业教育，主要由联邦政府按

① 根据《职业教育法》的规定，德国职业教育包括职业培训的准备、职业培训、职业进修和职业改行培训。职业培训旨在进行广泛的职业基础教育，在有组织的培训过程中传授从事需要专门技术的职业所必备的专业技能和知识，此外，还须使培训生获得必要的职业经验。职业继续教育是让进修生获得和增加职业知识与技能，跟上技术发展的步伐，在职业工作中不断取得晋升机会。职业改行培训旨在培养具有从事另一种职业的能力。

照《职业教育法》和《手工业章程法》等法规来进行监督。参与职业教育治理的联邦机构主要包括联邦教育与科研部、联邦劳动与社会秩序部、联邦劳动局、联邦经济与能源部和其他有关专业部门。其中，联邦教研部是制定原则和主持协调的部门。

1969年联邦德国《基本法》修改以后，扩大了联邦的教育权限，把联邦科学研究部改组为联邦教育科学部，赋予它参与职业教育治理的权力。

1998年建立的联邦教研部设有职业教育与终身学习司（简称职教司），司下设职业教育处和终身教育与教育研究处。职业教育处下设职业教育与继续教育基本问题、职业教育秩序与质量保证、职业选择与青少年机遇平等问题、职业教育法律问题、外国职业资格认证、继续教育与劳动力市场6个业务部门。终身教育与教育研究处下设终身教育基本问题、教育研究、国际比较中的教育绩效问题、早期和整体教育、地区教育与可持续发展教育、文化教育与欧洲学校等6个业务部门。①

根据《基本法》第74条中第11至13款规定，联邦教研部有权颁布非学校职业教育法（指企业职业教育法）和职业继续教育法，有权处理和解决学生、徒工、大学生的职业培训资助问题。其中职教司的职责包括：负责职业教育培训和教学机构的一切问题；实现《职业教育法》和《继续教育促进法》；不断实现职业教育培训的革新和现代化，并对职业教育的毕业标准做出规定；与州合作出台职业教育年度报告，为德国职业教育和继续教育的发展搜集、积累资料；发展文化教育和信息化教育的相关理念；在全国范围内推进全日制学校建设计划；②进行国际比较研究等。③

联邦教研部一般并不负责职业教育的具体事务。它只是从德国职业教育的整体利益出发，对其他各专业部门和地区职业教育政策给予指导，并起中

① Bundesministerium für Bildung und Forschung. Organisationsplan[EB/OL].[2016-12-02]. https://www.bmbf.de/pub/orgplan.pdf.

② 即学生全天在校的中小学。一般提供午餐、家庭作业的指导和各种课外兴趣班。公立的全日制学校不收学费。

③ Bundesministerium für Bildung und Forschung. Die Organisation des Hauses [EB/OL].[2016-12-02]. https://www.bmbf.de/de/die-organisation-des-hauses-192.html.

枢协调作用。其他联邦专业部负责制定的职业培训章程，只有经联邦教研部进行审核通过后才能正式颁布施行。同时，联邦教研部还可以在法律和实践方面协调企业培训和职业学校教学之间的问题和矛盾。尤其是当企业用工人数与待就业人数出现不平衡时，联邦教研部有义务进行协调并为此提供相应补贴。

联邦劳动与社会部是专门从就业和社会保障角度发挥作用的部门。为了减少失业人口，维持社会稳定，劳动与社会部需要调查劳动市场变化，为新就业者、再就业者和在职人员提供职业培训经费，以便使其成为合格的劳动者。

在劳动与社会部中，职业教育由第二司（劳动市场政策、外国劳动力、失业保险与就业保障司）第二处（劳动就业促进处）下辖的职业建议、培训协调及促进科和教育－业务系统、职业教育促进、特殊人群就业及市场问题科负责。

而具体的职业培训业务主要是由联邦劳动与社会部下属的自治性公共法人团体联邦劳动局来完成的。联邦劳动局由设在纽伦堡的总部、10个地区（州）级指导中心、156个劳动局及600家分支机构、303个由大区劳动局设立的就业中心、家庭咨询中心，以及波恩外国及专业协调中心、联邦劳动局指导学会、联邦劳动局劳动管理应用技术大学、信息化中心、服务大厅等组成，其工作人员包括国家公务员、聘任制职员和定期雇员，共10万余人。

联邦劳动局根据《劳动促进法》，在联邦政府相关专业部的监管和领导下，负责执行促进就业政策。[①]其在职业教育领域的具体职责包括：第一，通过多种手段，促进职业培训的启动。依据《劳动促进法》第29—34条，提供职业咨询；根据第35—39条，协调各利益集团在职业培训中的立场；根据第46条，为残疾人参与职业培训工作提供帮助，根据第48—50条，通过职业定位措施、入职支持等推动中学职业教育；通过职业培训、素质提升等，使中学毕业生顺利进入到职业培训阶段。第二，对职业教育参与

① Sozialgesetzbuch（SGB）Drittes Buch（III）–Arbeitsförderung（Artikel 1 des Gesetzes des Arbeitsförderungs–Reformgesetzes–AFRG）[G]// Bundesministerium der Justiz. BGBl. I. Bonn：Bundesanzeiger Verlag，1997：594.

者进行扶助，包括助学金（《劳动促进法》第56~72条）和间接性补助（第75条）。助学金依据学生的家庭收入、是否与父母同住以及父母工作单位的补贴情况等拨付，最高可达每月572欧元（2016年8月起上涨至622欧元）；间接性补助由雇主根据就业中心的要求提供，内容可能是语言培训之类的。第三，推动继续教育的完善。包括确定企业岗前培训的前提条件、类型、环境、程序等（《劳动促进法》第80条）；推动青年培训公寓的建设（第80b条）；为职业继续教育的组织提供建议、参与筹划继续教育资金的来源、对劳资双方的合作进行评价等（第81条）；支持帮助只接受过企业外培训的年轻员工融入企业的协助性培训等（第130条）。第四，对特殊群体的职业教育提供帮助，如协助推进外籍移民社会一体化教育（《劳动促进法》第131条、第284条），为其就业做准备；为残疾人群体提供专门的培训等（第73条）。

需要特别指出的是，联邦劳动局在职业教育领域的上述职能大都是由它和下属的地区（州）指导中心、地方劳动局共同完成的。其治理层面已下延至基层，并不完全局限于联邦一级。

除以上部门外，还有许多联邦专业部门也在职业教育治理中发挥着重要的作用。根据联邦《职业教育法》第4条、第5条规定，联邦经济与能源部及其他领域的联邦专业部，依法会同联邦教研部，在无须获得联邦参议院批准、但必须首先征得各州同意的情况下，可进行职业教育的国家认定，并颁布该项职业的培训章程或条例，以推动职业教育标准的完善，使之适应国家发展需求。

在德国，除农业、司法、卫生以外，绝大多数职业的教育培训都属于联邦经济与能源部的管辖范围。该部的职业教育主管部门设在第七司（中等规模企业政策司）之下的第二处（手工业及工商业管理执法与推动、教育政策和自由职业处）。

联邦经济与能源部在职业教育方面的主要职能包括：制定职业教育政策；推动并参与“职业教育大联盟”的成立及发展；与社会伙伴（劳资利益团体）合作制定、公布、改进职业培训章程，使之适应社会发展等。

对绝大多数的职业名称及其培训章程进行国家认定是联邦经济与能源部

在职业教育治理中最重要的权力。职业培训章程规定职业培训的内容、程序、标准、考核，以及培训教师的资质、培训等。职业培训章程首先由相关利益集团，尤其是劳资利益集团根据行业发展的实际情况起草并报送联邦经济与能源部，联邦经济与能源部在与各有关政府机构协商后发布指导意见，并允许各州根据实际情况出台相关具体实施细则。可以说，联邦经济与能源部是德国职业教育标准和规则的主要制定者。目前有266个工业领域的职业培训章程由其负责拟定。①

联邦经济与能源部还负责得到国家认证的"行政管理人员专项培训"计划。该计划面向大多数公共服务部门，如联邦、各州、城市的行政部门，研究机构，大学等。在培训中，受训者不仅能学到本部门的专业知识技能，还能学到许多综合能力，包括职业生涯规划和问题解决，在自己的工作领域内对工作进程进行筹划和组织，以及格外受到重视的信息化应用能力。行政管理人员专项培训为期三年，培训地点包括负责实训的联邦经济与能源部、负责授课的柏林高级中心和波恩职业教育学校，以及负责职业咨询和指导的培训中心。②

除联邦经济与能源部之外，还有很多联邦其他专业部也可以在各自的职权范围内颁行职业标准规章或条例，如联邦食品农业部为农村各种职业制定的职业培训章程，主管农业和农村家政专业职业的认可与撤销；联邦司法与消费者保护部负责司法领域的职业认定和培训章程的颁布；联邦家庭、老人、妇女与青年部负责家政、妇女相关领域职业的认定和培训章程颁布，联邦卫生部负责医药卫生领域的职业认定和培训章程颁布等。

**（二）州一级的职业教育治理机构及职能**

根据联邦制原则，中等和高等职业学校的治理属于各州的权限范围，由

① Bundesministerium für Wirtschaft und Energie. Ausbildungsordnungen[EB/OL].[2016-12-02]. http://www.bmwi.de/DE/Themen/Ausbildung-und-Beruf/Ausbildungsberufe/ausbildungsordnungen.html.

② Bundesministerium für Wirtschaft und Energie. Informationen zur Ausbildung im Bundesministerium für Wirtschaft und Energie[EB/OL].[2016-12-02]. http://www.bmwi.de/DE/Ministerium/Ausbildung-und-Stellenangebote/infos-ausbildung.html.

州政府按照州宪法和本州其他相关法律负责其举办和运行。以巴伐利亚州为例。巴伐利亚州《州宪法》第83条规定，职业学校由基层乡镇在州的监督下举办。第128条规定本州所有居民都有权获得相应的职业教育，第129条规定所有儿童都有义务上国民学校和职业学校。①巴伐利亚州颁布的《教育教学法规修改法》对各类各级实科中学、职业学校的举办、功能、结业等做出了更加详细的规定。②《联邦个人职业教育促进法补充法》则对联邦《劳动促进法》关于职业培训的规定因地制宜地进行了完善和补充。州职业培训条例则对专业技术人员的培训做出了详细的规定，如巴伐利亚州的《家政从业人员培训条例》。其他各州也都制定了类似的法律法规来规范本州的职业教育。为了更好地执行这些法律法规，各州政府均设立了一系列重要的职业教育治理机构：

其一，州文教部。

州文教部作为州政府的教育主管部门，负责监督职业学校和应用技术大学，如：制订教育规划；制定和修改州职业教育的法规、规章；任命校长、监督教师教学、规划修正学校的专业设置、组织对学校的评估、聘用和考核职业技术学校的教师等。巴伐利亚州文教部中，除第一司（中央任务、信息化与综合业务司），以及第二司（预算司）之外，职业教育分属第四司（实科中学司）、第六司（职业学校司）、第八司（应用科技类高校司）的第五处负责。实科中学司下设10个处，主要负责实科中学的一般问题，如学校监督、教学计划、学校实验、服务准备、学校章程、毕业考试、教学收入引入、学校建设、学校管理、师资与课程维护、人事与学校法律、教师资格考试、学校内部发展与家长合作问题、教学质量的保证与评价、国际教育政策、教师培训等；职业教育司下设11个处，主要负责其他各类职业中学的一般性问题，如学校监督、学校规章，与企业界及经济界的合作问题、职业伦理教

① Bayerischer Landtag. Bayerische Verfassung Vom 2. Dezember 1946 In der Fassung der Bekanntmachung vom 15. Dezember 1998[G]//GVBl，1998：991.

② Bayerisches Gesetz über das Erziehungs-und Unterrichtswesen（BayEUG）in der Fassung der Bekanntmachung vom 31. Mai 2000[G]//GVBl. München：Verlag Bayerische Staatszeitung GmbH，2000：414.

育、品德教育、教材问题，职业教育的规划、学校建设、教学实验、职业学校与社会的联系、学历的州际协调等。[①]不过，并不是所有联邦州的职业教育都归一个部门管理。在德国西部的8个州，设一个部主持高等教育和科学、艺术，另有一个部负责普通教育和职业教育。这些州的教育主管职能被分在两个部门，中等职业教育和高等职业教育也就被相应地分在两个部门。

其二，州劳动与社会秩序部和劳动局。

联邦州的劳动与社会秩序主管部门是从就业和社会保障方面参与本州职业教育治理的部门。例如巴伐利亚州劳动、社会、家庭与社会融合部就在第一司（劳动、职业教育与劳动保护司）下设立了专门负责职业教育政策和职业培训市场的部门。[②]各州的劳动与社会秩序主管部门一般都是本州职业教育委员会的召集人。如巴伐利亚州《职业教育法和职业资格认定法贯彻法》规定，州劳动、社会、家庭与社会融合部拥有对州职业教育委员会的业务领导权。[③]州劳动局直属联邦劳动局领导，不受州政府管辖。不过，由于经济发展水平和人口密度不同，各州劳动局的设置并不完全相同。有的小州不设单独的劳动局；而像巴伐利亚这样的大州，则同时拥有南北两个州劳动局。州劳动局一般内设四个处，其中第二处主管青年的职业咨询、职业定向工作，并负责职业培训岗位的介绍和心理测试。州劳动局之下，又设有市县（县级市）和地方乡镇两级劳动局。州劳动局和它所属地方劳动局在联邦劳动局的统一部署下，共同完成职业教育的国家治理任务，如劳动力市场预测，为谋职者介绍职业，为各类中学和大学提供职业咨询，资助转行培训和继续教育，对各个经济部门所需的劳动力的数量、质量和结构进行科学预测，以及

① Bayerisches Staatsministerium für Bildung und Kultus，Wissenschaft und Kunst. Organisationsplan [EB/OL].[2016-12-02].http://www.km.bayern.de/download/6940_organigramm_januar_2016.pdf.

② Bayerischen Staatsministerium für Arbeit und Soziales，Familie und Integration. Organisationsplan [EB/OL].[2016-12-02]. http://www.stmas.bayern.de/imperia/md/content/stmas/stmas_internet/orgplan.pdf.

③ Bayerischen Staatsministerium für Arbeit und Soziales，Familie und Integration. Landesausschuss für Berufsbildung. Geschäftsführung[EB/OL].[2016-12-06]. http://www.stmas.bayern.de/berufsbildung/landesausschuss/index.php.

采取多种方式来提供有关信息等。

其三，州职业教育委员会。

依据德国《职业教育法》第82条的规定，德国每个联邦州都必须设立一个由州政府领导的职业教育委员会。它由雇主、雇员和有关州最高当局三方代表组成。州职业教育委员会的成员由州政府任命，任期不得超过四年。资方代表应先由州一级的工商业协会、资方和企业的利益集团推荐，之后由政府任命；雇员代表应先由州一级工会和基于社会与职业政策目的而建立的雇主独立协会推荐，之后由政府任命。州职业教育委员会的职权是名誉性的。委员会的现金支出和所耗费的时间如不能从其他方面得到补偿，可由州政府或州政府所指定专业部门予以适当补偿；在听取推荐者的意见之后可以重要的原因将委员会成员罢免。委员会成员选出主席及常务副主席，且二者不得来自同类代表群体；每个成员应有一名常设代表，可在该成员不能履行职责时代其履行。经州政府或州政府指定的最高当局批准，各州职业教育委员会制定其议事章程。议事章程可规定设立分委员会，且分委员会的成员不一定是州职业教育委员会的成员；州最高当局代表、基层社区联合会、劳动局可参加州职业教育委员会及其分委员会的会议；有半数以上成员出席，即可开会做出决议。决议由成员多数表决通过。

依据德国《职业教育法》第83条的规定，州职业教育委员会必须履行下述的职责：在职业教育问题上向州政府提供建议；在整体上可对职业教育质量施加持续的影响；出于保持职业教育统一的要求，进一步促进学校职业教育和依本法提供的培训二者之间的协作，促进学校职业教育的改革和发展，加强地方职业教育，对培训内容和组织形式提供政策应对建议，改善培训设施。①

在巴伐利亚州，组成职业教育委员会的三方各有6名代表。下设两个分委员会，即职业教育目标、结构问题与培训章程、考试事务委员会和劳动力

① Berufsbildungsgesetz（BbiG）[G]// Bundesministerium der Justiz. BGBl. I. Bonn：Bundesanzeiger Verlag，2005：931.

市场、社会及经济政策与居民事务委员会。其主要职责是在职业教育方面向政府提供建议，协调学校职业教育与校外职业教育之间的关系，从学校改革和发展的角度推动职业教育。近年来，巴伐利亚州职业教育委员会向政府提供的建议和通过的相关决议主要有《州职业教育委员会关于接受外国职业资格证明的决议》（2011）、《州职业教育委员会改进德国职业资格认证框架的决议》（2011、2013）、《州职业教育委员会关于州学区的决议》（2013）等。[①]

除上述这些机构之外，州政府的其他专业部，尤其是经济部也在职业教育领域中拥有治理权。如巴伐利亚州经济、媒体、能源与技术部中，第三司（中等规模企业、手工业和旅游业司）之下就设有专门负责职业教育的部门。[②]在联邦制之下，各州的这些专业部门，都是各行业职业培训的直接监督者。联邦专业部门颁发的各行业职业培训章程，要由州有关专业部与各方协商后，根据本州实际情况发布适合的实施细则方可执行；对利益集团、行业协会和企业的职业培训实行法律监督；为职业培训提供资金补助；领导州职业教育委员会的业务工作；与州文教部共同审批并颁布职业学校的教学计划等。

### （三）合作治理机构及职能——以文教部长常设会议为例

德国的职业教育系统主要由企业培训系统、学校培训系统两部分组成。1948年以后，各州文教部长常设会议颁布了一系列协议，力图协调统一各州职业教育体系，并确定职业学校的教学大纲。

1959年，文教部长常设会议提出完善各州职业学校体系的框架性协议，并建议各州加强职业教育政策的一致性。1972年，文教部长常设会议公布了《联邦政府与州文教部关于调整职业教育领域培训章程和教学大纲的程序的总声明》，为其日后担负职业教育治理功能奠定了法律基础。此教学大纲是

① Bayerischen Staatsministerium für Arbeit und Soziales，Familie und Integration. Landesausschuss für Berufsbildung[EB/OL].[2016-12-02]. http://www.stmas.bayern.de/berufsbildung/landesausschuss/index.php.

② Bayerischen Staatsministerium für Wirtschaft und Medien，Energie und Technologie. Organisationsplan[EB/OL].[2016-12-02]. https://www.stmwi.bayern.de/fileadmin/user_upload/stmwivt/Themen/Ministerium/Dokumente_und_Cover/2016-07-04-StMWi_Organisationsplan.pdf.

以主体中学毕业后学生应达到的水平为起点来编制的，其受众既包括应届毕业生，也包括在职多年的成年人，因此必须分类满足不同的年龄及文化背景的群体的需要，并由各州文教部酌情修改后具体执行。在执行过程中，教学大纲应该依据教学结构以及职业学校一线教师对所教授课程和联邦职业章程标准的理解进行修正。2008年文教部长常设会议在联邦政府和劳资双方支持下颁布《经济社会领域商业技术职业学校课程指导》，各州文教部将以此为基础，制订本州的职业学校教学大纲。所有教学大纲均通过出版或网络渠道公开，可随时供有需要的人查询。

此外，文教部长常设会议在职业教育治理中的作用还体现在：提供各州职业教育发展的总体信息；对职业培训章程的扩展和修订提供建议；完善职业学校的启动设备等。[①]

## 二、职业教育的社会治理结构

在德国，社会力量对职业教育治理的贡献巨大。联邦所制定的企业培训章程，需由工商业协会等公法性同业协会予以细化，并监督执行。而培训的具体操作，则由各企业直接负责。

### （一）公法性同业协会及其职能

基层的同业协会（或称公会或行会）也在德国职业教育治理中发挥着重要的作用。这些协会是同业成员组成的自治公法性团体，包括工商行业协会、手工业协会、农业协会等。作为基层经济活动协调者和行业利益代言人，同业协会是德国经济社会自治传统和公民社会的主要支撑者。德国每个企业必须参加一个协会并接受协会的协调和指导。在以“双元制”为主要特色的职业教育体系中，[②]协会监督举办的培训是校外职业教育的主要形式，

① BARON C. Das duale System der Berufsausbildung unter dem Einfluss der europäischen Berufsbildungspolitik. Entwicklungsprozesse und Herausforderungen [D]. Dissertation am Fachbereich Bildungswissenschaften der Universität Duisburg-Essen，2007，S.20-21.

② 所谓“双元制”，就是整个职业教育过程是在工厂企业和国家的职业学校同时进行，企业中的实践和在职业学校中的理论教学密切结合。

其重要性往往要超过学校职业教育。根据《职业教育法》的相关规定，尤其第76条的规定，作为德国职业教育主管机构的同业协会，主要任务是监督和控制企业的职业培训，同时对整个双元制职业教育的准备、进行及职业转换展开监管，并向培训参与者，如企业、教师及学员提供咨询，以促进培训工作；在职业准备的监督方面，负有提供咨询与建议的义务；以合适的方式监督和推动外国居住条例相关规定的执行；在预防刑事犯罪危险方面负有告知义务；监督青少年劳动保护法的执行。

工商业协会、手工业协会和农业协会是德国负责校外职业教育的三大同业协会，三者的基层组织分别负责大型企业、中小企业和农业企业的培训指导事宜，包括培训细则的制定、企业培训资质认定、培训合同审查、结业考试组织、培训期限设定、培训证书发放、专门职业教育机构的设立等。三大协会还有权对职业教育纠纷进行调解仲裁。由79家地方工商业协会组成的德国工商业代表大会提供超过250种国家认可的职业培训。协会通过及时了解企业需求的变化，更新培训内容，并监督职业培训，扩充培训机构，向企业提供咨询。德国工商业代表大会在2015年11月26日出版《职业教育2025》战略规划报告，对未来十年协会提供的职业教育进行调整，以使其能够满足企业的最新需求，并吸引更多的年轻人参与。①与地方劳动局合作，对25~34岁缺少职业经验和资质的劳动者尝试提供所谓的“不完全职业资格认定”；参与制定《2014年德国教育报告》；自2007年开始，在双元制职业教育体制内推行双元选择模式，即在一般为期三年的职业培训中，允许学生在第二年学习结束时，根据自己前两年的学习情况和对职业的理解，在第三年自由选择自己的职业训练重点。②德国手工业协会由53个地方协会组成，

① Deutsche Industrie–und Handelskammertag e. V.（DIHK）. Das Neueste aus Ausbildungspolitik［EB/OL］.［2016–12–02］. http://www.dihk.de/themenfelder/aus–und–weiterbildung/ausbildung/ausbildungspolitik.

② Deutsche Industrie–und Handelskammertag e. V.（DIHK）. Berufliche Bildung 2025, Strategische Leitlinien und Handlungsfelder der IHK–Organisation［C/OL］. DIHK–Vollversammlung vom 26. November 2015［2016–12–02］ http://www.dihk.de/ressourcen/downloads/vorstandsbeschluss-besrufliche–bildung–2025/at_download/file?mdate=1460968593222.

提供超过150种职业的培训课程，学生可以就近选择培训地点，或在线完成学习和考试。[①]地方手工业协会发布实习岗位供需信息，对实习合同进行管理，并统一组织考试。与工商业协会和手工业协会不同，德国农业协会并无全国统一组织，职业培训均由各地方农业协会负责。如北威州农业协会主要负责汇总发布本州职业学校招生、实习岗位招聘等信息，并监督管理地方相关行业的培训合同、制订培训大纲、组织结业考试、颁发资格证书、提供培训资助、认定国外职业资格等。[②]

此外，医生协会、律师协会等也积极参与职业培训。它们是各自行业职业教育治理的重要主体。而劳资双方的利益集团，如德国工会联合会及其下属行业工会、德国雇主协会及其下属行业协会，均可以通过各级职业教育委员会参与职业教育治理。

**（二）联邦职业教育研究所及其职能**

属于独立公法性机构的联邦职业教育研究所成立于1970年。但直到1981年，《职业教育促进法》第二部分才专门对研究所的机构和职能做出规定。2005年，《职业教育促进法》失效，《职业教育法》第五部分对联邦职业教育研究所的职能和机构做出一定调整。

根据《职业教育法》，联邦职业教育研究所的内部领导机构是总委员会（Hauptausschuß）。总委员会由雇主集团、工会、各州政府各出8名代表，外加联邦政府职业教育主管部门派出的5名代表组成。五分之四成员出席即可做出决定。开会时联邦劳动局和基层社区联合会的联邦一级组织也可各自派出1名代表参加，但没有表决权。总委员会可决定设立分委员会，其成员不必非要是总委员会成员，但必须遵循劳资对等的原则。根据德国原《职业教育促进法》第8条第12款的规定，总委员会决定所有没有移交给局长决定的事务，向联邦政府提供职业教育基本问题方面的一切咨询，并对职业教育

① Deutsche Industrie-und Handelskammertag e. V.（DIHK）. Weiterbildung [EB/OL].[2016-12-02]. http://www.handwerkskammer.de/service/kurse-und-seminare.html.

② Landwirtschaftskammer. Berufsbildung [EB/OL].[2016-12-02]. http://www.landwirtschafts-kammer.de/bildung/index.htm.

报告草案握有发言权，决定年度研究计划，可以就职业教育法的统一应用提出建议；根据德国《职业教育法》第97条第1款的规定，总委员会有权决定本所年度预算。2005年之前，在总委员会休会期间还设有代行其职能的常设委员会。2005年之后，每位总委员会成员附设1名全权代表，可在该成员不能与会时代替其出席会议。

2005年之前，总委员会下面还设有一个州联席委员会和若干个专业委员会。州联席委员会的任务主要是协调联邦各专业部制定的各行业职业培训章程与各州文教部制订的教学大纲之间的衔接问题。州联席委员会由各州出1名代表组成。劳资双方及联邦各1名，联邦劳动局可派1名代表参加，但没有表决权。由联邦职业教育研究所起草的职业培训规章应首先提交给州联席委员会，后者应在一定期限内表明其态度。联邦主管部长根据情况决定，总委员会常设委员会是否需要根据州联席委员会的意见对职业培训章程草案进行修改。专业委员会是为研究某一职业教育领域的专业问题而设，其成员是专业技术人员，尤其是教师，一般由全国教师协会推荐，特殊情况下也可由劳资利益团体或当局推荐。2005年之后，州联席委员会被撤销，专业委员会演变为科学顾问委员会。科学顾问委员会的主要职责是对本所研究计划提供建议，与高校及科研单位展开合作，以及就本所科研成果发布总结报告。其成员主要由最多7名海内外职业教育研究领域的专业人士组成，由所长提名，经由联邦教研部同意后任命，任期四年。研究所还专门设有残疾人问题委员会，负责专门研究和推动有关残疾人的职业教育问题。

所长（2005年之前称秘书长），是研究所的首脑，由联邦政府建议，总统任命。所长（秘书长）是研究所的行政负责人，对外代表研究所，执行总委员会确定的任务。下设副所长兼研究总监。联邦职业教育研究所的组织机构中共有370人，其中310人是在柏林总部设置的各部门机构中工作，60人在波恩的联络处工作。联邦职业教育研究所的总部共有5个处，以及若干附属机构。5个处分别负责如下事务：研究所内部的人事、纪律、人员业务进修、行政文书运转、接待、后勤等；职业教育的国际化和科研管理；职业教育的相关社会事务和基础设施等；教师培训、信息化教育、教学质量及各阶段职业教育的衔接与发展等；职业教育的结构与秩序，以及残疾人职业教育问题等。

### （三）企业及其职能

根据《职业教育法》的规定，德国职业教育的培训机构主要由企业、职业学校组成。能够提供实习岗位的企业，尤其是大型企业是德国职业教育的中坚力量。联邦政府、州政府和同业协会按照相关法律法规共同对企业中的职业教育进行管理。

通过建立完善的内部职业训练系统，企业不仅为自己培养优秀的后备人才，同时也有利于提高整个德国职业教育的水平。除医生等特殊职业外，绝大多数的职业资格认定都是由企业来进行的。企业训练系统常常比学校职业教育更加严格，学生要通过实践性很强的各种考试之后，才能颁发相应的职业资格证书。训练形式也比学校更加实用多样，既包括劳动岗位实习，也包括专门培训工场训练。大的国有企业，诸如德国铁路、德国邮政、汉莎航空公司等和大型私营企业都有自己的职业培训系统。例如，德国铁路公司不仅为准备参加工作的年轻人提供大量的实习工作岗位，而且还专门设立了员工培训系统。实习和培训的具体组织工作由子公司的人力或培训部门负责。比如地方短途客运公司人力资源部负责培训大型客车的机电一体化技师，铁路运输服务股份公司培训部负责本公司所需司机的培训。

## 三、职业学校内部的治理结构

德国存在着数量众多的职业学校，如作为应用技术大学准备的高等专科学校、作为升入综合性大学台阶的职业文理中学、作为高等职业技术学校的应用技术大学。此外，还有职业专科学校、职业提高学校等。

与企业的主管部门不同，德国的职业学校主要由各州政府进行监督和管理。《基本法》和各州相关教育法中对普通学校的规定，均适用于各级各类职业学校。此外，一些联邦州还颁布专门的规章，对职业学校的内部治理结构做出了某些特殊性的规定。下面以巴伐利亚州为例来介绍联邦德国职业学校内部的治理结构。

### （一）校长及其职能

根据巴伐利亚州《职业学校条例》第4条的规定，职业学校的校长在教学、组织和法律方面负有全权管理之责，行使校舍管理权。校长有权为学校集体订购印刷品；在和学校出资者协商后，还有权为学校集中购入图片、影片、电视节目、录音制品。学校内部人员的晋升一般须得到校长的同意；但由监管机构、州统计局和学校出资者指派的人的晋升则由监管部门决定，校长无权干涉。其他《职业学校条例》没有规定的事务，也要由校长做出决定。[①]

### （二）教师代表大会及其职能

根据巴伐利亚州《职业学校条例》第5条的规定，职业学校的教师代表大会拥有巴伐利亚州《中小学法》所规定的所有职权和义务，另外还可以对学校整体教育教学措施进行投诉，但不能向监管当局投诉学校和投诉服务监管部门；可以决定全校性活动。教师代表大会不对外公开，并且应在法定上课时间之外召开。每次开会都应形成备忘录，教师代表大会的成员有权查询这些备忘录。教师代表大会由校长召集，每学年最少两次。只要有超过四分之一的成员提出请求，或在监管机构根据特定情况提出要求之后，教师代表大会应在14天内召开。校长最少提前一周将会议的时间、地点和议事日程书面告知教师代表大会成员。当全体成员受到邀请且多数成员在场的情况下，教师代表大会即具有决策能力。如果教师代表大会因为处理同一问题再次开会，则无须顾及出席人数就具有决策能力。教师代表大会的成员均具有投票权。如果赞成票和反对票相当，则校长握有最终决定权。

### （三）其他治理机构及其职能

除了上述拥有决策权的核心机构外，德国职业学校的内部治理结构还有可能包括：根据巴伐利亚州《中小学法》行使权力、有权讨论班级教学、单个学生学习情况和其他班级的重大事务的班级教师会议；由校长担任主席，

---

① Schulordnung für die Berufsschulen in Bayern（Berufsschulordnung -BSO）Vom 30. August 2008［G］//GVBl. München：Verlag Bayerische Staatszeitung GmbH，2008：631，727.

成员由专业教师或教师代表大会选举产生的教学协调委员会；同样由校长担任主席，常设代表和7名成员由教师代表大会产生的校纪委员会；①相关利益群体的参与机构，如学生会、家长委员会等；行政后勤机构，如秘书处、设备处等。值得注意的是，德国职校不仅存在州际差异，而且在同一州内，各类职校的准入资格、办学档次和内部治理结构也各不相同。

## 附：玛利亚护理职业学校个案分析②

这是一所位于巴伐利亚州班贝格大主教区的学校，主要培养护理老人、儿童的专业人才和营养师。该校领导班子，即校务领导会议由校长和常务副校长组成，二人根据巴伐利亚州《职业学校条例》第 4 条的规定行使行政决策权。学校还定期召开教师代表大会，讨论和决定学校的重要事务。校领导班子和教师代表大会共同组成了该校的决策机构。

玛利亚护理职业学校还设有合作治理机构——教学论坛。该论坛由校长和教师、家长及学生代表共同组成，主要职责是就学校的教学和发展问题提出建议和进行讨论。

除领导决策机构和合作治理机构外，该校还设有秘书和房管各一人，分别负责日常行政和房屋管理事务。他们是领导班子开展工作的重要协助者，在学校内部治理中也扮演着非常重要的角色。

总体来看，德国职业学校的内部治理机构与相应级别的初中、高中和高校基本一致，只是在校内机构的具体职能方面更多地体现出职业学校的某些特色。

① Schulordnung für die Berufsfachschulen für Ergotherapie，Physiotherapie，Logopädie，Massage und Orthoptik（Berufsfachschulordnung nichtärztliche Heilberufe- BFSO HeilB）Vom 18. Januar 1993[G]//GVBl. München：Verlag Bayerische Staatszeitung GmbH，1993：35.

② Schule [EB/OL]. [2016-12-02].http://www.meisterschule-schreiner.de/schule/.

# 第二节　职业教育治理的运行机制与具体措施

德国职业教育治理的运行具有明显的“双元并行”特征：与企业培训相关的事务主要由联邦决定，各州及地方同业协会照准执行；与职校教育相关的事务则主要由各州按照本地法律进行处理。相应地，在实施人事、财务、质量治理时，德国针对企业培训和职校教育所采取的具体措施也是各不相同。

## 一、职业教育治理的运行机制

联邦和各州依据联邦职业教育研究所等专业机构的咨询建议，分别制定企业培训和职校教育政策，同时在促进职业教育发展方面展开合作。在国家

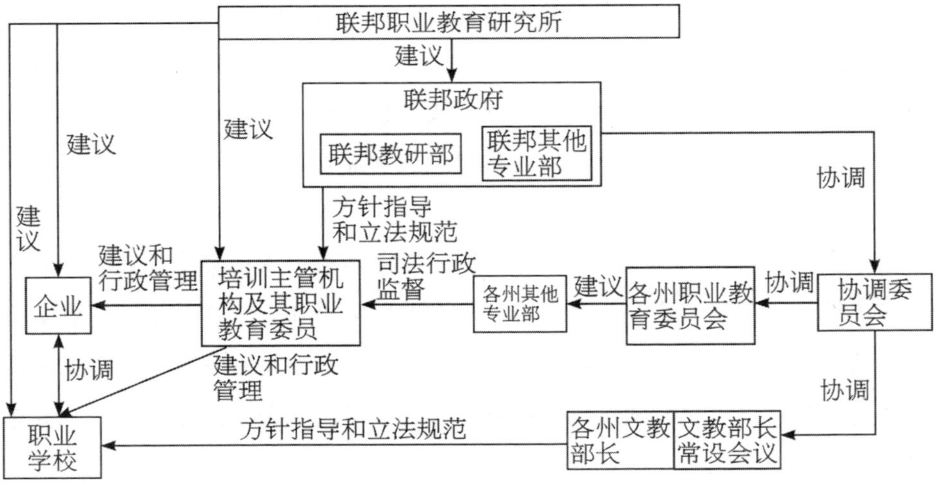


**图 6-1　德国职业教育治理的运行机制**[①]

① Berufsinformationszentrum. Duale Ausbildung–Zuständigkeiten der beteiligten Institutionen［EB/OL］.［2016-12-02］. http: // www.berufsinformation.org/duale-ausbildung-zustaendigkeien-der-beteiligten-institutionen/.

的资助和监督下，企业和职校承担具体教学培训工作。另外，企业培训还需接受由国家主管部门委托的地方工商业协会的监督。

### （一）咨询与建议

德国职业教育治理的咨询与建议，是由联邦和州国家机关、各类社会团体协力完成的。向国家提供调查数据和政策建议的机构，既有官方的工作小组和委员会，也有受官方资助的独立公法性调查研究机构，甚至还包括一些私人咨询公司及其支持的基金会。

在职业教育政策的调查咨询方面，联邦职业教育研究所无疑是影响最大的机构。

根据《职业教育法》的规定，该研究所是联邦直属公法性机构，主要任务是在联邦教育政策框架下对职业教育展开研究，协助联邦教育与研究部研究有关职业教育发展过程中带有根本性与全局性的问题。

联邦职业教育研究所既可以承接最高当局经由联邦教研部转交的任务，也可以在联邦教研部同意后由内部的总委员会制订自己的研究计划。同时所有的研究结果都必须公开，以便于各界查阅和监督。此外，联邦职业教育研究所还承担有以下任务：依照《职业教育法》《手工业章程法》，为制定职业培训章程和特别章程做准备；参与准备职业教育报告；参与职业教育统计工作；推动相关科学研究；参与职业教育的国际合作；联邦赋予的促进职业教育的其他行政管理工作；根据联邦相关部门的行政管理规定推动跨企业职业教育并支持这些机构的规划、设立和发展；编制和公开国家认定职业教育机构的名单；依法参与远程职业教育的建设和发展，如通过研究和促进措施改善远程职业教育的发展规划和课程建设。不难看出，在职业教育治理中，联邦职业教育研究所除了具有基本的研究咨询功能外，还附带了参与政策制定和协调的功能。因此，它对德国职业教育决策的推动作用是不容小视的。

除联邦职业教育研究所外，其他各类研究咨询机构和私人公司及其资助的智库集团也对职业教育的治理起到了重要作用。

近年来，随着理念和技术的发展，职业教育治理的咨询建议工作越来越偏重于以数据为基础的实证研究。各种研究咨询机构都在试图获得一手职业教育数据的基础上，为国家决策提供建议。如作为官方权威信息来源的联邦统计局，会在其官网“社会与国家－人口”一栏定期发布职业教育的统计数据。①此外，该局还和其他众多研究机构一起每两年一次参与“国家教育统计报告”白皮书的撰写工作，以大量数据为基础来为职业教育发展出谋划策。自2009年起，联邦教研部每年4月1日都会发布《职业教育年度报告》，其中也大量引用了来自联邦统计局和联邦职业教育研究所的数据和分析报告。联邦职业教育研究所每年也出版《职业教育年度数据报告》，并将此作为其编写《职业教育年度报告》的基础。②与此同时，在国际教育质量比较测评的影响下，德国职业教育研究组织也对职业教育的绩效问题进行了深入的研究。这些数据和研究报告对德国职业教育领域的国家决策起到了重要的推动作用。

**（二）国家决策**

在以“双元制”为主要特色的职业教育体系中，国家决策也是“双元并行”的。即校外职业教育，尤其是企业培训的决策主要由联邦负责，而学校职业教育的决策则主要由各州分别负责。

联邦政府在广泛征询各方意见之后，会向联邦议院以立法动议的形式提出《职业教育法》《手工业规章法》等与校外职业教育相关的法律草案。联邦议院经反复讨论和三读表决之后，这些法律才会颁布施行。联邦教研部下设职业教育主管部门，其主要职责是依法对校外职业培训进行监督，并协调

---

① Statitisches Bundesamt. Berufliche Bildung [EB/OL].[2016-12-02].https://www.destatis.de/DE/ZahlenFakten/GesellschaftStaat/BildungForschungKultur/BeruflicheBildung/Tabellen/AzubiAusbildungsbereich.html.

② Bundesinstitut für Berufsbildung.Datenreport zum Berufsbildungsbericht 2016，Informationen und Analysen zur Entwicklung der beruflichen Bildung[M]. Bielefeld：W. Bertelsmann Verlag，2016. 扉页说明。

校外培训与学校职业教育之间的关系。以联邦经济部为首的其他联邦专业部门负责制定各类职业的培训章程，但这些章程只有经联邦教研部进行审核通过才能正式颁布施行。章程颁布后，工商业协会等经济界公法性组织及其各地所属分会将制定章程的实施细则，并监督各企业照准执行。与此同时，各州的专业部门也可以根据联邦颁行的《职业教育法》制定有关企业培训课程和考试的规章，并要求本州行业协会及培训企业依法执行。

虽然联邦教研部一般不对具体事务进行干涉，但在校外职业教育的决策中，它却扮演着十分关键的角色。它不仅可以对各部门的决策进行协调，而且还是职业教育发展战略的主要推动者。2016年时，联邦教研部先后制订了“职业定向计划”“难民职业定向计划”“获得职业资质的融合资助计划”“青年加强计划”“初次就业者计划”等项目，从“改进从理论学习到双元制培训过渡的机会、职业教育现代化与改革、提高职业培训的吸引力、提高职业继续教育的参与度、推动具有移民和难民背景的青少年的教育融入和职业教育国际化”等六个方面完善德国职业教育的治理。

由于职业学校是德国学校体系的组成部分，根据《基本法》的规定，学校职业教育也属于各州的职权范围。各州制定学校职业教育政策的过程一般是：根据文教部长常设会议的指导意见，各州职业教育主管机关结合自身情况提出立法动议，再由州议会制定相应的法律法规；法律法规颁行之后，各州教育主管部门会领导州内各级教育机关监督法律的执行。但也有某些按《职业教育法》《手工业规章法》设立的职业学校属于联邦管辖，如联邦统计局职业学校。

双元制下企业和学校的职业教育是紧密联系在一起的。在职业教育领域联邦和州常常联合做出决定。这其中最典型的例子就是，2015年，联邦教研部、经济部等部门与部分州签署协议，共同采取措施改善“向双元制职业教育的过渡”。此外，在2013年成人基本能力国际比较研究的结果公布后，联邦和州还专门制订了联合加强德国成人继续教育的计划。[①]

### （三）国家监督下的职业教育机构的自主治理

德国职业教育采取国家及同业协会监督、企业与学校自治的原则。

在职业教育治理中，德国对企业和职业学校所采取的政策是有一定区别的。对企业培训来说，治理的主管当局主要是联邦政府的业务部门，直接负责治理的主管机构则是地方同业协会。而职业学校的最高主管当局是各州的文教部，参与治理的主管机构也主要是州内各级政府教育部门及各州文教部长常设会议。当然，在以双元制为主要特色的职业教育体制内，企业和职业学校在组织结构和功能上是彼此交叉、紧密联系的，很多情况下两者的主管当局和机构并不能截然分开。例如，职校学生中有很多也是与企业签订了培训合同的，因此同业协会也常常会对职业学校的教学和管理履行监管职责。而且有一部分职业学校本就是以《职业教育法》《手工业规章法》为基础而设立的，它们的教学和考试都须按照联邦的相关规定来进行。

如上所述，德国职业学校和普通中小学都被视为学校系统的组成部分，所以各州教育主管部门对二者的监管是类似的。但对于校外职业培训尤其是企业培训，德国却有着一套不同的监管制度。

**表 6-1　德国职业教育治理的法律和主管机构对照表**

| 培训场所 | 法律基础 | 立法主体 | 确立培训关系的基础 | 确定培训内容的基础 | 主管机构 | 主要资助机构 |
|---|---|---|---|---|---|---|
| 企业 | 《职业教育法》《手工业章程法》 | 联邦 | 培训合同 | 培训章程 | 同业协会 | 培训企业 |
| 职业学校 | 州中小学法、高等学校法[②] | 州 | 学校义务 | 教学大纲 | 州教育部门 | 州 |

---

① Bundesinstitut für Berufsbildung. Datenreport zum Berufsbildungsbericht 2016，Informationen und Analysen zur Entwicklung der beruflichen Bildung [M]. Bielefeld：W. Bertelsmann Verlag，2016，S.9，12.

② 在德国，也有少部分职业学校，尤其是企业附属的职业学校是按照《职业教育法》和《手工业规章法》建立的。

根据《职业教育法》的规定，联邦和州政府的监管部门，被称之为主管当局，各企业所属的同业协会，则被称之为主管机构。主管当局负责制定和颁布法规，并对主管机构行使监督之权。在德国，所有具有法律约束力的职业培训章程都是由主管当局颁布。这些培训章程对培训职业的名称、期限，以及培训的内容、大纲及考试要求都会做出详细的规定。（第5条）对国家来讲，不仅职业学校的培训属于公共事务，“校外企业培训也被看做是公共事务，由国家委托给私营经济中的雇主和公共管理部门负责监督”。[①]主管机构则负责执行主管当局的法律和指示，并对基层企业职业培训行使行政监督和管理之权。两者的具体分工如下：

如州政府及其委托的主管当局负责制定关于职业培训期限的法令（第7条），而主管机构则决定延长或者缩短职业培训期限，并在没有明确法律规定的情况下对培训期限问题具有决定权（第8条、第9条）；只要符合法律规定的条件，职业培训机构可自行创办，但涉及农业和家政业的培训机构须经主管当局许可后方可创办；在听取主管机构意见后，主管当局可以对培训教师的资格进行审查和再认定（第27条、第30条），主管机构则负责认定职业培训机构的资质，如果认定不合格且问题严重，主管机构须将此报告主管当局（第32条）；主管当局在和主管机构商议后，有权撤销资质不合法的职业培训机构（第33条）；主管机构依法引导职业培训合同关系的登记（第34条）；职业教育考试委员会的权限、考试章程需经主管当局同意后由主管机构确定；其他考试事务，如考生资格认定、颁发毕业考试合格证等只需要由主管机构依法执行（第39~57条）；此外，职业转换及其考试的监督（第60条、第62条）、外国职业资格认定（第61条）、制定有关特殊人员的规章（第66条），以及根据第76条对职业教育的监管和协助数据统计、撰写报告，均属于主管机构的权限范围。

为了履行其职责，主管机构须建立本机构的职业教育委员会。委员会成

---

① BARON C. Das duale System der Berufsausbildung unter dem Einfluss der europäischen Berufsbildungspolitik. Entwicklungsprozesse und Herausforderungen [D]. Dissertation am Fachbereich Bildungswissenschaften der Universität Duisburg-Essen，2007，S.18.

员由劳资双方各6名代表，外加职业学校6名教师代表组成。资方代表由主管机构也就是同业协会提名，劳方代表由地方工会或工人代表组织提名，教师代表依法由主管当局提名。委员会有半数代表出席即可做出决定。委员会的主要任务是了解关于职业教育的一切重要事务，以便对提高职业教育质量献计献策。委员会可以根据本主管机构制定规章，在职业教育中颁布细则。在征得预算主管单位许可的前提下，决定职业教育中预算外资金的使用。如果事务与职业学校直接相关，则教师代表在委员会决策中拥有决定权。

在国家和同业协会的监督下，企业及职业学校等培训单位有权对内部事务进行自治。

一方面，培训单位可以根据职业培训章程和教学大纲，自主安排职业培训课程。企业培训的教学计划和教材，由企业根据联邦政府所制定的职业培训章程和自身经营情况自主选编。虽然有时企业所属的行业协会也会参与职业培训教材的编写，但一般企业对教材及其使用方式拥有最终决定权。为了便于及时更新内容，很多企业的师傅在教学中会根据具体情况使用活页教材。职业学校也没有统一的教学计划和教材。虽然文教部长常设会议会和州文教部为各项职业培训制订教学大纲及教材推荐目录，《职业培训章程》也对学校相应专业的教学具有指导作用，但各学校一般还是会根据实际情况自己编写教材。在培训机构内，教员（企业师傅或职校教师）负责具体的教学安排，包括组织教学实践活动和开发教辅工具等，但企业培训主管和职业学校校长往往会对本培训点的教学活动进行统一布置或提出统一要求。

另一方面，日常行政管理自治。例如，在学生管理方面，培训机构有权对学生进行考核和惩戒。企业中培训合同就相当于学籍，学员必须按照合同的要求履行其学习义务。一般情况下，如果因为客观原因导致学徒无法完成培训计划，企业会适当延长培训时间或安排补考。但如果是因为学员的主观懈怠或疏忽大意而无法完成培训计划，企业可以解除培训合同。职业学校中学生出现无故旷课或其他违纪情况时，学校可视情节轻重由教师或校长做出惩戒处置。包括警告、转学、报告签约企业及勒令退学。

**（四）职业学校和企业中的合作治理**

与普通学校类似，由学生和家长参与的合作治理在德国职业学校中也广泛存在。根据巴伐利亚州《教育教学法规修改法》第62条的规定，包括职业学校在内的所有中小学都必须建议学生参与管理，保证学生能够对教学和学校生活发表意见。巴伐利亚州所属各职业学校，如慕尼黑市立政法职业学校、慕尼黑市立税务职业学校等都设立了学生意见代表。此外，很多职业学校也依法设有家长代表会议。如位于黑森州的哈瑙商业职业学校就设立了学校家长委员会和班级家长委员会代表家长参与学校和班级的重大决策。①

在企业培训中，由学员参与的合作治理则与企业中的劳资合作机制类似。根据《企业宪章法》第96~98条，企业雇员可以通过企业代表会在以下领域参与企业培训的安排：确定职业培训需求；新建和扩建职业培训场所；开展企业内、外部的职业培训；选配培训教师；确定某项培训措施的参与者等。同时，《职业教育法》第51条规定，在企业培训中，如果实习学员在企业代表会中没有选举权，同时又无权根据《企业宪章法》第60条选举青年培训代表，这些学员便可以每5人选举一名代表，参与培训事务的管理工作。联邦教研部可不经企业代表会同意，就可对学员利益代表的选举和工作做出规定。

## 二、职业教育治理的具体措施

经过长期的实践，德国将企业培训和职校教育相结合，形成了“双元并行”的职业教育治理体系。在实施财务、人事及质量治理时，德国也分别针对企业培训和职校教育采取了各具特色的实践措施。

### （一）财务治理的具体实践措施——以经费分担与投入政策为例

依据联邦《职业教育法》及其他法规，德国职业教育的经费主要由联邦政府、州政府和企业共同承担。在职业教育的财务治理中，德国坚持将国家公共财政支出的福利性原则和企业经费负担的绩效性原则结合起来，兼顾投入的公平与效率。

---

① Kaufmännischen Schulen Hanau. Der Schulelternbeirat ( SEB ) stellt sich vor [EB/OL].[2016-12-02]. http://www.ks-hanau.de/index.php/unsereschule/schulgremien/unser-elternbeirat.

**表 6-2　德国不同主体教育投入占总教育投入的百分比（职业教育部分）**[①]

| 年份 | 联邦 | 州 | 地方 | 私人 | 外国 |
|---|---|---|---|---|---|
| 2007 | 16.9 | 31.0 | 11.0 | 41.1 | — |
| 2009 | 18.5 | 27.6 | 11.2 | 42.8 | — |
| 2011 | 17.6 | 29.8 | 11.2 | 41.5 | — |
| 2013 | 12.7 | 30.4 | 12.4 | 44.5 | — |

首先，对职业学校实行“以州为主、多元分担”经费投入的政策。

各级各类公立职业学校的经费主要来源于州财政。战后初期，职业教育经费匮乏，联邦政府、各州政府在联邦制框架下只为职业教育提供极少的经费。1969年《职业教育法》明确规定联邦与各州对职业教育经费的负担义务。此后，尽管在经济危机时期可能会有所削减，但职业教育一直被列为国家公共教育经费的主要开支项目之一。由于公立职校属于公立学校系统的组成部分，因此，其经费分担情况也与其他公立学校相似，即占“大头”的软件支出，如工资和养老金等人事费用主要由州来承担，而相对较少的硬件支出，如教室、宿舍的建设与维修管理费用等主要由地方财政来承担。当然，由于各州对职业学校的资助有不同的法律规定，因此各州之间的筹资方式也不尽相同。

除州及地方财政外，还有其他主体也为分担德国职业学校的经费做出了贡献。其中联邦财政主要负责为家庭经济困难的职校学生提供生活补助；个人和企业可以直接出资开办私立职业学校；在继续职业教育领域，参训者个人往往也需要负担一定的费用。

其次，在校外职业培训中采取“企业为主、财政补助”的经费投入政策。

职业培训是企业的一个重要成本支出，但企业因此而得到的回报也是非常明显的。有实力的大中型企业投资建设职业培训中心，从培训设备到师傅工资和学员补贴均由企业负担。这些企业的发展需要大量的技术工人，它们

① 数据来源为历年德国“国家教育统计报告”。

通过建立自己的培训中心可以大大降低培训成本，提高人力成本投入的回报率。来自德国教育报告的数据显示，企业在德国职业教育中所投入的资金一直占总投入的40%以上。

小型企业或困难企业一般没有培训中心，它们需要依靠国家和其他公共部门的补助才能完成员工的职业培训。这说明企业培训中国家也具有福利性公共调控功能。德国公共财政投入企业培训，更多地在于引导企业投入，有效带动企业增加人力成本，以提高整个社会的劳动力技术水平。中小企业的学徒须到跨企业的培训中心培训。这些跨企业培训中心，是在当地同业协会或劳资利益集团的提倡和协调下，以企业外基金的形式建立起来的。中小企业只要向这些基金缴纳费用，就可以将员工派往其中参加培训。培训时往往第一学年在企业外，第二学年即返回本企业参加实践。基金按募集对象的属性不同可分为劳资合作基金、行业基金和地区基金等形式。

为了帮助中小企业和困难企业完成员工培训，国家会对这些企业在税收方面执行优惠政策。跨企业培训中心大多也可以得到国家财政补贴。除州政府外，德国联邦教育和研究部、联邦劳动局和联邦职业教育研究所等联邦机构也会向这些中心和职业继续教育机构提供资助。

最后，兼顾公平与效率。

为了贯彻教育治理的公平性原则和福利性原则，国家为职业教育提供了各种补贴。例如，根据《联邦教育促进法》，国家对就读于各级各类职业学校且家庭困难的学生提供助学金。自2015年开始，这一资助完全由联邦负担。资助标准在2016年8月1日进行调整：不以完成职业教育为前提的职校或专科学校低年级学生，如果与父母同住每月231欧元，如果不与父母同住每月504欧元；以完成职业教育为前提的夜间主体中学、夜间实科中学、职业建筑学校和专科学校高年级的学生，与父母同住的每月418欧元，与父母不同住的每月587欧元；不以完成职业教育为前提的专科学校高年级的学生，如不与父母同住也可获得每月418欧元的助学金。（第12条第2款第1项）

国家对企业培训所提供的补贴也是公平原则的重要体现。两德统一后，原民主德国各州的企业出现了严重的困难，失业人数剧增。为了改善这种状况，1996年起联邦政府开始实施“东部学徒岗位行动计划”。2007年下半年，联邦政府和东部地区各州政府与企业合作提供了2万多个培训岗位。2008年4月，联邦教研部与东部地区各州政府签订协议，开始为东部地区提供数千个额外培训岗位。在这一计划中，企业每提供一个培训岗位，便可得到联邦政府和州政府提供的数目可观的补贴。为了提高资助效果，计划要求学员通过国家法定职业资格考试。

在坚持公平原则的前提下，为了提高资金的使用效率，国家还引入了绩效补贴机制。企业所进行的职业培训，其根本目的还是为了营利。如果偏离了这个目标，一味地靠财政投入引导而导致企业培训与市场需求脱节，那也是不可取的。因此，在投入培训经费时，除了不干扰企业自主性以外，国家还引入了严格的经费预算和绩效管理模式。联邦政府下拨的财政经费一般由联邦职业教育研究所和各行业协会根据各方商定的方案进行分配，并对各项指标进行量化考核，考核结果将直接影响第二年的经费额度。行业协会的参与，将限制国家对企业活动空间的干预，提高拨款使用的绩效。

### （二）人事治理的具体实践措施——以教师培训与认定政策为例

德国职业教育人事治理的目标，就是各级各类主管当局、主管机构和培训机构按照兼具理论与实践修养、专业与师范技能双优的标准，依法实现对职校教师和企业师傅的培养、资格认定、聘用和管理。德国职业教育提倡不同机构和部门实现优势互补，共同提高教员素质，这也体现了双元制职业教育的主要特色。

德国职业培训机构中的教员分属职校和企业两大系统。企业中的培训教员一般必须具备师傅资质。许多大企业都有培训团队和接受过教育学相关专业高等教育的培训主管。公立职校的教师则一般是州政府公务员，除了更加注重实践能力外，其准入资格与相应级别的普通学校教师基本相同。在德国，职校教师和企业师傅的培养和职业资格认定机制是存在一定区别的。

职业学校教师资格的考核认定主要由各州教育主管部门负责，而具体的师资培养工作则由高校等机构承担。相对企业，职校教师的资格准入门槛更高。除州文教部特别批准外，职校教师资格申请者必须具备综合性大学学历，接受过系统的、专业的职业技术师范教育。要想成为一名职校教师，首先应在大学系统学习专业理论和教育理论，然后学习师范技能并进行职业实践训练，最后还要到相应的企业或其他机构进行实习并通过统一的国家资格考试。完成上述三个阶段的学习大概需要八年的时间，与成为德国其他中学教师的职业准备时间相当。如果是以企业师傅或已获得大学学位者的身份进入大学学习相关专业，则整个职业准备所需的时间甚至会更长。

以巴伐利亚州职业学校教师的培训认定机制为例。根据巴伐利亚州的《教师教育法》《教师资格考试条例》《职业学校教师资格与培训条例》《欧共体教师资格指导条例》《关于职业学校教师培训中专业实习的指导方针》，该州文教部对职业学校教师培训做出了一般性规定：培训分为两个阶段，即接受相应的高等师范教育和两年见习期（同时通过两次国家教师资格考试）。培训分为四个内容，即：（1）大学专业学习，以通过第一次国家职业教师资格考试或硕士学位考试为结束；为了加强培训的针对性和有效性，还专门设立了综合职业教育硕士学位；（2）在指定大学的学院接受高等职业师范教育；（3）在指定的三所大学接受经济学高等师范教育；（4）专业实习，与第二、第三阶段同时进行。完成四个内容的学习并通过第二次国家职业教师资格考试后才能有资格被聘任为正式教师。①

此外，企业中师傅资格的获得也要通过专门的培训和师傅资格考试。这些培训和考试一般由地方同业协会负责。培训以专业技能为基础，在完成专业技能培训并考试合格的基础上，增加专业理论知识方面的培训和考试。通过后再进行本企业管理能力及师范教育能力的培训及考试。同业协会中设有专门的考试委员会，依据联邦师傅资格考试规章组织考试和发放师傅资格认定证书。以德累斯顿手工业协会为例。该协会负责的师傅资格培训及考试共分为专业实践、专业理论、企业管理和师范教育四个阶段，每个阶段均包括培训课程和相应的考试。其中第一、第二阶段根据培训职业的不同设置不同的课程和考试，第三、第四阶段则为统一课程和考试。德累斯顿手工业协会内设有专门的考试委员会。考试依据联邦制定的《手工业及手工业类企业师

① Bayerisches Staatsministerium für Bildung und Kultus，Wissenschaft und Kunst. Studium Lehramt berufliche Schulen［EB/OL］.［2016-12-02］. https://www.km.bayern.de/lehrer/lehrerausbildung/berufliche-schulen/studium.html.

傅资格考试准入及一般程序的规定》《手工业及手工业类企业师傅资格考试第三、第四阶段的规定》进行。

### （三）质量治理的具体实践措施——以人才培养质量保障政策为例

德国职业教育领域的质量治理，是指在保障和提高职业教育质量的过程中，国家、社会、企业和职业学校行使权力和发挥影响的结构、过程和机制。为了提高职业教育的质量，国家、社会、企业和职业学校分工协作，共同采取措施建立了一套具有德国特色的职业人才培养质量保障机制。

首先，职校和企业在国家和同业协会的监督下进行教学和考试活动。

职校和企业要分别根据州教育主管部门的规定和联邦政府颁行的“培训章程”，在国家和同业协会的监督下来进行教学和考试活动。以各州中小学法为基础的职业学校，其培养方案主要由各州教育主管部门审定并监督执行；以《职业教育法》和《手工业章程法》为基础的企业及其他培训机构，其培养计划则由联邦政府审定并监督执行：联邦经济部以“培训章程”的形式制定各职业的培养计划和标准，并经联邦教研部核准公布；各州政府和同业协会则依据“培训章程”制定符合本地实际的培养方案细则，并在联邦的领导下加以贯彻。

同时，德国还建立了与之相对应的职业教育考试管理制度。职校的“考试说明”一般是由州教育主管部门负责颁布并监督执行的，而具体考试的组织则一般由学校负责。但在部分州，如巴登-符腾堡等，职校毕业考试也由州统一组织。企业培训的“考试说明”一般由主管当局会同协会制定，考试一般由行业协会或企业组织。

其次，在培训机构内部完善教学及管理评价机制。

经过长期的发展，德国职业培训机构逐步在内部形成了较为完备的人才培养评价机制。职校和企业会定期对内部人才培养的各项指标，尤其是教学质量进行评估，以确保本机构的教育达到相应的标准。

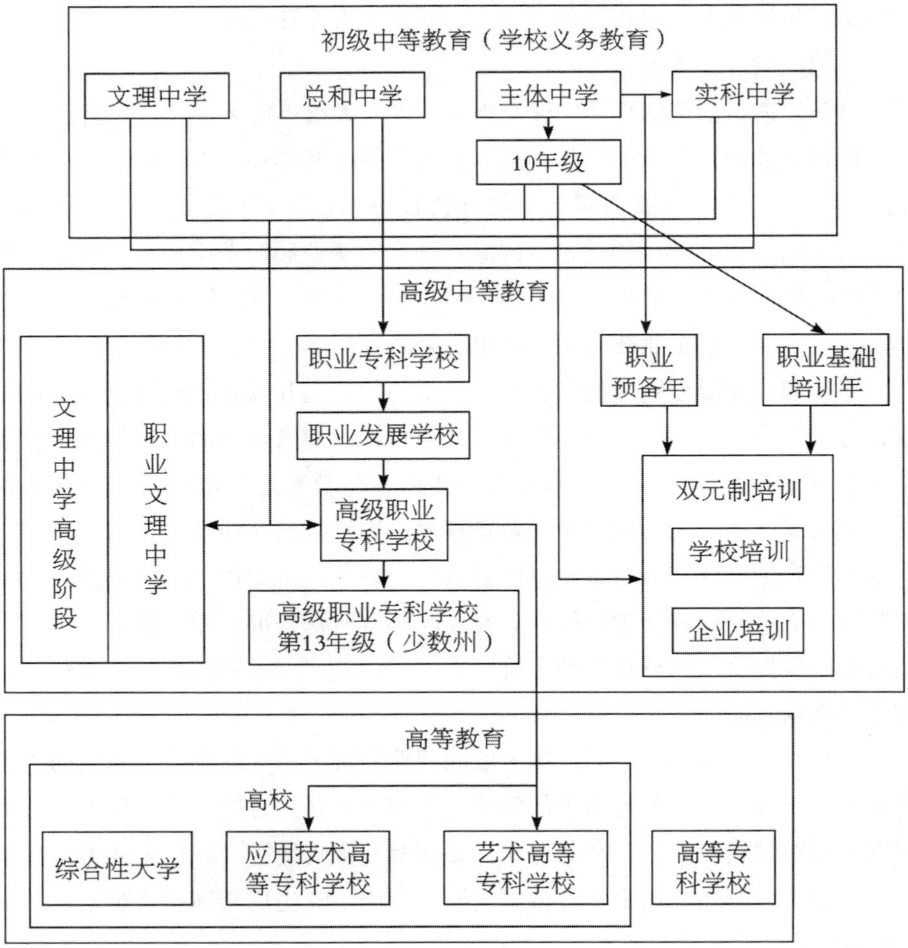


**图 6-2　德国职业教育的人才培养体系**

教学过程评价是培训机构保证自身教育质量的重要一环。在职业教育教学活动中，教师是否设计出符合实际职业情境的“教学情境”，使学生在真实或仿真的职业环境中掌握扎实的专业知识和技能、学会团队合作，以及教学过程中师生互动关系是否民主等是重要的评价指标。在企业培训中，对教学过程的质量评价标准还包括：提供的培训设备数量和质量能满足操作技能训练需求；培训管理的规章制度健全，培训条件能够保障学生人身安全、对学生身心健康不会产生负面影响；企业教师应具备良好的师德与专业教学资质，教师人数安排符合科学的师生比例。传统上，各教育培训机构正是根据这些标准对教学过程做出评价。

进入21世纪之后，德国部分州开始逐步在职校管理中建立Q2E（Quali tät duvch Evation uncl Entwicklung）模式，将行政管理也作为一项重要指标，引入职业教育的质量评价体系之中。以巴特多贝兰博职业学校为例，该校在Q2E模式下，引入的内部评价指标主要包括输入质量（指学校从外部获得资源的质量，如入职教师素质的高低、资金来源的情况等），学校组织与管理，同事合作与校园文化，社会关系（指培养学生健康的心理素质和人际交往能力），教学管理、考试与评价等指标。[①]这些指标除了与教学和考试相关的，基本都是与学校治理——即行政管理有关的指标，如学校领导、学校组织与管理。通过这些指标的引入，德国试图不断优化和完善职校行为，建立正常运行的“有效的”可持续发展的质量管理体系。

最后，在培训机构外部，由参与职业教育治理的国家各级各类主管当局和同业协会共同构建人才培养的质量评价机制。

培训机构外部的质量评价机制，主要由参与职业教育治理的国家各级各类主管当局和同业协会构建。这一评价机制主要由认证评价、业绩评价和综合评价机制构成。

认证评价是指国家和同业协会对培训机构资质评估与认可。根据相关法律规定，德国职业培训机构的资质审核由国家主管当局协同行业协会负责。如果国家认定不合格，职业教育机构必须在一定期限内实行整改，否则有被撤销培训资格的可能。Q2E模式出台后，职业学校可自愿申请依据这一评价体系对其教育质量进行认证。认证由独立认证机构进行，具有权威性。当认定机构认为申请者在教学及管理方面达标后，可给该职校颁发Q2E认定证书，证明其教学管理活动获得了相应的质量保证。

① Berufliche Schule Bad Doberan. Q2E-Arbeit[EB/OL].[2016-12-02]. http://www.bs-dbr.info/index.php?id=678.

业绩评价是另一项保证职业教育质量的关键措施。它主要是指外部专业机构对相关毕业考试的调查评价，以及对学生毕业后的工作情况进行的跟踪调查。具体包括：学生通过毕业考试的情况及成绩优劣；学生获得毕业证书和职业资格证书的情况；学生职业能力提升及教师专业化发展程度；学生毕业后较长时间内，职业教育对其职业能力发展及所在企业绩效产生的持续影响作用等。此外，第三方专业机构会依据相关指标对毕业生和用人单位进行长期调查，了解毕业生就业和职业发展状况，并提出质量改进策略。

综合评价是指在Q2E指标中，引入外部第三方机构对职校进行的全面评价。第三方评价机构通过实地考察等方式，形成质量评价报告，指出学校教学管理活动中的不足之处，并提出改进建议，以完善学校自身建设和自我评价体系。

# 第七章　德国的信息化教育治理

信息化教育，国内原称电化教育，德国则称之为媒体教育或数字化教育。《德国中小学信息化教育建议》认为，信息化教育指信息化能力或称媒体能力的传授，它主要由“借助信息化的教育”和“关于信息化的教育”两个部分组成。①德国各州文教部长常设会议将信息化教育定义为“持久的、教学模式化的引导，是对信息化世界的建构性、批判性描述”。②本书所谓的信息化教育治理，又可称之为教育信息化的治理，主要指的是德国国家、社会和学校在信息化教育领域行使权力和发挥影响的结构、过程和机制。信息化教育治理既不是一个纯粹的教育问题，也不是一个纯粹的技术问题，它是在整个社会信息化的过程中逐步实现的。

## 第一节　信息化教育治理的启动

自20世纪80年代以来，信息通信技术迅速发展，对传统教育构成了新的冲击。为了使青年一代掌握这一新兴的知识技能，德国开始在学校教育，尤其是中小学教育中大力推广和应用信息化技术。德国信息化教育治理的大幕由此开启。

### 一、启动的背景

信息化产业和信息化治理理论的快速发展，为德国在教育领域实施信息

---

① WETTERICH F. Medienbildung an Deutschen Schulen，Handlungsempfehlungen für die digitale Gesellschaft [M]. Berlin：atene KOM GmbH，2014，S.7.

② Kultusministerkonferenz. Medienbildung in der Schule [EB/OL].（2012-03-08）[2016-12-03]. http://www.kmk.org/fileadmin/Dateien/veroeffentlichungen_beschluesse/2012/2012_03_08_Medienbildung.pdf，S.3.

化治理提供了重要的条件。而教育信息化所面临的种种问题，也促使德国在世纪之交加快了信息化教育治理的步伐。

### （一）工业 4.0

信息化迅速而深刻地改变着现代社会。在经济领域，信息化所支撑的重大变革——以智能制造为主导的第四次工业革命或革命性的生产方法方兴未艾，被德国人称之为工业4.0。通过充分利用信息通信技术和信息物理系统相结合的手段，德国将制造业向智能化转型，发展“智能工厂”和“智能生产”。在政治领域，信息化公共管理，或称之为信息化政府也有了长足的发展。在社会领域，随着手机、互联网、移动通信、电子媒体的蓬勃发展，人们的日常生活也被深深地打上了数字化的烙印。

在此背景下，德国对于具备高技能的新型人才的需求不断上升。高校和其他教育机构的数字化学习发展迅速，并开始着力于培养能够承担高级技术工作的专业人才。很多孩子早在上学之前多数就接触过数字化设备，在小学时就拥有一台属于自己的电脑。

**表 7-1 6~19 岁德国青少年儿童家庭的数字化设备拥有率（2013，单位：%）**①

| | 手机 | 电脑 | 网络接口 | 电视设备 | 数码相机 | 收音机 | Mp3 播放器 | 智能电话 | CD 播放器 | 平板电脑 |
|---|---|---|---|---|---|---|---|---|---|---|
| 6~13 岁 | 98 | 95 | 96 | 100 | 83 | 92 | 69 | 44 | 88 | 12 |
| 12~19 岁 | 100 | 99 | 99 | 97 | 91 | 90 | 83 | 81 | 64 | 36 |

**表 7-2 6~19 岁德国青少年儿童个人的数字化设备拥有率（2013，单位：%）**②

| | 手机 | 电脑 | 网络接口 | 电视设备 | 数码相机 | 收音机 | Mp3 播放器 | 智能电话 | CD 播放器 | 平板电脑 |
|---|---|---|---|---|---|---|---|---|---|---|
| 6~13 岁 | 50 | 21 | 15 | 36 | 14 | 32 | 45 | 8 | 14 | 1 |
| 12~19 岁 | 97 | 80 | 89 | 58 | 52 | 57 | 73 | 72 | 24 | 15 |

①② WETTERICH F. Medienbildung an Deutschen Schulen，Handlungsempfehlungen für die digitale Gesellschaft［M］. Berlin：atene KOM GmbH，2014，S.17.

### （二）信息化治理理论的发展

作为信息科学和治理科学交叉的产物，信息技术治理学自诞生以来就一直备受各国学者的关注。美国麻省理工学院斯隆商学院学者彼得·魏尔和珍妮·罗斯在2004年指出："信息技术治理是指通过明确决策权归属和责任承担结构，以鼓励信息技术应用过程中的良好预期行为。"①德国学者马丁·弗勒利希和库尔特·格拉斯纳在2008年出版的著作中也认为："信息技术治理是通过组织、调节和控制企业的信息技术，使其向预期的方向发展。"②中国学者何济玲等则认为信息技术治理就是"以信息化建设为基础，调整组织内部的结构和关系，通过信息化支持下的业务流程再造提升组织的业务能力，实现组织战略目标的过程"。③到目前为止，国际上对信息技术治理并无一个统一的定义。"形形色色的学派对信息技术治理的定义不一而同，这些定义中包括了企业信息技术的方方面面。"④

信息技术治理理念一开始主要是在企业中发展起来的。21世纪德国新一轮教育改革启动后，企业的绩效管理模式被引入学校尤其是高校，原本在企业中流行的信息技术治理理念也随之进入教育领域当中。值得注意的是，尽管与"信息技术管理"相比，信息技术治理更加关注主体的多元性和互动性，但在实际应用中，这两个概念却常常是无法截然分开的。

### （三）新世纪教育信息化所面临的挑战

由于生活期望值的提高、出生率的降低、区域性人口流动（主要是城市化）等，德国农业地区的人口以及统一后的东部地区的人口呈现逐年下降的趋势。人口变化造成了德国学龄儿童及青少年的数量从2008年的900万下降到2015年的730万，其中小学生源下降15%，中学生源下降超过20%，当然

---

① WEILL P. IT Governance：How Top Performers Manage IT Decision Rights For Superior Results [M]. Boston：Harvard Business School Press，2004, P. 5.

② FRÖHLICH M. IT–Governance：Leitfaden für eine praxisgerechte Implementierung [M]. Wiesbaden：VS Verlag für Sozialwissenschaften，2008, S. 17.

③ 何济玲，陈仕品. 转型时期高校信息化的治理结构变革研究[J]. 现代教育技术，2015(10)：47–53.

④ FRÖHLICH M. IT–Governance：Leitfaden für eine praxisgerechte Implementierung [M]. Wiesbaden：VS Verlag für Sozialwissenschaften，2008, S. 17.

区域差别也很明显。原属民主德国的梅克伦堡－前波美拉尼亚州自20世纪90年代中期以后学生数量大幅减少，导致中小学班级减少甚至撤销，教学方式也有所变化。最典型的就是小班教学的推广，如勃兰登堡州尝试所谓的“微型小学”（Kleinen Grundschule）。地方当局甚至决定，如果微型小学连要求最低的学生数量都达不到，那就让学生在分散的教学点中进行学习。这就为信息化学习的发展提供了一个契机。[①]

随着学生数量的减少，教育主管机构减少了对新任教师的选聘，导致中小学教师平均年龄不断增大，这对中小学教师推广应用信息技术显然是不利的。另外，学生数量的减少也影响了就业市场对大学的专业需求。从而使受过较好训练的信息技术工作者无法或不愿进入学校。据报道，德国教育质量发展研究所的研究结果表明，包括信息科学在内的德国技术类专业存在巨大的人才缺口，“需要制定有针对性的教育政策和有效的激励机制予以推动”。[②]虽然近年来报考信息工程类专业的德国高中毕业生人数在不断增长，但相对其他传统专业的供求情况来看，此类人才的培养速度仍然远远难以满足社会需求。而且，德国的信息技术教育还存在着一系列其他问题，例如在教育机会均等方面，女性接受信息技术教育和应用互联网的情况就比男性差很多，家庭经济条件较差的学生也比不上家庭经济条件好的学生。

## 二、信息化教育治理的启动和发展

面对信息化时代所带来的种种挑战，德国加快了发展各种新式教育技术的步伐。自20世纪90年代中期开始，德国政府和社会各界又提出了一系列在教育领域发展信息技术的规划和措施，信息化教育治理由此得以启动和快速发展起来。

### （一）20世纪80—90年代教育技术的发展与信息化教育治理的启动

80年代初，各州开始陆续制订信息技术专业教育的发展规划，如巴伐利

① WETTERICH F. Medienbildung an Deutschen Schulen，Handlungsempfehlungen für die digitale Gesellschaft [M]. Berlin：atene KOM GmbH，2014，S.15.

② 杨柳.德国技术类专业人才存在巨大缺口[N].中国教育报，2013-10-23（3）.

亚州就先后出台电子技术专业和信息技术专业的教学大纲，力图建立较为完善的信息技术教育专业培养标准。与此同时，德国还把通信技术作为基础，在中小学课程中逐步掺入新技术知识。联邦-州教育计划与科研促进委员会先后于1984和1987年出台文件，对信息技术教育的内容和任务进行了全面描述。在联邦-州教育计划与科研促进委员会的积极推动下，以萨克森为代表的各州开始实施“新技术与学校”课程改革计划，试图在中小学课堂教学中培养重视新技术的理念和实践方法。各州文教部长常设会议不仅在1995年和1997年先后颁布了《中小学信息化教学法》和《新媒体和通信技术教育》两个文件，还在1997年正式决定把信息化教育纳入中小学师资培训内容，强化教师的新技术应用能力。1996年12月，德国联邦议院通过了首部《信息与通信服务法》。1998年，德国联邦教研部长宣布，制订教育技术发展方案，重点倾向于多媒体教学的应用和微机操作水平的提高。

不仅官方在这一时期大力推动信息化教育技术的发展，许多公司和社会组织也对此采取了积极态度。1996年，德国政府和德国电信公司、微软公司等企业联合发起了学校联网计划，投入巨额资金建设和完善学校的相关设备和网络。正是在快速提高教育领域的信息技术水平、应对信息化挑战的进程中，德国开启了信息化教育治理的序幕。

### （二）21世纪信息化教育治理的发展

2000年9月18日，德国总理格哈德·施罗德提出了旨在促进德国互联网应用的“十点计划”，其中要求到2001年底德国所有学校全部接入互联网。联邦教研部也出台了“信息技术行动计划”，加快中小学互联网建设和应用的步伐，要求到2006年，不仅要促进新媒体在各级各类学校中的应用，形成中小学信息化发展战略，还要建设科研网络平台，促进信息科学的研究。[①]为了实现这一计划，联邦教研部还专门确定了三步走战略目标：到2001年，每个中小学配备网络终端设备，偏远乡村地区也不例外；之后，实现每个教室配备一台电脑，让所有班级接入互联网，建成全国性教育网络；到2006年，德国1 000万中小学生将全部配备笔记本电脑，实现可以在线学习所有

---

① 杨明，赵凌. 德国教育战略研究[M]. 杭州：浙江教育出版社，2014：302-303.

教学内容的目标。为此，德国联邦政府与地方政府将进一步加大对学校信息化设备的投资，并与企业界合作，实现中小学学生课本电子化和学习网络化。[①]与此同时，德国教研部还加大了对中小学教师信息化教学技术的培训。

2005年，安吉拉·默克尔领导的新一届政府上台后，信息化教育治理得到进一步加强。2010—2015年间联邦政府先后发布了《联邦政府信息与通信技术战略：数字化德国2015》《数字化行动议程（2014—2017）》等文件，并将2014科学年活动的主题确定为“数字化社会”。2013年，德国联邦议院数字化议程委员会的萨斯基亚·埃斯肯也明确指出：“教育机构有义务使年轻人自由地参与变革中的社会，并有能力适应不断变化的就业市场，投入到充实的工作之中。在此数字媒体的应用具有巨大的潜力，尤其是对个性化和合作式教学理念及包容性教育体系来说。”[②]

在政府和议会的引导下，德国社会和学校纷纷参与到信息化教育治理之中，从而使德国的信息化教育很快达到世界一流水准。

## 第二节　信息化教育治理的结构

信息化教育的治理结构是信息化教育治理的基础。它反映了参与信息化教育治理的各种主体在组织中的位置，反映了其中的权力结构和关系。

### 一、信息化教育的国家治理结构

从纵向上看，虽然联邦和州都对信息化教育的发展进行规划，但联邦的规划只具有宏观指导意义，各州的规划才具有真正的实践意义。从横向上看，无论是在联邦的层面还是在州的层面，教育主管部门的信息化教育政策都有赖于信息主管部门的配合才有可能实现。

---

① 黄德群，毛发生. 德国教育技术发展研究[J]. 外国教育研究，2014（3）：56-60.

② WETTERICH F. Medienbildung an Deutschen Schulen，Handlungsempfehlungen für die digitale Gesellschaft [M]. Berlin：atene KOM GmbH，2014，S.18.

### （一）联邦一级的治理机构及职能

联邦一级国家机关中，对信息化教育治理有影响的主要是联邦教研部和信息技术主管部门。这两个部门的职能主要是制定与信息化教育相关的法律，编制发展规划，并在有限的程度上参与这些规划的执行。

联邦教研部第一司（基本问题、战略与数字化变革司）下辖的“战略与数字化变革处”是负责信息化教育治理的主要业务部门。该处设有专门的“数字化变革工作组”，其下包括“数字化变革基本问题与框架条件”“教育中的数字化变革”“科学研究中的数字化变革”等三个小组。[①]联邦教研部在信息化教育治理中主要扮演的是战略规划与研究的角色，如参与制定联邦政府2014年8月颁布的《数字化行动议程（2014—2017）》，但该部对信息化教育的具体事务则干涉较少。

联邦信息技术主管部门也主要是通过制定全社会的信息化发展战略来参与德国信息化教育治理的。2010年11月，德国联邦政府发布了由德国联邦经济与技术部编制的《联邦政府信息与通信技术战略：数字化德国2015》文件，要求加强基础教育、未来教育和继续教育与培训，增强教育工作人员及学生使用新媒介的能力。默克尔第三次执政后，对联邦信息技术主管部门进行改革，将联邦经济与技术部改组为联邦经济与能源部，在原联邦交通、建设与城市规划部的基础上新建联邦交通与信息基础设施部。2014年8月，德国联邦经济与能源部、联邦内政部和联邦交通与信息基础设施部联合出台了《数字化行动议程（2014—2017）》，要求当前的德国教育系统需要培养出具备良好媒体素养能够达到数字化环境和知识社会各方面要求的人才。联邦经济与能源部还在2016年4月出台《2025年数字化战略》，提出2025年教育信息化所要达到的四大目标：在小学生中普及信息科学教育；德国成为教育信息化引领者之一；工作坊成为获取最新信息技术知识的首要来源；实现所有公立教育机构主要教学资源网络化。[②]

---

① Bundesministerium für Bildung und Forschung. Organisationsplan[EB/OL]. [ 2016-12-02] https://www.bmbf.de/pub/orgplan.pdf.

② Federal Ministry for Economic Affairs and Energy. Digital Strategy 2025 [M]. Paderborn：Bonifatius GmbH，2016，S.50.

### （二）各州及地方一级的治理机构及职能

各州是德国传统上的教育治理的主要承担部门。2015年以来，德国各州教育主管机关纷纷出台相关政策，加强教育治理的信息化。在信息化教育治理中，各州不仅将这一内容加入本州教育教学计划的课程中，而且还试图制订战略。各州中，东部新州（梅克伦堡－前波美拉尼亚除外）相对更加重视信息化教育，并将此内容写入教育教学规划当中。而巴登－符腾堡、巴伐利亚、下萨克森、北威州、莱茵兰－普尔法茨的信息化教育则相对较弱，几乎没有在教育教学规划中加入信息化的内容。但这些州却有一些信息化教育的项目供教育机构选择，其效果取决于师生的积极性。其他各州同样也很少将信息化教育写入教育教学规划，但有的州却制订了雄心勃勃的信息化教育发展战略，如石荷州。

以巴伐利亚州和石荷州为例。2016年1月，巴伐利亚教育、文化、科学与艺术部发布《学校与文化中的数字化教育——巴伐利亚政府的未来战略》，提出本州中小学数字化教育的目标为："使学生获得连续而系统的知识、能力、态度及价值观，以便在生活世界被打上数字化烙印的时代独立地、具有道德责任感地为人处世；教师要熟练且经常地应用数字化媒体和工具提高课堂教学质量；潜在的数字化教育应被学校系统地用于课程发展；学校要稳定而及时地提供相关技术和专业性支持。"科学和艺术中数字化教育的目标为：在相近专业领域创办新的信息技术类教育；州立高校普遍应用数字化教学手段提高教学质量和效率；在巴伐利亚州高校及科研机构的理工和人文社会科学实践领域围绕数字化方法、技术和手段展开卓有成效的科研竞争；借助数字化手段，高校及科研机构在研究实践中提高发展的适应性和科学的生产效率；在巴伐利亚州高校的数字化问题上展开科学和社会大讨论；高校充分认识到数字技术对创业的意义；州立档案馆、图书馆、博物馆、展览馆建成现代化的、高效的、协作范围更广的信息化设施，以便让这些文化机构的功能通过数字化手段的支持得到最大限度的发挥。①

---

① Bayerisches Staatsministerium für Bildung und Kultus，Wissenschaft und Kunst. Digitale Bildung in Schule Hochschule und Kultur，Die Zukunftsstrategie der Bayerischen Staatsregierung［M］. Würzburg：Phoenix Print GmbH，2016.

应州议会的要求，石荷州中小学与职业教育部也在2016年2月提交《州政府关于落实数字化学习的报告》，全面介绍了该州自2015年起开始实施的“数字化媒体学习”工程。在这一工程中，石荷州中小学可以经严格的专家评审程序申请成为“数字化媒体学习”的样板学校，并从州和其他途径获得资助。

各州不同的战略与政策，导致各州教育信息化发展的外部条件、透明程度和实际效果都存在着很大的不同。

**（三）各州信息化教育治理的合作机构及职能**

全国范围内的信息化教育治理有赖于各州之间的协调，其中文教部长常设会议是最重要的协调机构。“国际学生评价结果震惊德国事件”之后，各州政府加大对教育的治理，文教部长常设会议也制定了相关的文件推动教育改革。中小学中的个性化学习有了明显的发展。2012年3月8日出台《德国中小学信息化教育建议》，要求在中小学扎实地、全面地、系统地推广信息化教育。文件指出，信息化教育的目标是“掌握和持续地提高信息化能力”（Medienkompetenz），不仅要培养学生应用最新的互联网技术，还要培养其信息化时代的道德价值观。“信息化能力既不是通过家庭教育，也不是通过业余时间的社会性或个体性媒体应用就可以掌握，它要求在中小学教育框架下实施坚实的、广泛的信息化教育，与时共进的中小学教育没有信息化是不可想象的。”[①]2012年文教部长常设会议对中小学媒体教育提出如下目标：支持和形成创新性、可持续性教学及教学过程；自主、积极和民主地参与政治、文化与社会；认同教育与个性化发展；形成道德观、价值观和审美观；保护青少年不受媒体的消极影响等。[②]

除文教部长常设会议外，州媒体电信局及《州际广播条约》也是各州进行信息化教育合作治理的重要平台和框架。

巴伐利亚州立新媒体中心和柏林、勃兰登堡媒体署等各州互联网、媒体

①② Kultusministerkonferenz. Medienbildung in der Schule [EB/OL].（2012-03-08）[2016-12-03].http://www.kmk.org/fileadmin/Dateien/veroeffentlichungen_beschluesse/2012/2012_03_08_Medienbildung.pdf.

主管机构在信息化教育治理中的功能主要体现在基础设施及信息化资源保障方面。如巴登－符腾堡的州立媒体中心就为中小学师生提供了数量众多的课程资源、成熟的课程模块、工具和可应用设备。[①]

各州签订的《州际广播条约》，则是目前协调各州信息化教育硬件发展目标的主要途径。

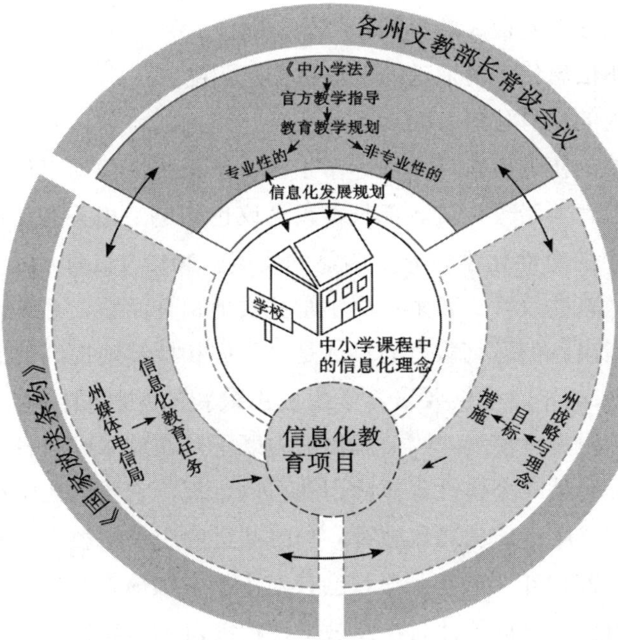


□各州合作层次 ■州一级 □地方 ↔ 合作需求、协同形式

— 高度相关 --- 高度自由

**图 7-1 德国州及地方信息化教育治理的结构图**[②]

① WETTERICH F. Medienbildung an Deutschen Schulen，Handlungsempfehlungen für die digitale Gesellschaft [M]. Berlin：atene KOM GmbH，2014，S.41-43.

② WETTERICH F. Medienbildung an Deutschen Schulen，Handlungsempfehlungen für die digitale Gesellschaft [M]. Berlin：atene KOM GmbH，2014，S.21.

## 二、信息化教育的社会治理结构

面对信息化时代的挑战，不同层次、不同类型的社会主体纷纷提出自己的信息化方案，以这些主体为单元，形成了德国信息化教育治理的社会结构。

### （一）公法性团体及其职能

在德国，一些具有公法性团体身份的独立研究机构也是信息化教育治理的重要参加者。它们为信息化教育的发展献计献策。如德国研究联合会下辖的信息设施委员会，其主要任务是就高校及医院信息化的基本问题向德国研究联合会总委员会、各州相关部门和高校等提出规划建议并对相关研究课题给予资助。而作为德国信息科学领域主要学术团体的德国媒体学会，则主要通过组织学术研究和交流活动的方式提供咨询。此外，洪堡基金会、德意志学术交流中心等公法性社会组织和团体也对信息化问题给予了一定的关注和支持。

### （二）信息技术企业及其职能

在德国的各互联网与信息技术公司也积极参与信息化教育治理。Adobe公司通过其开发的产品“适用于教育的云创造力”，为德国各级各类教育机构提供了“不受限制地存取 Adobe 业界顶尖的最新版创意应用程序和服务”，以使学生在“在课堂上和将来职业生涯中创造佳绩”。[①]德州电器德国分公司等还专门参与《德国中小学信息化教育》调查报告的制定，对德国中小学信息化教育的现状和改进措施进行了系统的研究。

### （三）利益集团及其职能

德国的劳资利益集团，如德国工会联合会、德国雇主协会及其下属各行业协会等，都是重要参与者。德国从1992年开始实施的多阶段高级信息通信技术培训计划就有这些利益集团参与其中。[②]2017年5月4日，德国工会联合会、德国雇主协会与文教部长常设会议共同发布《共同加强数字化时代职业学校》的声明，要求“职业学校必须抓住数字化的机遇并完成具体的任

---

① Schulen und Hochschulen[EB/OL]. [2016-12-03]. http://www.adobe.com/ch_de/creativecloud/buy/education.html.

② 杨明，赵凌. 德国教育战略研究[M]. 杭州：浙江教育出版社，2014：324-325.

务”。为此，劳资双方提出“数字设备现代化”“学校再开发”“师资再教育”等计划，希望联邦加大对信息化职业教育的投入，并保证企业会在“双元制”框架下给予最大限度的配合。[①]

## 三、信息化教育的学校内部治理结构

虽然国家为信息化教育的发展编制了一系列规划方案，但这些方案需要学校落实。目前德国大多数高校都已经建立了较为统一的信息化治理系统，从而为信息化教育的落实提供了有利的条件。

### （一）决策 – 咨询层及其职能

一般来讲，德国学校内部负责信息化决策的主要是校长、校务领导委员会和信息化主管领导。以校长为代表的学校领导层对学校信息化主管领导提交的报告或建议进行评估，并对信息化业务管理和技术服务部门的工作给予指导。学校的信息化主管领导除了要对校长和校务领导委员会负责外，还要负责整个学校的信息化发展规划。值得注意的是，许多德国学校并没有专门的信息化主管领导。这种情况在规模较小的中小学尤为常见。

2001—2003年间，包括德国研究联合会信息设施委员会在内的多个机构都建议在德国高校中设置首席信息官，统一负责全校的信息化事务。[②]随着近年来各高校纷纷设立这一职务，首席信息官作为高校信息化主管领导的地位也日渐明朗。班贝格大学的首席信息官办公室主要职责是，就一切有关信息化的问题向校务领导委员会提供建议。对全校信息化进行战略规划，并将其融入学校的信息化理念之中，协调学校信息化部门的工作。[③]柏林自由大

① KMK，BDA und DGB. Gemeinsam WeltErklärung für starke Berufsschulen in der digitalen [EB/OL].（2017-05-04）[2017-05-30]. http://www.dgb.de/presse/++co++2534a00c-4468-11e7-a5be-525400e5a74a.

② LANG U. CIOs und IT-Governance an deutschen Hochschulen[M]. Heilbronn：Zentren für Kommunikation und Informationsverarbeitung in Lehre und Forschung，2014，S.1.

③ Otto-Friedrich-Universität Bamberg. Ordnung zur Einrichtung eines Chief Information Office（CIO）an der Otto-Friedrich-Universität Bamberg（genehmigt von der Leitung der Universität Bamberg in der 281. Sitzung am 29. November 2006）[EB/OL].（2006-11-29）[2016-12-02]. https://www.uni-bamberg.de/fileadmin/uni/verwaltung/justitiariat/Rechtsgrundlagen/Interne_Regelungen/CIO-Ordnung-2006-November-2.pdf.

学的首席信息官由校长任命，负责全校信息化的战略决策和规划。[①]首席信息官模式的引入，对德国高校的信息化治理起到了重要的推动作用。

信息化协调委员会是由大学各部门、各院系的信息通信技术用户代表组成的委员会。班贝格大学的信息化协调委员会的主要职责是：调查信息通信技术在学校各领域的应用状况，搜集各方倡议，为首席信息官办公室提供咨询。[②]

### （二）管理－业务层及其职能

德国在学校信息化教育中引入市场化的信息化服务管理体系。这一体系的典型结构是以高校计算机中心为核心，将图书馆、媒体中心、数字化行政管理、计算机企业和各院系的计算机中心联结在一起形成的。以班贝格大学的计算机中心为例，其在信息化教育治理中的负责人和业务管理部门的职能如下：

中心主任、常务副主任负责信息化治理的运行管理；中心人事；作为成员参与首席信息官办公室、信息化安全团队和信息化协调委员会；数据应用总体规划及信息化预算；筹划和协调重大信息化项目的开展等。

信息技术服务组由工作人员和学生助理共同组成，是计算机中心的主要业务部门。主要通过各种方式为学校成员和访客提供信息技术服务。服务器与用户管理组主要负责保证用户能够随时顺利访问服务器，及时发现并解决网络问题；与计算机中心其他部门一起规划、维护和升级软硬件设施；接受用户的访问申请。

通信组主要负责维护学校的数据和电话通信；学生和教师服务组则分别为各院系学生和教师处理在教学过程中遇到的信息技术问题，如相关教学资源的开发制作、运行维护、技术咨询等提供帮助。

个人电脑服务组则主要为学校工作人员电脑的软硬件问题提供技术服务。

信息化合作投入项目是联邦和州资助的、由学校内相关部门共同承担的

---

① Freien Universität Berlin. Chief Information Officer（CIO）[EB/OL].［2016-12-02］. http://www.fu-berlin.de/sites/cio/.

② Rechenzentrum der Universität Bamberg. IuK-Beirat der Universität Bamberg [EB/OL].［2016-12-02］. https://www.uni-bamberg.de/rz/wir/it-organisation/beirat/.

信息化教育合作开发项目及其组织机构。其中，PC−pool主要为教师提供信息化教学空间，用来辅助相关教学任务的完成。更为广泛的合作则包括：各院系信息化合作投入项目专员负责根据教师的要求编制合作规划并成立相关组织；信息技术学生服务处则主要负责技术发展规划和技术设施的运行；学校技术部门则完成空间和技术的总体设置。

### （三）数据保护层及其职能

信息化安全团队则是在首席信息官办公室领导下负责学校互联网使用和通信安全的机构。如，班贝格大学的信息化安全团队于2014年底建立，由计算机中心负责人、校中央综合处信息系统科科长、校数据保护专员和信息化协调委员会主席共同组成。

校中央综合处信息系统科的主要任务包括：在全校范围内提出和贯彻“社会技术信息系统”的理念；在本校和其他高校中对信息技术供给和应用双方的关系进行协调；贯彻信息化治理的动议；校园一卡通事务；身份认证的管理技术问题；信息安全；数据库、服务、管理系统和中央服务器；可视化资源支持等。①

校数据保护专员的职责主要有：贯彻巴伐利亚州《数据保护法》及其他相关规章；依据巴伐利亚州《数据保护法》第26条执行数据公开程序，包括自动程序和私人数据调用程序；依据巴伐利亚州《数据保护法》第21a条第6款、第26条执行从一般设备到视频档案数据的公开程序；依据巴伐利亚州《数据保护法》第27条，编制符合数据自动公开程序的官方目录索引；为大学成员的数据保护问题提供咨询。大学相关数据的公开和调用均需要向数据保护专员提出申请。②

---

① Dezernat Z/IS. Aufgaben [EB/OL]. [2016−12−02]. https://www.uni−bamberg.de/is/aufgaben/

② Bayerisches Datenschutzgesetz（BayDSG）Vom 23. Juli 1993 [G]//GVBl. München：Verlag Bayerische Staatszeitung GmbH，1993：498.

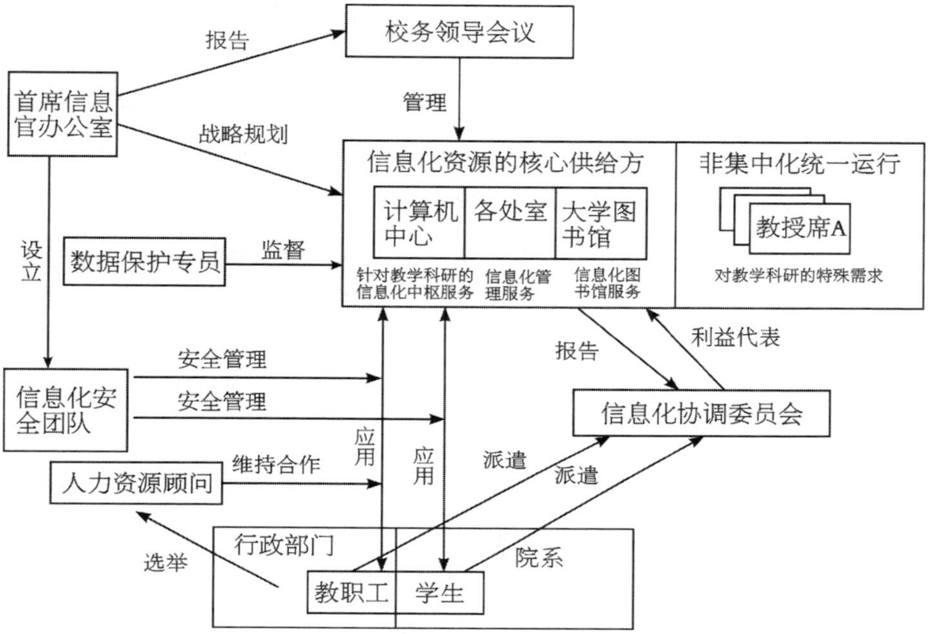


**图 7-2　班贝格大学的信息化教育治理结构图**

# 第三节　信息化教育治理的运行机制与具体措施

随着国家和社会各界重视程度的不断提高，德国信息化教育治理的咨询、决策、执行、合作等各个运行环节都日渐成形，实施财务、人事和质量治理的各项具体措施也在稳步推进之中。

## 一、信息化教育治理的运行机制

借助各方提供的教育信息化建议，德国各级各类国家机关初步形成了以发展规划为主要形式的决策机制。在国家的指导下，各级各类教育机构也纷纷编制并实施自己的信息化教育发展计划。国家、学校和各种社会主体还通过所谓的“数字治理共同体”在信息化教育中实施合作治理。

### （一）咨询与建议

在德国，官方咨询小组和委员会、受官方资助的独立公法性研究机构以及咨询公司等，都可以通过对教育信息化的发展状况进行调查，向政府、学校和其他机构提供促进教育信息化的建议。

为了便于决策，参与信息化教育治理的国家部门，有时会设立具有咨询性质的研究小组或委员会。如联邦层次上由联邦议院设立的“互联网与数字化社会咨询委员会”，在2013年发布调查报告，对德国中小学信息化技术应用的现状表示担忧。[①]在州的层次上如隶属于州媒体管理工作共同体的巴登－符腾堡电信局和莱茵兰－普尔法茨广电通信局也联合成立了“西南媒体教育研究联盟”。该联盟先后通过三个项目分别对12~19岁青少年（自1998年起每年调查1 000名）、6~13岁青少年（自1999年起）、3~19岁儿童及青少年（自2011年起）的多媒体学习及应用状况进行调查，积累了大量一手数据。数据显示，中小学生对互联网的应用主要集中在检索、交作业、写作文等方面。国际研究机构的数据也可以成为决策依据。国际计算机与信息技术能力研究显示出德国青少年的互联网应用能力在欧盟中仅处于中等，低于丹麦、挪威等国家。德国中小学计算机软硬件配备、教师信息化教学能力和课堂计算机利用率也都低于或居于欧盟平均水平。这些数据为石荷州国家教育治理决策提供了重要依据。

除了官方咨询小组和委员会以外，具有公共法人性质的专业研究机构也是国家获取信息和建议的重要渠道。联邦政府对信息化教育治理的咨询研究工作非常重视。有时联邦的独立教育研究机构会接受政府的委托，对教育信息化相关问题展开研究。如1999年政府提出实施“组建工作、培训和竞争力提升联盟”行动计划，委托联邦职业教育研究所制定信息通信专业培训框架。该所的专家与其他专家一起组建研究小组，完善和落实该计划。2000年所谓的“高级

① WETTERICH F. Medienbildung an Deutschen Schulen，Handlungsempfehlungen für die digitale Gesellschaft［M］. Berlin：atene KOM GmbH，2014，S.20.

信息通信技术培训的框架”制定完成。为了加强信息化时代教育决策能力，2014年时，联邦教研部还专门成立了柏林和德累斯顿两个大数据研究中心。时任教研部部长的约翰娜·万卡表示，“我们必须学会如何处理大数据”。[①]其中柏林工业大学负责的柏林中心主要任务是研究自动化可扩展技术，即大数据组织整理，德累斯顿工业大学的中心主要负责大数据处理和问题解决。这两个大数据中心的成立是德国联邦教育决策机构适应信息化时代所进行的重大改革之一。

与此同时，德国各州也设有不少独立的教育信息化专门研究机构。如柏林－勃兰登堡州立中小学与媒体研究所、巴登－符腾堡和巴伐利亚的州立媒体研究中心等。除了专门的教育信息化研究部门外，这些州还有其他教育研究机构也从事教育信息化研究，如巴登－符腾堡的中小学继续教育与人力资源发展学会、巴伐利亚州的中小学继续教育与人力资源管理学会等。

其他的公法性研究咨询机构中，对信息化教育决策影响较大的还有德国研究联合会总委员会下属的信息设施委员会。迄今为止，该委员会已出版了多部关于德国高等教育信息化的报告和建议，如《2011—2015年高校信息化发展建议》《云服务——2011—2015年高校信息化建设的补充建议》《2016—2020年高校信息化发展建议》。著名的融合式信息化管理理念也是由该委员会提出的。

此外，德国还会专门召开一些临时性的会议，专门探讨信息化教育的发展问题。如2008年各州信息化教学会议提出，中小学信息化教育应重点提升以下六种能力：

（1）信息化的社会能力。如独立应用媒体的能力，通过媒体还原现实的能力，理解媒体在经济、政治、文化中作用的能力，对法律、数据保护、数据安全了解的能力。

（2）信息搜集能力。如认识信息来源及其特殊标记，从资料中选取和

① Bundesministerium für Bildung und Forschung.Big Data-Management und Analyse großer Datenmengen［EB/OL］.［2016-12-02］. https://www.bmbf.de/de/big-data-management-und-analyse-grosser-datenmengen-851.html.

应用信息，检验和评价信息。

（3）交流能力。如培养责任意识；了解基于媒体的交流的标准、特点和结构，认识信息化社会中的交流条件。

（4）生产能力。促进全面计划性媒体生产、媒体形成的能力，认识和接受媒体生产的公开化。

（5）展示能力。理解展示形式及其特征、恰当地选择展示形式的能力，了解媒体特殊的形成原则。

（6）分析能力。了解媒体设备的形式、内容和信息；理解媒体社会的意义与影响。

信息化教育中的技能结构如图7-3所示。

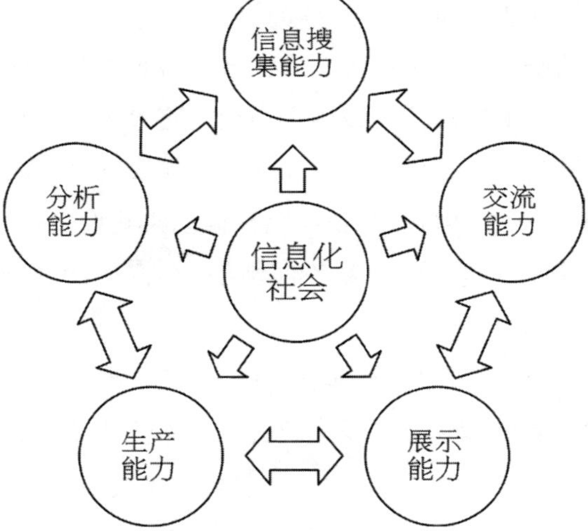


**图7-3　信息化教育中的技能结构图**

除了递交研究报告、召开听证会及协商大会等传统方式外，互联网时代国家决策还可以通过所谓的“伴随式收集”来获取最新信息。随着互联网和“物联网”技术的发展，教育信息和数据的采集变得更加便利和快捷。相关数据可以在教学和管理的过程中实时采集，并借助于云端迅速上传汇集至学校和教育主管部门，此即是所谓的“伴随式收集”。随着信息通信技术的发展，不仅参与德国教育治理的各级各类组织能够通过法定程序实时获取这些数据，连普通教师、学生甚至民众都能通过一定渠道了解信息化教育的基本情况。

### （二）国家决策

借助飞速发展的信息技术，德国各级各类国家机关、社会组织和学校在信息化教育领域初步形成了所谓的“智慧”决策机制，即通过将先进的数据搜集手段和传统的专家咨询模式有机地结合起来，建立高效、透明的信息化教育决策机制。

在信息化教育的治理中，国家的决策权主要体现在发展规划方面。联邦主要负责编制信息化教育发展的总体战略规划。联邦政府的决策者会根据调查数据和专家建议首先形成政策动议。这些动议一般都会在分析调查和研究结果的基础上，对未来信息化教育的发展重心做出规划。州则主要负责编制具体的信息化教育计划，包括在各级各类学校的教学大纲中加入信息化的内容和提供信息化教学项目。各州教育主管部门一般会根据联邦和文教部长常设会议的规划和指示，在广泛征询各方意见的基础上，编制符合自身实际情况的信息化教学计划或项目。各州的信息化主管部门，还会根据各州签订的《州际广播条约》制定本州的信息化教学软、硬件建设标准。至于这些计划、项目和标准如何在各级各类学校中实行，则主要由各学校决定。

### （三）国家指导监督下的学校自治

数据和咨询报告递交国家机关和相关社会组织后，这些部门会进行分析并出台进一步的指导意见。这些指导意见多是宏观性的、非强制性的，具体实施措施还需要由各级各类教育培训机构来完成。例如，高校的首席信息官办公室制订学校信息化战略规划时，一方面要了解国家和学校对信息化教育的基本要求和总体发展战略，与校务领导会议、尤其是校长就全校的办学理念和方针进行沟通；另一方面要从行政部门和教学院系的调查数据中了解学校教学的实际需求，实现信息化战略与学校核心业务的协调发展。

借助信息技术手段，学校信息化教育的决策和执行过程也变得更加透明。决策事项通过信息化改造将变得更加合理、优化，执行过程也因此可检验、可追溯。各主体的责任归属变得更加明确，大大提高了信息化教育治理的自我修正能力。

### （四）信息化教育中的合作治理——以信息化“治理共同体”为例

随着信息技术的快速发展，信息化“治理共同体”在教育领域的影响也不断扩大。这些共同体往往以网络平台或数据库为依托，由多种与信息化治理有关的机构参与组建而成。在社交软件所引起的人类交往方式的深刻变革中，社会大众所构建的“自媒体”也成为信息化治理共同体的重要组成部分。

德国教育领域最重要的综合性、全国性信息化治理共同体是“德国政治和经济界全面合作走向信息化社会”动议（以下简称D21动议）。这是1999年德国为克服“数字分裂”编制的行动计划。该共同体目前有200多个成员，包括联邦与州的政府部门，独立研究部门，以及 IT 企业、工业企业等，如宝马、德意志银行、大众等大IT用户都是其成员，并对其给予经费资助。[①]计划的实施重点是信息化教育培训和合作平台搭建，并就推进信息技术应用给出相应的建议。该共同体已经成为德国“互联网使用者的联盟”，在信息化教育治理方面发挥着重要的作用。

例如，该共同体2014年出版的《德国中小学信息化教育建议》从以下四个方面给出了政策建议：（1）在教育教学规划方面，建议文教部长常设会议在所有学科的教育教学计划中都要加入信息化内容，从划分为小学和中学的相关信息化基础教育过渡到针对所有中小学生的基本知识传授；对个人所掌握的信息化专业知识做出最低规定等；建议各州设立相关各方共同组成的中小学信息化教育协调小组，提出全面的信息化教育理念并引导其实施；建议依照文教部长常设会议的协议及各州信息化教育理念修订各州的教育教学规划；建议将信息化教育纳入中小学的内外部评价指标和国家教育统计报告。（2）在师资培训方面，建议文教部长常设会议完善相关教师培训标准，将信息化教学法纳入各州师范教育的必修专业和必考科目；同时明确要求各科

① Initiative D21. Über Uns，Vorstellung des Vereins[EB/OL]. [2016-12-02]. http://www.initiatived21.de/ueber/.

课堂教学应用信息化手段；对信息化教学法的大学专业师资和研究中心给予人事、技术和财政方面的支持；实习必须包括系统地信息化教学法训练；教师有义务在职业继续教育中有计划地巩固自身的信息化能力，并训练在课堂教学实践中应用具有教学法意义的信息化手段。（3）在技术设施方面，建议各州应对不同学校类型、企业类型的技术设备持中立态度，在教学实践中寻找完善标准化的模式，以便发挥采购和技术企业中的规模和效率优势；为了实现在课堂中自觉地、充分地运用信息化设备，中小学应建立足够的、配备笔记本电脑和平板电脑的移动教室；整个中小学信息化网络的管理和维护都应该专业化；州和学校方面应为标准化服务理念、创造能力、网络接入、无线网络和完备的技术支持提供基础；中心教学平台和具有应用价值的媒体端口是最终的、必不可少的基础设施，这种具有用户亲善性、受法律保护的平台，可提供高质量数字化内容供师生们使用。（4）在信息化内容的融合和信息化能力方面，中小学及其领导必须把信息化学习理念的发展和持续升级作为中小学发展的一部分来理解，学校的全体同仁及学生家长也必须认识到这一点；教师和实习教师应当能够获得良好的信息化建议并有内部导师。导师将对他们给予日常信息化训练、教学法协助和数字化教学内容指导；中小学应建立标准化的、受保护的终端设备；儿童媒体环境深受家庭影响，因此家长应尽可能参与儿童的信息化教育。①

建议指出，将信息化手段融入教学，需要系统性谋划，除了找到教学对象的特点和明确的教学目标外，特殊的教学法和教学手段也必须考虑。最好的形式是报告展示。媒体种类的选择则取决于教学内容的特点。除课堂教学外，信息化手段在学生自学中也可以发挥巨大作用。一系列课外学习项目，如汉堡在线书籍工程等，都可以使学生的学习进一步实现个性化。②

除了综合性、全国性信息化治理共同体外，在德国教育领域还有许多专

---

① WETTERICH F. Medienbildung an Deutschen Schulen，Handlungsempfehlungen für die digitale Gesellschaft［M］. Berlin：atene KOM GmbH，2014，S.8–10.

② WETTERICH F. Medienbildung an Deutschen Schulen，Handlungsempfehlungen für die digitale Gesellschaft［M］. Berlin：atene KOM GmbH，2014，S.36.

业性、地域性的信息化治理共同体。这些共同体虽然规模较小，但由于它们具有很强的针对性和灵活性，其作用也不容忽视。

专业性的治理共同体往往是以某个网络平台或数据库为核心，通过各种线上、线下的项目和活动参与推动德国教育信息化。以德国高等教育信息化领域著名的科学大都会数据库为例，该平台是由联邦教研部、联邦外交部、各州文教部和德意志学术交流中心等研究机构联合建立，其目标是通过信息技术推动高等教育的数字化和网络化，实现高等教育资源的交流和共享。数据库收录了德国高等教育国际化发展的历史数据，全面展现了学生和学者的国际流动情况。[①]科学大都会2016年度报告由德意志学术交流中心和德国高校科研中心有限公司组织专家撰写，并在联邦政府的监督下出版。报告在分别搜集学生和学者国际交流数据的基础上，对2015—2016年度高等教育的国际化状况进行全面总结，并向政府提出了相关政策建议。任何组织和个人都可以自由地获得这些研究数据。

地域性的信息化教育治理共同体则往往以某个州或地方为单位，集合各类机构的力量对教育信息化展开治理。如巴登－符腾堡的“州信息化教育战略工作组”，就是由州政府召集各部门专家共同组成的。

## 二、德国信息化教育治理的具体推进措施

在不同业务领域，信息化教育治理的具体推进措施呈现出不同特点。在财务治理中，虽然联邦和各州都为信息化教育的经费投入编制了计划，但学校目前仍是此项经费最重要的承担者；在人事治理中，各州教育主管部门及文教部长常设会议所制定的政策对信息化师资的培养起到了重要的规范和促进作用；而在质量治理中，各级各类学校和第三方评估机构则根据国家的要求和建议采取了一系列措施保障信息化学习的质量。

### （一）财务治理的具体推进措施——以经费分担与投入政策为例

在联邦制下，德国信息化教育的财政经费主要由各州政府承担，联邦

① BURKHART S. Wissenschaft Weltoffen 2016 [M]. Postfach：W. Bertelsmann Verlag GmbH & Co. KG，2016，S. 3.

和地方政府投入比较有限。而且，由于信息化教育治理起步不久，国家的经费保障机制并不完善，所以很多时候还需要学校自行筹措信息化教育所需的经费。

在社会组织的要求下，各州陆续颁布了信息化教育发展的计划。随着信息社会的不断发展，许多社会组织纷纷建言，要求国家加大对信息化教育的财政支持。如2014年的《德国中小学信息化教育建议》中就明确建议国家加大对信息化教育的资助，[①]如支持高校信息化教学法教席和媒体中心等。经过反复斟酌之后，一些州陆续开始编制信息化教育发展战略，并编制了州层面的信息化基础设施投入计划。柏林州自2005年起制订了针对中小学的信息化教育大师计划，对中小学信息化教育发展给予资助。[②]下萨克森州制定了《下萨克森媒体能力——2020年时间表》，计划从2016—2020年，每年分别从中小学及幼儿园教育、家庭与青年教育、阅读教育、文化教育、高校与成人教育和州总理府专项资金等六个领域投资发展信息化，总支出经费达8 017 005.86欧元。[③]此外，各州《州际广播条约》也对信息化教育提供了资金支持。因为各州依据该条约所收取的费用本就是用来发展信息媒体基础设施的，因此这笔费用中自然也就包含了可用于中小学建设信息化教育设施的资金。在图林根州，学校可以通过申请州政府的EFRE-Mitteln项目最高获得87.5%的信息化经费支持。与此同时，联邦和地方在信息化教育的投入方面也提出了各自的计划。

联邦教研部1996—2002年实施的“中小学联网计划”，让所有中小学都免费接入了互联网。[④]2006年之后，联邦不再参与中小学投资，但它在高等

① WETTERICH F. Medienbildung an Deutschen Schulen，Handlungsempfehlungen für die digitale Gesellschaft［M］. Berlin：atene KOM GmbH，2014，S.63.

② Bündnis 90/Die Grüne.Kleine Anfrage：Organisation und Finanzierung der Medienbildung in Berlin ［EB/OL］.［2016-12-02］. http://www.gruene-fraktion-berlin.de/artikel/kleine-anfrage-organisation-und.

③ Medienkompetenz-Niedersachsen. Finanzierung_Konzept［EB/OL］.（2016-06-24）［2016-12-02］. http://www.medienkompetenz-niedersachsen.de/fileadmin/bilder/allg/Anlage_3_Finanzierung_Konzept_Meko_Nds_2016_06_24.pdf.

④ Schulen ans Netz［EB/OL］.［2016-12-02］. https://de.wikipedia.org/wiki/Schulen_ans_Netz.

教育信息化方面仍然发挥着一定的作用。如联邦与州签订的《2020年高校合约》，决定加大对高校信息学相关专业的投资，增加这些专业的招生名额并降低辍学率。此外，很多地方政府也试图构建多点的“云教育”网。但地方因财力有限，这一构想的推行十分缓慢。

应该看到的是，目前德国财政对信息化教育的保障还很不到位，很多情况下还是要由学校自身来负担这笔额外投资的。所有设施归学校所有，其好处是便于控制且不增加学生及家长的负担，缺点是加重了学校的负担且学生离校后就无法再继续使用。因此，有些学校开始尝试只提供辅助设施，让学生自带媒体设备来上课。在这种情况下，学生或家长实际就已经成为学校信息化教育的资助者。

**（二）人事治理的具体推进措施——以信息化师资培养政策为例**

德国教师的信息化培训标准由联邦和各州共同制定，培训单位则根据国家要求编制和实施具体的培养方案。不过，目前德国对教师的信息化教育能力并无统一的硬性要求，信息化师资培训机制也尚需进一步完善。

首先，21世纪初，德国联邦教研部为了实现中小学信息化教育三步走计划，开始对中小学教师实施信息化扫盲计划，内容既包括使用操作系统、浏览网页、收发电子邮件等最基本的操作，也包括搜索有用教学信息、制作课件等与信息化教学密切相关的技能。对在职教师实行脱产培训，并将信息化教学能力作为新聘任教师的基本条件之一。虽然联邦后来基本不再参与中小学的治理，但它所提出的目标还是为后来信息化师资培养标准的完善起到了重要的推动作用。

其次，各州文教部长常设会议为教师的信息化培训制定了一系列标准。2004年，各州文教部长常设会议发布了教师培训的信息化能力标准。要求师范生了解信息化教育学和信息化心理学的一般概念，并知道信息化手段在教学实践中的作用和局限。在教学实习阶段，实习教师必须能够将现代信息化手段融入课堂教学。师范生应自主提高自身的信息化教学能力。文件还以学校组织，教学规划、实践与评价，学生成绩评定，在学校及教学发展的框架下与同事展开合作等四个领域为例，详细规定了在不同阶段师范生应达到的各级标准。[①]2012年，各州文教部长常设会议发布《德国中小学信息化教育建议》，再次对教师的信息化教学能力给出明确指示："教师必须拥有使用媒体及媒体技术的能力并将此作为手段应用于教学。同时他们要将青少年儿童的媒体经历作为一个议题来对待，要分析媒体设施并对此进行广泛的思考，要支持基于信息化的创造性进程并就媒体对学生的影响发表意见。"决议要求将信息化教育能力作为教育科学及师范生培训的必备技能固定下来，并将其列入国家教师资格考试。同时，在教师继续教育中也必须加入信息化教育的内容。[②]

最后，各州和培训机构对教师信息化培训标准的落实工作也在加快进行。在联邦教研部和各州文教部长常设会议的努力下，一些州已经开始将信息化教育能力列为师资培训的必备内容。各大学也陆续将信息化教育作为重要选修课列入相关专业的学习和考试当中。许多州的教师培训部门也都提供了信息化教育培训课程。如汉堡州立教师培训与学校发展研究所将提供为期一年的信息化管理资格培训课程。[③]

经过长期的坚持，德国中小学教师的信息化应用能力已经有了明显的提高，这在年轻教师中表现得尤为突出。但年长的教师们在信息化教学方面的能力仍有很大的缺陷。为此，D21动议建议各州进一步采取措施，提高教师的信息化应用能力。

---

① Kultusministerkonferenz. Standards für die Lehrerbildung：Bericht der Arbeitsgruppe[EB/OL].（2004-12-16）[2016-12-03]. http://www.kmk.org/fileadmin/Dateien/veroeffentlichungen_be-schluesse/2004/2004_12_16-Standards_Lehrerbildung-Bericht_der_AG.pdf.

② Kultusministerkonferenz. Medienbildung in der Schule [EB/OL].（2012-03-08）[2016-12-03].http://www.kmk.org/fileadmin/Dateien/veroeffentlichungen_beschluesse/2012/2012_03_08_Me- dienbildung.pdf，S.7.

③ WETTERICH F. Medienbildung an Deutschen Schulen，Handlungsempfehlungen für die digitale Gesellschaft [M]. Berlin：atene KOM GmbH，2014，S.46.

表 7-3 德国中小学教师对互联网和计算机应用能力的自我评价（2013，单位：%）①

| 年龄 | 非常好 | 好 | 一般 | 较差，完全不会 |
|---|---|---|---|---|
| 35 岁以下 | 26 | 64 | 10 | 0 |
| 35~44 岁 | 13 | 71 | 16 | 0 |
| 45~54 岁 | 10 | 60 | 27 | 3 |
| 55 岁以上 | 8 | 55 | 33 | 4 |
| 总体状况 | 13 | 61 | 24 | 2 |

### （三）质量治理的具体推进措施——以信息化学习的质量保障政策为例

信息化学习，又称数字化学习、媒体学习或网络学习，是信息化教育的核心内容。借助信息技术手段，实现教、学过程的信息化，是信息化教育的基本目标之一。在德国政府的大力引导下，中小学和高校纷纷自主发展本校的信息化学习系统，各专业机构也为信息化学习建立了完善的认证体系和质量评价标准。

首先，国家为中小学信息化学习设立发展目标，各校根据国家目标开展信息化教学。

德国联邦教研部21世纪初编制的“信息技术行动计划”，要求所有中小学生都能使用网络进行自主学习。目前，从硬件装备来看，这一计划已基本实现。根据2014年的统计，德国中小学生可以做到平均人手一个数字化设备。②由于不少中小学的数字化学习设备都由学校承担，难以满足需求，因此，政府又提出自带设备计划，鼓励学生带自己的终端设备参与数字化学习。支持这项计划的人认为，这样做不仅可以减轻学校的财政负担，还可以促使学生爱惜设备。反对者则认为这一计划会加重家长尤其是中低收入家庭

① WETTERICH F. Medienbildung an Deutschen Schulen，Handlungsempfehlungen für die digitale Gesellschaft [M]. Berlin：atene KOM GmbH，2014，S.22

② WETTERICH F. Medienbildung an Deutschen Schulen，Handlungsempfehlungen für die digitale Gesellschaft [M]. Berlin：atene KOM GmbH，2014，S.25

的负担，而且教师面对五花八门的数字终端时将更难以有效地应用信息化教学技术。于是，一些学校开始采取折中的办法，一方面为家长提供的学习设备制定统一的软硬件标准，另一方面则对中低收入家庭提供一定的资助。教师反对依赖技术。为了节省成本，他们还大量使用开放式教育资源进行教学，传统教材出版单位也相应地出版了电子版教材，有的还配置以网络端口供学生及教师无偿使用。有三分之二的教师表示，他们有足够的素材进行信息化教学，但需要其花费大量精力来甄别和修正。在教师支持信息化教育的理由中，居于首位的是“补充教学内容”。以下依次为“学生有动力”“更好地展示教学内容”“很高兴在教学中使用计算机”“了解学生个性”“要求学生展开协作”“学生学习精力更加集中”“学生学得更快”“增加教学时间”“教学过程变得更愉快”等。[①]

其次，在国家战略的引导下，高校也高度重视信息化学习的发展，并将其作为学校发展的主要战略目标之一。

21世纪初，在联邦教研部“信息化学习服务科学”等计划的推动下，德国高校的信息化学习逐步完成了从单纯平台搭建阶段到全面战略规划阶段的过渡。德国媒体学会在2006年年会上打出了“信息化学习——需要常态化的创新”的主题，首次将信息化学习列入高校常规发展战略。各高校则纷纷建立信息化学习中心，在日常教学中大力推广信息化教学。例如，慕尼黑工业大学在2004年提出了如下信息化学习的目标：将发展信息化学习作为学校的长期基本战略；保证与信息技术的融合；根据未来教育市场的需求定位学校。为了实现这些目标，慕尼黑工业大学先后提出了“电子慕尼黑工大”和“复合慕尼黑工大”两个项目，实践信息化学习的理念。2008年年底，慕尼黑工大校务领导会议设立信息化学习专业委员会，对学校的信息化学习状况展开评估并提出改进建议。之后，学校转变信息化学习发展策略，要求将信息技术作为推动教学法革新的重要工具。[②]目前，慕尼黑工大信息化学习

---

① WETTERICH F. Medienbildung an Deutschen Schulen，Handlungsempfehlungen für die digitale Gesellschaft［M］. Berlin：atene KOM GmbH，2014，S37

② BODE A. Informationsmanagement in Hochschulen［M］. Berlin：Springer-Verlag，2010，S. 271.

的行政管理和技术咨询工作主要是由学校信息技术中心下辖的媒体中心负责的。在媒体中心的指导下，学校师生利用平台实现在线学习。据汉堡多媒体监控公司和高校信息系统公司在2008年所进行的调查，熟悉学校信息设备的德国大学生从2004年的24%上升至2008年的35%，使用多媒体辅助学习的则从2004年的68%上升至2008年的93%。①

最后，国家和第三方专业机构还为信息化学习逐步建立了外部评估机制。

外部评估范围包括技术工具、多媒体素材、教学法、管理与组织及考试机制等。数字化学习比其他的学习手段更加能够实现教学过程的个性化，所以其评估体制就更加注重对学习者或应用者的调查。虽然能确定评价标准和指标的大致框架，但信息化学习最终还是由学习者本身来实现的。除了通过各种渠道对信息化学习状况展开调查，如大学信息化学习在线调查系统MeinProf.de及多种针对中小学的问卷调查之外，德国目前完善信息化学习评价机制的措施主要包括：

其一，引入了标准化认证程序。博洛尼亚进程的改革目标之一，就是为欧洲高等教育治理设立统一的评价目标。2007年，德国高等教育领域的认证委员会（参见第五章）成立了一个专门为信息化学习提供建议的工作小组。该小组的最终报告认为，信息化远程教育的发展水平应被视为认证的重要参考之一。具体评价标准应包括：是否将教学材料放置到虚拟教学空间，并通过师生活动形成所谓的“虚拟化学习专业”；信息化课程设置是否符合教育目标，是否是必备的补充手段；远程学习材料是否丰富及可获得性如何；以及技术设备、考试系统、使用时间和学生积极性如何等。②

其二，国家和专业机构对基础设施的运行质量进行评估。信息基础设施的稳定性和实用性是保证信息化学习质量的关键之一。因此，专业评估被广泛地应用在信息化学习设施的规划及使用方面。例如，在联邦教研部主持下，德国多家大学和科研机构联合开发的“安全系统中的多媒体应用指

① BODE A. Informationsmanagement in Hochschulen [M]. Berlin：Springer-Verlag，2010，S. 265.

② Akkreditierungsrat. Abschlussbericht der AG Fernstudium und E-Learning an den Akkreditierungsrat [EB/OL]. (2007-06-18) [2012-12-05]. http://www.akkreditierungsrat.de/fileadmin/Seiteninhalte/AR/Beschluesse/AR_Handreichung_E-Learning.pdf.

导”，就是一个可以对信息化教学平台展开评估的系统。①

其三，专业机构还为信息化教育设立了统一的技术评价标准。德国标准化研究所2004年2月制定的“公共应用标准”1032-1/2标准是德国信息化教育中比较重要的标准。该标准所设定的指标涵盖了信息化学习的所有环节，包括质量管理和质量保证模型，如教育进程和建议的规划、发展、执行和评价；如教学目标模型，教学素材的模块化与说明等。该标准为信息化学习发展周期的各个环节做出了参考模型，从而使中心教育进程得以顺利完成。②为了更好地执行该标准，德国标准化研究所在2009年出台了更为细化的标准。除上述标准外，德国信息化学习方面的评价标准还包括ISO 19796-1/3、ISO 9241、PAS 1068等。③

---

① MMiSS-MultiMedia Instruction in Safe Systems. Evaluation [EB/OL]. [2016-12-02]. http://www.mmiss.de/evaluation_e.htm.

② Deutschen Institut für Normung e.V.. PAS 1032-1，-2：2004（D）[S/OL].（2004-02-01）[2016-12-02]. http://www.din.de/de/wdc-beuth：din21：73926745/toc-9571834/download.

③ E-teaching.org.Qualität im E-Learning [EB/OL]. [2016-12-02]. https://www.e-teaching.org/projekt/nachhaltigkeit/qualitaet.

# 第八章　德国移民教育治理

移民教育是指针对外来移民所进行的教育。从受教育的对象来看，它包括针对客籍劳工、留学生及其子女的教育，针对具有移民背景的德国公民及其子女的教育，以及针对难民的教育等。从教育内容来看，它又可以分为移民融入教育、移民职业教育，以及在德国普通学校体系内进行的跨文化教育。[①]在长期的实践中，德国努力构建出了一套适合本国国情的移民教育治理体系。

## 第一节　文化多元主义移民教育治理的启动

自20世纪80年代以来，尤其是21世纪之后，随着大量移民的涌入，德国出现了严重的移民融入问题和排外问题。为了使移民能够顺利地融入德国主流社会，在《基本法》价值观之下实现社会的团结和稳定，德国开始在学校大力推广跨文化教育，并加快移民融入教育和移民职业教育的发展步伐。德国移民教育治理由此开启。

### 一、文化多元主义移民教育治理启动的背景

大量外来移民和难民的涌入使德国面临着严重的社会分裂和族群冲突问题。德国开始借鉴联合国、欧盟和其他西方国家处理移民融入和排外问题的经验，启动了文化多元主义移民教育治理。

---

① 传承移民文化的教育也是移民教育，但限于篇幅，不在本书重点讨论之列。

### （一）国内背景

自20世纪70年代以来，联邦德国的移民融入问题日益严重，这是该国“文化多元主义”移民教育治理得以启动的主要国内背景。2015年，在德国8 200多万人中，共有外国人911万，而具有移民背景的人则有1 700多万，占总人口的五分之一以上。[①]数量庞大的移民使德国成为一个事实上的移民国家。

移民在融入德国主流社会方面存在着严重的障碍，此即所谓的移民“融入问题”。一方面是意识形态上的融入障碍。对来自东欧国家的移民来说，资本主义的生活方式和思维模式是完全陌生的，数十年来形成的政治、经济和文化习惯很难在短期内被根本改变；另一方面是语言文化上的融入障碍。在德国侨居的外国人，以及几乎没有德意志文化痕迹的“返回家园者”，都存在着严重的语言障碍和文化认同障碍；而来自土耳其等发展中国家的移民，则常常因为文化教育水平的低下而无法找到工作和融入主流社会。据统计，外来移民的失业率是德国平均失业率的两倍左右。20世纪90年代中后期，德国470万失业者中有300万是外来人员。与英、法、荷兰等西欧国家相比，德国的移民一体化率是非常低的。[②]

除“融入问题”外，少数德国人极端民族主义和排外主义也是一个严重的问题。从19世纪末期的普鲁士政府到臭名昭著的纳粹政权，德国曾多次对外来移民采取限制、歧视、驱逐乃至清洗的政策。直到20世纪末，德国还一直不承认自己是一个移民国家。统一之后，德国接连发生多起排外事件。2000年的排外暴力犯罪案甚至达到了创纪录的15 651起。[③]极右政党，如德

① Statista-Das Statistik-Portal.Bevölkerung ohne und mit Migrationshintergrund（im engeren Sinn）in Deutschland von 2005 bis 2015（in 1.000）[EB/OL].[2016-12-02]. https://de.statista.com/statistik/daten/studie/75231/umfrage/bevoelkerung-mit-und-ohne-migrationshintergrund-in-deutschland/Statista-Das Statistik-Portal.Anzahl der Ausländer in Deutschland von 1990 bis 2015（in 1.000）[EB/OL].[2016-12-02]. https://de.statista.com/statistik/daten/studie/5062/umfrage/entwicklung-der-auslaendischen-bevoelkerung-in-deutschland/.

② KOOPMANS R. Contested Citizenship，Immigration and Culture Diversity in Europe[M]. London：University of Minisota Press，2005，p.39.

③ 姚宝，过文英.当代德国社会与文化[M].上海：上海外语教育出版社，2002：249.

意志人民联盟等则抓住民众的恐慌性排外情绪，纷纷突破选举门槛，进入州议会。暴力排外事件和极右政党的崛起勾起了世人对法西斯反犹暴行的回忆，严重损害了统一后德国的国家形象。

为了解决日益严重的移民问题，防止排外情绪的蔓延和极右势力的抬头，德国学术界和政界展开了有关移民和外国人政策的大讨论。正是在这场讨论的过程中，德国文化多元主义移民教育治理才开始启动。

### （二）国际背景

随着移民社会文化融合问题的日益突出，联合国、欧盟等国际组织提出了积极的应对措施，这些措施对统一后德国文化多元主义政策的发展起到了重要的指导作用。1982年，联合国教科文组织在墨西哥城召开文化政策大会。针对全球化给文化多样性带来的挑战，大会提出，每种文化都代表一种独一无二的、无可替代的价值观，文化认同应基于各民族的自由选择，而不能使任何一种文化居于独霸地位；所有文化形成了人类共同的文化遗产，文化认同将保护、推动和丰富每个民族的认同感和文化遗产，要建立对少数民族和世界其他文化的无条件的尊重；任何民族都有权利和义务去保卫和保存它的文化遗产，包括文艺作品、建筑、科学等。[①]1996年，联合国世界文化与发展委员会发表了题为《我们创造性的多样性》的报告，试图用容忍和互相尊重来维持不同文化间的和平相处。“在少数民族文化权利方面，委员会认为少数族群的成员应该和多数族群的成员拥有平等的人权。”[②]这份报告专辟一章讨论文化政策，指出以创建民族国家为目标的文化政策日益受到挑战，文化政策概念需要扩展。[③]这些思想对欧洲文化政策产生了重要影响。

欧盟文化政策的目标中也强调保护欧洲各国共同的文化遗产，提高共同社会归属感，承认和尊重文化、民族国家和地区的多样性，促进各种文化的

---

① UNESCO. Mexico City Declaration on Cultural Policies，World Conference on Cultural Policies，26 July–6 August［EB/OL］.（1982–08–06）［2016–12–03］. http://portal.unesco.org/culture/en/files/12762/11295421661mexico_en.pdf/mexico_en.pdf.

② UNESCO. Our Creative Diversity，The Report of the World Commission on Culture and Development［M］.Paris：UNESCO Publishing，1996，pp.19–20.

③ UNESCO. Our Creative Diversity，The Report of the World Commission on Culture and Development［M］.Paris：UNESCO Publishing，1996，pp.40–42.

发展和传播。[①]该目标集中体现在欧盟所推崇的、以“多样性中的一致性”为特点的“欧洲文化模式”。欧盟采取了一系列措施贯彻上述文化政策目标，以求建立共同的欧洲文化区，促进来自不同文化圈的欧洲居民参与欧洲一体化进程。其一，欧盟教育文化总体指导委员会和文化部长理事会推出了一系列文化项目，如鼓励不同城市、乡镇结成友好关系的“欧盟兄弟城镇计划”项目等。其二，欧盟还实施了一系列人才交流项目，如苏格拉底计划、伊拉斯谟计划、青年项目资助计划等，鼓励世界各国的人员往来，促进不同文化之间的学习和融合。其三，欧盟长期鼓励欧洲各国人民掌握两门外语，同时通过资助翻译和语言培训来保存方言和少数民族语言，积极保护欧洲文化的多样性。其四，运用电子信息技术，促进文化传播。

外来移民问题不仅困扰着德国，也困扰着其他欧美发达国家。西方各国的移民文化整合政策大体归结为三种：一是多元文化主义模式。此模式最早由瑞士提出，以加拿大、澳大利亚、荷兰、瑞典等国为典型代表。“从政治学意义上看，它作为一项政策是政府为谋求民族、宗教或语言方面的少数族群对公共领域的参与而设计的处理民族、文化多样性问题的一系列方针、原则和措施。”[②]与多元文化主义模式相反的则是以法国为代表的共和模式，它要求外来移民放弃本民族的文化习惯、生活方式，融入本国主流社会，接受本国的文化认同和价值观。在多元文化主义模式和共和模式之间，还存在一种以英国为代表的中间模式。外来移民在英国比在法国拥有更多的在公共场合保留自己文化传统的权利，但与此同时，并不是来自每一种族群和宗教信仰的移民都可以像在荷兰那样获得文化支持，从而大大降低了产生“文化鸿沟和社会碎片化”的危险。[③]随着20世纪七八十年代石油危机的开始，尤其是2001年“9·11”事件之后，西方国家移民政策普遍出现了收紧的趋势。2006年出台的荷兰新移民法案规定，除欧盟成员国、美国、澳

---

① European Commission. A Community of Cultures：The European Union and the Arts [M]. Luxembourg：Office for Official Publications of the European Communities，2002，p.3.

② 杨洪贵.澳大利亚多元文化主义研究[M]. 成都：西南交通大学出版社，2007：49-51.

③ KOOPMANS R. Contested Citizenship，Immigration and Culture Diversity in Europe [M]. London：University of Minisota Press，2005，pp.142-145.

大利亚等国家以外，来自其他大部分国家的移民申请者必须通过以语言和文化为主的综合考试。英国政府在2002年出台加强移民控制的白皮书，并引入了严格的入籍课程和入籍仪式。

## 二、文化多元主义移民教育治理的启动

面对日益严峻的移民问题，拥有多样性文化政策传统的德国，在吸收其他西方移民国家文化整合政策的基础上，根据联合国教科文组织和欧盟移民、教育和文化政策要求，结合本国实际，逐渐形成了文化多元主义移民教育治理模式。

### （一）文化多元主义移民治理思想的形成

为了应对移民社会的文化整合问题，德国首先形成了以“和而不同、和谐为本”为主要特征的文化多元主义价值观，这是文化多元主义移民教育治理在德国启动的重要思想基础。所谓“和而不同、和谐为本”，就是一方面，尊重少数族裔的语言、文化和宗教，促进多元化文化之间的交流与融合；另一方面，要求所有外来移民必须融入德国社会，必须学习德语和接受德国社会的主流价值观。文化多元主义的本质是要在保持德国文化多元性和统一性之间寻求平衡，使具有不同文化背景的人在德国和谐相处。相对多元文化主义模式和同化模式来说，这一价值观可以更好地避免移民社会中所出现的文化碎裂和文化冲突问题，实现全社会的文化整合。

德国哲学家沃尔夫冈·韦尔施认为，当今世界各种文化之间的界限已变得模糊，因此不能再以原来界定某某文化的标准来定义文化，各种文化由于其具有部分的相通性而可以整合为一种“融合式文化”。这种“融合式文化”既能保护文化的多样性，又可以更好地促进文化间的整合。根据这一理论，他对多元文化思想进行了批评：“多元文化主义认为社会内部各个文化是封闭的和孤立的，并由此而进一步将这些文化看作是彼此隔绝的。”①法兰克福学派领军人物于尔根·哈贝马斯提出了著名的“宪法爱国主义”，

---

① Wolfgang Welsch. Was ist eigentlich Transkulturalität?[M/OL]// Lucyna Darowska. Hochschule als transkultureller Raum? Kultur，Bildung und Differenz in der Universität：39−66.[2016−12−03]. http://www2.uni−jena.de/welsch/papers/W_Welsch_Was_ist_Transkulturalit%C3%A4t.pdf，S.7.

试图以一种道义上更具包容性和普世性的宪法爱国主义理念来替代建立在狭隘、排他的民族性基础上的种族爱国主义理念，并把它变成公民认同的新形式和维系社会一体化的精神力量。[①]宪法爱国主义为其他学者构筑德国移民社会共同价值基础提供了理论依据。基尔大学政治学教授蒂娜·施泰因认为，“哈贝马斯从宪法的视角考虑深度整合要求……在哈贝马斯的理论中，统一的身份认同可以被政治共同体的法律框架所构建，因此他对德国多元文化社会和跨国整合的前途均持谨慎乐观的态度。”[②]在她看来，“宪法爱国主义”、主流文化和多元文化主义不是互相排斥、对立的概念，“宪法爱国主义”可以成为德国多元文化社会的主流文化。“这样的主流文化，不是以主流群体所固有的文化为基础，而是要在宪法中承认人权，从而为多元文化社会正确地解决问题提供框架。”蒂娜·施泰因认为，在这一模式下，一方面，新来的移民必须接受移民接纳国的准则和宪法。另一方面，移民接纳国也必须接受外来移民宗教、文化的相异性，并为移民融入提供便利。埃格伯特·雅恩也认为应该将宪法价值观作为德国移民社会的共同价值基础。但他却反对将其作为德国的主流文化，“德国在种族和文化上应该首先是德意志的”，否则会引起主流群体的不满和反对。在总结了各种对多元文化主义的批判之后，他明确表示，应该将宪法爱国主义作为超越种族和文化的社会共同价值观。“这种民族意识不应该是种族的，而应该是公民的；它必须是德国公民而不是德国种族的利益和要求，当然也不应该是基督教的或非宗教的。”[③]

“9·11”事件之后，德国官方也对多元文化社会的文化整合及共同价值观构建问题给予了高度关注。联邦议院和政府制定了一系列法律和政策，如2005年《移民法》、2007年《国家融入计划》、2010年《联邦境内融入方案：

---

① 哈贝马斯 J.. 包容他者[M]. 曹卫东，译.上海：上海人民出版社，2002：125-180.

② STEIN T. Gibt Es Eine Multikulturelle Leitkultur Als Verfassungspatriotismus? Zur Integrationsdebatte in Deutschland [J]. Leviathan，2008，Volume 36，Number 1:50.

③ JAHN E. „Multikulturalismus “oder „deutsche Leitkultur “ als Maximen der „Integration “von Ausländern[EB/OL].（2014-11-17）[2016-12-03]. http://www.fb03.uni-frankfurt.de/53242966/ZSFraMoV35-NET-Leitkultur-05.pdf：14.

推动德国融合的措施》等，要求移民接受以《基本法》价值观为核心的主流文化，在文化上融入德国主流社会。德国总理安吉拉·默克尔在《国家融入计划》的前言中明确指出："共同融合是不可避免的，这必须包括承认由宪法所保卫的德国立法制度和各种价值观。那些想在我国成为永久居民的人必须掌握足够的德语……通过我们社会内部的包容和开放性思维，我们的社会将变得更富有、更人性化。"①随着部分移民与西方国家关系的日趋紧张，联邦政府越来越倾向于否定多元文化主义。2010年10月，默克尔在波茨坦发表的一场演说中明确表示，在德国构建多元文化社会是"彻底失败"了，德国依然欢迎移民，但穆斯林移民也必须同时做出努力融入德国社会，学习德语。②

### （二）文化多元主义移民教育治理的启动

移民教育问题在德国由来已久。移民融入问题和种族主义、新纳粹主义问题的解决，离不开相关教育政策的支撑。

20世纪60年代之前，联邦德国对外国劳工子女采取的是一种同化教育政策。即通过开设外语补习班、配备专门对外教学老师等措施来使其顺利进入德国学校学习，以便将来能够在德国获得经济自立。从20世纪70年代到德国统一后，随着全球范围内多元文化教育的兴起和移民问题的政治化，德国移民教育政策开始逐步从同化主义向多元文化主义转变。1992年，联合国教科文组织发布《教育对文化发展的贡献》建议书，关注跨文化教育问题并试图推动各国跨文化教育的发展，并对"跨文化性"做了初步的说明。③在国外跨文化教育思想的影响下，1996年，德国各州文教部长常设会议公布《关于中小学跨文化教育的建议》，终于将跨文化主义纳入了一般教育政策。根据各种跨文化教育的理念，从"跨文化教育的出发点""跨文化教育

① Press–und Informationsamt der Bundesregierung. Der Nationale Integrationsplan，Neue Weg–Neue Chancen［M］. Berlin：MEDIA CONSULTA Deutschland GmbH，2007，S.7.

② Alan Hall. Multiculturalism in Germany has "utterly failed" . Claims Chancellor Angela Merkel［J/OL］.MailOnline.（2010–10–18）［2016–12–02］. http://www.dailymail.co.uk/news/article–1321277/Angela–Merkel–Multiculturalism–Germany–utterly–failed.html.

③ 赵中建. 全球教育发展的历史轨迹：国际教育大会60年建议书［M］.北京：教育科学出版社，1999.

的目标”“跨文化教育的实践”“今后发展的建议”这四个方面，概括了“跨文化教育”的外延和内涵。

“9·11”事件之后，包括德国在内的西方国家加强了移民教育中的“强制性文化融入”。[①]经过十几年的努力，跨文化教育已经广泛渗透到德国社会的各个角落，尤其是在各级教育机构中。“跨文化教育从超越差异的外国人教育发展而来，到今天已经成为所有中小学中开放的、对学习具有决定性意义的教学领域。”[②]强调移民文化融入，要求移民适应德国文化，以《基本法》的价值观重新构建国家共同文化基础的表现，并不一定就是要移民放弃母国文化，也并不意味着同化主义教育的再次出现。当然，随着文化多元主义价值观的兴起，这一时期德国移民教育的重心确实出现了向融入教育转移的趋势。

在文化多元主义价值观的影响下，当今德国移民教育治理呈现出“和而不同、一体多元”的特点。

一方面，要求尊重和保护移民文化，反对种族主义，促进跨文化交流与对话。在多元化的移民社会中，德国不仅允许和鼓励移民学习自己母国的语言和文化，还积极促进跨文化交流与对话，并和向来受到重视的反种族主义教育结合起来。如德国著名跨文化教育专家沃尔夫冈·尼克提出的“十大跨文化教育目标”中有“避免自我种族中心主义、陌生环境的体验、以宽容为基础、认同少数族群、反种族主义和警惕人种主义的危险、在主流和非主流间搭建桥梁、克服文化差异”等。格奥尔格·奥尔恩海默尔提出的四大跨文化教育目标中有“不论出身的公平性、跨文化理解、跨文化对话”等。1996年《关于中小学跨文化教育的建议》也明确要求“认识异文化的社会性及其与生活的关联性、掌握异文化知识……尊重他人的不同特点、反省自身立场、发展对他人立场的理解”等。围绕着“自然空间、经济、社会、民生等

① NIEKE W. Interkulturelle Erziehung und Bildung：Wertorientierungen im Alltag [M]. Wiesbaden：VS Verlag für Sozialwissenschaften，2008，S.21.

② Katrin Hauenschild. Transkulturalität–eine Herausforderung für Schule und Lehrerbildung[EB/OL].（2005–10–01）[2016–12–03]. http://www.widerstreit–sachunterricht.de/ebeneI/didaktiker/hauen/transkult.pdf，S.3.

方面不平等的背景及后果，现代及过去移民拥戴的原因和影响，国际社会所做出的努力，多元文化社会中少数族群及其共生的可能”等四大主题，建议将反种族主义教育作为基础学校教育的重点。联邦政治教育中心将跨文化对话与包容作为民主政治教育的主要内容之一。“联邦政治教育中心与许多政党一起……发动并促进来自不同母国的人——尤其是与非德裔青少年之间的对话。”在反种族主义教育方面，联邦政治教育中心不仅密切关注保护外来移民的反极右主义、反新纳粹主义教育，还大力在移民中开展反伊斯兰激进组织教育，甚至深入监狱，对激进组织成员进行跨文化宽容教育，帮助他们“跨越意识形态上的鸿沟”。

另一方面，德国还特别重视移民融入教育，这也是统一后德国社会能否成功实现文化整合的关键。德国的移民教育理念特别强调构建社会共同价值观、实现社会文化整合的重要性，这使它又区别于一般意义上的跨文化教育。哲学家韦尔施从文化学的角度主张用融合式跨文化代替交互式跨文化。因为在他看来，交互式跨文化理念仍然拘泥于传统的文化分类观念，它虽然强调了各文化之间的互动，但却忽略了文化之间的整合。只有融合式跨文化理念才能为德国乃至全世界的多元文化整合发展提供正确方向。他的这一理论受到德国部分跨文化教育专家的热捧。其中卡廷·豪恩席尔德就认为，多元文化和交互式跨文化都已经不再适合社会发展需要，德国跨文化教育应实现从“交互式”到“融合式”的转变。

德国官方主张以《基本法》为核心构建移民社会的共同价值观基础，要求移民及其子女通过学习德语和德国文化接受这一共同价值观，融入德国社会。为了实现这一目标，德国官方在移民教育治理方面采取了一系列推动政策。首先，1996年文教部长常设会议在《关于中小学跨文化教育的建议》的“目标”部分明确指出，跨文化教育应该将“人权的普遍正当性及其文化条件问题”作为教学重点之一；其次，联邦议院在2005年通过的《移民法》中专门设立了移民融入课程，并将学习这一课程当作德国外来移民应尽的义务之一；最后，联邦政府先后在《国家融入计划》和《联邦境内融入方案》中编制了详细的移民融入课程方案，试图在不伤害移民宗教感情的前提下，通过移民教育治理来解决由于宗教信仰、风俗习惯和道德原则差异所带来的社会紧张等问题，促进社会文化整合。下面将以移民融入（语言）教育、移民职业教育和中小学跨文化教育等为重点，详细阐释德国文化多元主义移民教育治理的结构和运行过程。

## 第二节 移民教育治理的结构

在德国，移民融入教育、移民职业教育和学校跨文化教育的治理结构各不相同。移民融入教育是由联邦移民与难民署在各州和社会组织的配合下完成的；移民职业教育，则是由联邦教研部牵头，其他联邦各部、各州、地方同业协会和企业协作实现；而跨文化教育，则主要是由各州教育主管部门编制方案，由各级各类学校来执行的。

### 一、移民教育的国家治理结构

在国家治理结构中，联邦主要负责移民融入教育的立法、资助和管理，以及移民职业教育的推动。各州除配合联邦实施移民融入教育和职业教育外，还主要负责跨文化教育政策的制定和监督。

#### （一）联邦一级治理机构及职能

联邦议院负责制定与移民教育相关的法律。联邦政府则根据法律编制具体实施方案。在联邦国家机关中，以下部门对德国移民教育治理具有重要影响：

其一，联邦移民与难民署。该机构是德国负责移民和难民事务的主管机构。其前身是1953年在纽伦堡建立的联邦外国难民归化局。2005年联邦《移民法》出台后，联邦外国难民归化局更名为联邦移民与难民署，并从联邦内政部独立，成为联邦移民、难民与融入事务专员领导下的独立机构。联邦移民与难民署设有署长、副署长和主任（副主席）各1名，下设7个处，其中第三处（融合与社会整合处）的第二分处（语言教育与移民咨询分处）是移民融入教育的主要负责部门。该分处负责“融入课程控制与质量监督——评价”“语言与政治教育问题”“职业语言能力”“职业资格鉴定”“移民咨询”“财务管理”“合作中心”“融入课程管理与考试”等业务。通过开设和发展移民融入课程，推动德国的社会整合，是联邦移民与难民署的主要职责之一。外来移民德语能力的高低是其能否融入德国主流社会的关键性因素。为此，联邦移民与难民署领衔联邦政府先后制定了一系列政策文件，对2005年联邦《移民法》所规定的以德语课程为中心的移民融入课程进行了评估与完善。[①]目前，联邦移民与难民署开设的系列融入课程包括：普通融入课程、难民融入课程、职业德语培训、青少年儿童德语培训、难民社会定位和德语学习课程等。移民和难民可在全国各地的公立或私立教学点参加融入课程，学习德语和德国文化，了解德国主流价值观。此外，联邦移民与难民署还为特殊目标群体如妇女等开设了专门的课程，为成年移民提供各类咨询服务，并通过多种项目加快移民的融入进程；与联邦劳动局的外国及专业协调中心联合设立热线电话，随时为移民提供有关工作及职业德语学习方面的咨询与帮助。[②]联邦移民与难民署所提供的融入教育为其他部门的移民教育工作提供了语言基础。如联邦教研部在2016年的《职业教育年度报告》中多次强调了该署的融入教育在移民教育中的核心地位。联邦教研部旨在推动移民职业教育治理的“通过职业资格进行融入”计划（IQ）就是和联邦移民与难民署合作推行的。[③]

其二，德国联邦政治教育中心。德国联邦政治教育中心是联邦直属独立机构，其主要职责是推动政治互信，培养民主意识，加强政治合作。[④]联邦政治教育中心不设专门的业务部门，它主要是通过调查、咨询和宣传等方式参与移民教育治理。首先，通过援引联邦统计局的数据全面展现德国移民教

---

① Press–und Informationsamt der Bundesregierung. Der Nationale Integrationsplan，Neue Weg–Neue Chancen [M]. Berlin：MEDIA CONSULTA Deutschland GmbH，2007，S.39.

② Bundesamt für Migration，Flüchtlinge und Integration. Deutsch lernen[EB/OL]. [2016–12–03]. http://www.bamf.de/DE/Willkommen/DeutschLernen/deutschlernen–node.html.

③ Bundesinstitut für Berufsbildung. Datenreport zum Berufsbildungsbericht 2016，Informationen und Analysen zur Entwicklung der beruflichen Bildung [M] Bielefeld：W. Bertelsmann Verlag，2016，S.84–85.

④ Carolin Butterwegge. Bildung und Integration[EB/OL].（2007–05–15）[2016–12–03]. http://www.bpb.de/gesellschaft/migration/dossier–migration/56490/bildung.

育的发展状况，如中小学中移民子女学习和社会融入状况、移民子女的职业培训与资格证书取得状况等；①其次，启动了一系列保护移民文化的跨文化教育工程，如2008年5—8月间的“移民青少年亚文化工程”等。②联邦政治教育中心将跨文化对话与包容作为民主政治教育的主要内容之一。“联邦政治教育中心与许多政党一起……发动并促进来自不同母国的人——尤其是与非德裔青少年之间的对话。”③再次，在反种族主义教育方面，联邦政治教育中心不仅密切关注保护外来移民的反极右主义、反新纳粹主义教育，甚至深入监狱，对激进组织成员进行跨文化宽容教育，帮助他们“跨越意识形态上的鸿沟”。④联邦政治教育中心在各州设立的分中心都是当地移民教育治理的重要机构。

其三，联邦教研部。联邦教研部也十分关注移民子女的教育问题。《2007年德国教育报告》就对移民教育机会均等问题给予了高度的关注。移民在德国各个经济部门，尤其是餐饮业和零售业拥有庞大的就业人群。但由于语言和文化障碍，移民在德国双元制职业教育系统中受益的比例却大大低于没有移民背景的德国人。联邦教研部通过设立教育与移民协调所，提高具有移民背景的青少年对教育和职业培训的兴趣及参与度，使其在双元制职业教育系统中受益。自2013年起，在各类社会参与者的支持下，教育与移民协调所的地方分支机构逐渐形成网络，这些地方分支机构通过为移民及其子女提供咨询和中介服务，成为具有移民背景的青少年获得职业培训的重要媒介。另外，这些地方分支机构还为具有移民背景的父母提供咨询，以便他们更好

---

① Lisa Britz. Bildungssituation von Kindern und Jugendlichen aus Zuwandererfamilien [EB/OL]. (2007-05-16) [2016-12-03]. http://www.bpb.de/gesellschaft/migration/dossier-migration/56491/schule-und-integration.

② Bundeszentrale für politische Bildung. Jahresberieht2008/2009 [M]. Paderborn：M. P. Media-Print Informationstechnologie GmbH，2010，S.28.

③ Bundeszentrale für politische Bildung. Jahresberieht2008/2009 [M]. Paderborn：M. P. Media-Print Informationstechnologie GmbH，2010，S.26.

④ Bundeszentrale für politische Bildung. Jahresberieht2008/2009 [M]. Paderborn：M. P. Media-Print Informationstechnologie GmbH，2010，S.3，37.

地为子女选择接受职业教育的类型和专业。[①]2011年通过的《外国职业资格认定改善法》规定，大多数国外职业资格具有与德国本土职业资格同等的效力。当移民来到德国之后，联邦教研部会依国别承认其中部分的职业资格证书。在2013年第五次德国“融入峰会”的报告中，联邦教研部参与撰写了其中有关教育的部分。2014年底，联邦教研部在第六次融入峰会则专门探讨了与移民职业教育相关的议题。近年来，联邦教研部的职业教育推动计划大都会给予具有移民背景的年轻人特殊支持政策。移民子女中上幼儿园和接受初等教育的人数逐年增加，教育水平也在不断提高。[②]通过与州及地方展开合作，联邦教研部投入约13亿欧元帮助移民和难民尽快获得有效的职业培训；还计划投入约10亿欧元，为移民和难民进入德国大学学习提供咨询、语言准备和专业支持。[③]

除了联邦移民与难民署、联邦政治教育中心、联邦教研部外，许多联邦机构也参与了移民教育治理。如联邦内政部曾与联邦移民与难民署合作出台有关移民融入课程的文件。联邦统计局每年所发布的有关移民教育的数据报告，也为德国移民教育治理的开展提供了重要的信息依据。

### （二）州及地方治理机构及职能

在文化联邦主义模式下，各州也是德国移民教育的主要承担者。州政府的教育主管部门在移民教育治理中扮演着重要的角色。

进入21世纪后，莱茵兰－普尔法茨州要求移民让自己的子女接受德语教育，并为此提供帮助。2015年2月24日，州部长会议通过中小学语言推动计划，设置包括德语课程、母语课程和自由选择语言课程。州教育、科学、继续教育与文化部于2015年9月20日通过《具有移民背景的小学生教学管理规定》，对移民学生的录取、特别语言教学要求、成绩要求与评价、母语教学

---

① Bundesministerium für Bildung und Forschung. KAUSA−Migranten bilden aus [EB/OL]. [2016−12−03]. https://www.bmbf.de/de/kausa−migranten−bilden−aus−1093.html.

② Bundesministerium für Bildung und Forschung. Integration durch Bildung [EB/OL]. [2016−12−03]. https://www.bmbf.de/de/integration−durch−bildung−1092.html.

③ Bundesministerium für Bildung und Forschung. Flüchtlinge durch Bildung integrieren [EB/OL]. [2016−12−03]. https://www.bmbf.de/de/fluechtlinge−durch−bildung−integrieren.html.

等做出了详细的规定。[①]这一法律，对该州教育、科学、继续教育与文化部之前颁布的一系列有关移民子女教育的文件进行了综合，包括2006年的《对外德语教学大纲》、2012年的《母语课程教学大纲》、2011年的《关于为提高移民参与度实行教学补充措施的指示》等。为了进一步加快提高移民学生的德语能力，该部还提出了语言强化教学方案，对拥有不同德语水平的学生进行有针对性的特别培训。[②]在学校放假期间还提供免费德语课程。

除教育主管部门外，州政府的其他一些部门也可参与校外移民教育治理。如下萨克森州社会、健康与平等部就将移民教育视作实现社会融合的关键。为此，该部曾提出如下措施推动移民教育治理：第一，在高校开设“跨文化学习与咨询”等课程，加强移民学生的德语、英语水平以及他们对德国企业结构和运作模式的了解，使其能够更好地获得高等教育并在社会立足。第二，推动州移民联合组织建立“移民父母网”，以便提高移民家长让子女接受教育的积极性。自2011年起，移民父母网在各大城市及下辖社区陆续设立工作站，通过为家长提供继续教育、信息、咨询，使其充分了解到让子女接受教育的必要性。同时，移民父母网还将移民家长在州中小学教育系统内组织起来，使其能够参与学校管理和学校－职业衔接管理，并对多语种教学施加自己的影响。2009年，下萨克森州“内政、体育与融合部”也下发了《作为机遇的多样化——州政府跨文化开放纲领》，要求州内公共部门提升跨文化服务水平，以为移民获取教育等信息提供便利。

总之，州一级的移民教育治理也是一个相当复杂的工程，它必须由政府多个部门密切协调才能实现。

### （三）各州文教部长常设会议及其职能

作为德国主要的教育政策建议者和制定者，各州文教部长常设会议也在移民教育治理中发挥着非常重要的作用。

---

① Ministerium für Bildung，Wissenschaft，Jugend und Kultur des Landes Rheinlandplfaz. Unterricht von Schülerinnen und Schülern mit Migrationshintergrund，Verwaltungsvorschrift[G]//Amtsbl，2007：2.

② Bildungsserver des Landes Rheinlandplfaz. Sprachförderung Deutsch als Zweitsprache [EB/OL]. [2016-12-03]. http://migration.bildung-rp.de/sprachfoerderung-deutsch-als-zweitsprache.html.

首先，负责移民毕业证书和其他学校教育文凭的认证。文教部长常设会议内设外国教育事务中心，对各级各类外国学校的毕业证书提供认证服务。对移民个人而言，这种认证证明是其在德国深造和就业的重要凭证；对学校和用人单位而言，这种认证则是保证所招收人员素质的重要途径。同时，对于德国法定职业资格之外的外国职业资格证书和毕业证书，外国教育事务中心也提供鉴定服务。但在这种情况下，申请者除了提供原有职业资格信息外，还必须提供与之相近的德国职业资格，供鉴定中心进行比较评价。①

其次，对各州中小学移民教育给予指导，推动学校跨文化教育的发展。文教部长常设会议颁布了一系列有关中小学移民教育和跨文化教育的决议，如《各州文教部长常设会议与移民组织关于学校与家长的教育合作关系的联合声明》（2013年）、《关于中小学跨文化教育的建议》（1996年颁布，2013年修改）、《关于教育媒体中的文化多样性、融合和移民的解释》（2015年）等，为各州在学校内部开展移民教育指明了方向。2016年6月23—24日，各州文教部长常设会议还主持召开了“移民—融合：多样化的中小学”会议。常设会议主席在开幕式上表示，“对德国文教部长来说，目前最为重要的，是让青少年难民融入学校和课程。我们教室里所出现的文化多样性对我们来说既是一个机遇也是一个挑战”。此次会议由来自德国内外的380多名教师和教育专家参与，目的是厘清在大量难民涌入德国的情况下，学校的跨文化教学，尤其是在移民的语言习得、课堂融入和职业准备方面应做出哪些改变。②会议设立多个工作坊，重点在德语跨文化教学、教学多样化理论与实践、难民职业准备与培训、西方价值观与文化多元主义价值观引导等。

最后，通过“德语水平考试”项目加强移民的德语水平教学。虽然该项目属于对外文化教育政策的范畴，本应由联邦和州共同领导，但在实践中，它的具体运作却是由文教部长常设会议内设的“中央委员会”负责。作为海

---

① Kultusministerkonferenz. Anerkennung ausländischer Abschlüsse[EB/OL].[2016-12-03]. https://www.kmk.org/service/anerkennung-auslaendischer-abschluesse.html.

② Kultusministerkonferenz. Kulturelle Vielfalt ist Herausforderung und Chance für Schulen[EB/OL].[2016-12-03]. https://www.kmk-pad.org/aktuelles/artikelansicht/kulturelle-vielfalt-ist-herausforderung-und-chance-fuer-schulen.html.

外中小学项目的组成部分，“德语水平考试”一开始针对的对象主要是海外学习德语的人。但自2012年起，文教部长常设会议在德国国内也引入了该项目，并将其作为提升移民和难民学生德语水平的重要工具。所有的教育机构采用统一的考试规则，其可信度由“德语水平考试中央委员会”保证。中央委员会由联邦和州代表各3人组成，但国内的考试则完全由文教部长常设会议管理。2015年，有大约1 000名移民和难民学生通过该项目拿到了自己在德国的首个语言考试成绩。①

## 二、移民教育的社会治理结构

社会组织主要在国家的监督和资助下，承担移民融入教育和职业教育的任务，同时为移民教育治理献计献策。

### （一）移民和难民自治组织及其职能

德国移民联合会是德国最大的移民联合组织之一，下辖12个按照移民来源国或来源民族划分的协会。这些移民自治组织不少都具有教育治理的功能。如德国西班牙社会文化社团联盟的宗旨之一，就是推动在德西班牙人的“人文主义教育”。该协会下属的北威州西班牙社会文化教育协会，不仅通过组织各种交流和展示活动传播西班牙文化，还为西班牙裔青少年提供媒体教育课程。②德国库尔德人文化援助协会的主要职能之一，也是向库尔德人提供工作和职业培训方面的咨询和帮助，同时为青少年及其家庭提供学校教育方面的咨询。③该协会还根据德国官方的规定专门为库尔德人及其他外来移民提供各级德语融入课程，以及相应的结业考试。④2011年10月成立的德国越南人协会/德国越南跨文化妇女行动推出了“面向劳动力市场的越南语骨干

---

① Kultusministerkonferenz. Integration und Spracherwerb vor Ort–Das DSD in den Ländern [EB/OL].[2016–12–03]. https://www.kmk.org/themen/deutsches–sprachdiplom–dsd/integration–und–spracherwerb–vor–ort.html.

② Bundesverband spanischer sozialer und kultureller Vereine in Deutschland. Wir über uns[EB/OL].[2016–12–03]. http://www.iree.org/ueber–cfma–1.html.

③ Kurdistan Kultur–und Hilfsverein e.V..Beratung und Hilfestelle [EB/OL].[2016–12–03]. https://www.kkh–ev.de/seite/221143/beratung–und–hilfestellung.html.

④ Kurdistan Kultur–und Hilfsverein e.V..Integrationskurse [EB/OL].[2016–12–03]. https://www.kkh–ev.de/seite/221147/integrationskurse.html.

口译员”项目，主要是为了培训一批精通德语的越南人力资源顾问，为越南人在德国找工作和参与职业培训服务。①“德国亚美尼亚人中央委员会”则致力于将1915年土耳其对亚美尼亚人的种族灭绝写入德国各州的教学计划之中。②

除德国移民联合会外，许多区域性移民组织也发挥着作用。如成立于1974年的北威州波鸿市多元文化背景儿童－青少年福利－移民工作联合会是一个政治中立、非宗教的福利性移民自治组织和社区联合组织。该组织在成人教育中注重培养移民的社会融合和跨文化能力，尤其注重对穆斯林群体进行反宗教激进主义教育。③“德国塞尔维亚人中央委员会”不仅积极推动塞尔维亚裔儿童接受学前教育，以使其能够提高德语能力和对德国教育的适应能力，而且让这些儿童和青少年一起参观塞尔维亚裔成功人士的工作场所，以激励其上进。④

### （二）非基督教宗教组织及其职能

非基督教宗教组织有穆斯林青年联盟、土耳其穆斯林宗教组织联合会等。

2014年1月5日建立的穆斯林青年联盟，下辖15个州一级青年联盟，有约50万成员，是德国最大的穆斯林青年组织。对德国穆斯林青年移民进行校外继续教育和保证教育公平是其主要职能之一。为了推动穆斯林青年更好地融入德国社会，穆斯林青年联盟积极参与移民教育治理。根据德国联邦家庭、老年人、妇女和青年部的要求，穆斯林青年联盟提出“和平的未来”项

---

① Bundesverband der Vietnamesen in Deutschland e.V./Vietnamesische interkulturelle Fraueninitiative in Deutschland. Kulturdolmetscher [EB/OL].[2016-12-03]. http://www.bvd-vn.de/index.php/de/projekten/176-kulturdolmetscher.

② Zentralrat der Armenier in Deutschland e.V..Über uns[EB/OL].[2016-12-03]. http://jungearmenier.de/.

③ IFAK e.V.. Der Fachbereich Migration und Bildung bei der IFAK e.V. [EB/OL].[2016-12-03]. http://ifak-bochum.de/fachbereich-interkulturelle-dienste/.

④ Zentralrat der Serben in Deutschland. Projekte des ZSD [EB/OL].[2016-12-03]. http://www.zentralrat-der-serben.de/index.php?Projekte.

目，希望通过教育使穆斯林移民远离宗教激进主义，更好地融入德国社会。[①]

土耳其穆斯林宗教组织联合会在总部内专门设立“教育、研究与出版服务部”，下设课程发展办公室、图书馆服务办公室、研究与出版服务办公室、伊斯兰宗教教育协调办公室、学校事务与奖学金办公室和教育文化综合办公室等。联合会将促进土耳其穆斯林移民融入德国社会作为自己的主要职能之一，它为这些移民开设了各类层次、针对不同群体的融入课程，如德语入门课、学前班德语课、中小学辅导课、针对德国人和其他感兴趣的人的土耳其语课、美术课、继续教育课、中小学毕业考试补习课，以及关于警察局、劳动局、工商业协会、雇主协会、卫生部门的介绍，帮助移民参与各类社区、体育活动等。[②]

除了伊斯兰宗教组织外，其他宗教组织也对外来移民的教育问题高度关注。如德国犹太人中央委员会就一直关注来自俄罗斯等国犹太人移民的融入教育问题。2005年，犹太人中央委员会召开会议，呼吁德国官方承认这些移民的毕业证书和职业资格证书，并要提供强化语言培训课程。[③]

## 第三节 移民教育治理的运行机制与具体措施

在文化多元主义理念的指导下，德国移民教育治理的运行机制日臻完善。德国还采取了一系列政策，完善移民教育的财务、人事和质量治理。

### 一、移民教育治理的运行机制

通过从官方和独立研究咨询机构等渠道获取数据和建议，联邦和各州分别在

① BDMJ. Der Bund der Muslimischen Jugend（BDMJ）ist der größte muslimische Kinder-& Jugendverband Deutschlands［EB/OL］.［2016-12-03］. http://ditib-jugend.de/bdmj/.

② BDMJ.Integrationsarbeit［EB/OL］.［2016-12-03］. http://www.ditib.de/default1.php?id=6&sid=5&lang=de

③ Zentralrat der Juden in Deutschland. Resolution zur Zuwanderung und Integration［J/OL］. Informationsblatt，5. Jahrgang Nr. 3，24. März 2005［2016-12-03］. http://www.zentralratdjuden.de/de/article/254.resolution-zur-zuwanderung-und-integration.html?sstr=zuwanderung.

移民融入教育和学校跨文化教育领域形成了有效的决策机制，同时二者还联合建立了移民职业教育治理的决策机制。根据国家要求，各级各类学校和社会力量承担起实施移民教育的重任，并且与国家机关在移民教育领域展开合作治理。

### （一）咨询与建议

移民教育信息的搜集与咨询工作主要是由各种官方和独立的专业性研究机构的合作来完成的。在德国，可以从以下渠道获取这些数据和建议：

一是从官方研究咨询机构获取。在各类官方机构中，联邦统计局是移民教育治理最权威的信息来源。联邦统计局在官网“社会与国家－人口”一栏设有有关移民的专项公开统计数据。其中对于移民的受教育水平状况都有详细的统计。①此外，联邦移民与难民署也委托其资助和领导的专业性研究机构“移民、融合与避难研究中心”来搜集和发布有关移民教育的各项数据。与此同时，该机构还对德国移民的融合进程和融合状况进行了大量的研究，其中包括对融入措施、融入需求的分析和阐释，也包括对移民融入教育及课程的评估和建议。截至2016年6月，移民、融合与避难研究中心出版了一系列与移民教育相关的著作和报告，如《德国移民的中小学教育》（2008）、《移民教育效果的促进：家庭影响工程》（2009）、《德国移民的职业与学术教育》（2009）等。②

二是从独立的公共法人研究机构获取。位于法兰克福的德国国际教育研究所是德国著名科学研究团体莱布尼茨联合会的成员。该所主要是从国际视角为德国教育提供相关研究和咨询，移民教育问题自然也是它重点关注的对象之一。早在多年之前，研究所就对《2006年德国教育报告》中有关“教育与移民”议题进行了专门的分析。而在《2016年德国教育报告》发布后，研究所则着重指出，有关“教育与移民”的议题已成为联邦和各州关注的

① Statitisches Bundesamt. Migration & Integration [EB/OL].[2016-12-03]. https://www.destatis.de/DE/ZahlenFakten/GesellschaftStaat/Bevoelkerung/MigrationIntegration/MigrationIntegration.html;jsessionid=71CE0C532F5EB3660F01A276F53D4DCE.cae1.

② Forschungszentrum Migration，Integration und Asyl. Publikationsliste BAMF-FZ[M]. Nürnberg：BAMF，2016.

焦点。[①]受联邦政府资助的“德国青年研究所”成立于1963年，它是德国目前最大的青少年及家庭研究机构，拥有170多名专业研究人员。[②]该所是德国官方年度教育报告白皮书的主要撰写者之一，移民教育问题是其关注的焦点。2013年，研究所组织出版了《移民儿童报告——关于移民儿童生活状况和生活世界的数据和研究概览》。[③]报告以跨文化关系和移民青少年儿童与非移民青少年儿童的融合进程为核心，通过大量翔实可信的数据，从移民儿童及其家庭状况、学前教育、中小学教育和社会教育等方面全面展示了具有移民背景的青少年儿童的发展情况。2011—2015年，根据联邦教研部“机遇平等与参与”文件精神的指示，德国青年研究所开展了关于移民与本土青少年在中小学学习与职业培训衔接方面的比较研究。研究主要通过访谈的形式进行，涉及的问题包括移民背景的影响、移民青少年的应对手段等。[④]

除上述研究机构外，还有一些独立研究机构也在移民教育治理中做出了重要贡献。如位于奥尔登堡“跨文化研究、资料、教育与咨询工作协会”不仅长期致力于跨文化教育研究，而且为难民提供咨询服务，同时也是当地最大的德语融入课程的举办者。[⑤]

另外，以下德国高校和科研单位设立的跨文化教育研究及教学机构也是国家决策获取咨询建议的重要渠道。

---

① DIPF.Bildungsbericht erscheint am 16. Juni［EB/OL］.［2016-12-03］. http://www.dipf.de/de/dipf-aktuell/aktuelles/bildungsbericht-erscheint-am-16-juni.

② DJI.Über uns［EB/OL］.［2016-12-03］. http://www.dji.de/index.php?id=3.

③ CINAR.M. Kinder-Migrationsreport：Ein Daten-und Forschungsüberblick zu Lebenslagen und Lebenswelten von Kindern mit Migrationshintergrund［M］München：Verlag Deutsches Jugendinstitut，2013.

④ DJI.Projekt Die Bewältigung des Übergangs Schule-Berufsausbildung bei Migrantinnen und Migranten im Vergleich zu autochthonen Jugendlichen［EB/OL］.［2016-12-03］. http://www.dji.de/index.php?id=1422.

⑤ IBIS e.V..Deutschkurse［EB/OL］.［2016-12-03］. http://www.ibis-ev.de/de/deutschkurse-3.

**表 8-1 德国大学中重要的跨文化教育和移民教育研究机构**

| 所属大学 | 跨文化教育教学研究机构 | 在大学所属部门 |
|---|---|---|
| 科隆工业大学 | 跨文化教育与发展研究所 | 应用社会科学学院 |
| 科隆大学 | 跨文化研究所 | 人文科学学院 |
| 科布伦茨大学 | 跨文化教育研究组 | 教育学 / 青少年儿童教育研究所 |
| 柏林自由大学 | 跨文化教育研究所 | 柏林国际创新教育、心理与经济学会 |
| 汉堡大学 | 跨文化与国际比较教育学研究组 | 教育科学学院 |
| 不来梅大学 | 跨文化与跨国研究所 | 社会科学学院 |
| 奥斯纳布吕克大学 | 移民与跨文化研究所 | 教育与文化科学学院 |
| 奥尔登堡大学 | 移民、教育与文化研究中心 | 跨学科独立研究中心 |
| 萨尔大学 | 跨文化继续教育与组织发展研究所 | 跨学科独立研究中心 |
| 美因茨大学 | 跨文化研究中心 | 跨学科独立研究中心 |

近年来，在移民教育的决策中，基于数据的实证性研究建议越来越受到重视，例如，每两年出版一次的“国家教育统计报告”白皮书基本上都会对移民教育情况进行统计。特别是在2016年6月出版的《2016年德国教育报告》，专辟一章分析德国“教育与移民”的情况并提出相应的建议。值得注意的是，国家教育统计报告的撰写虽然是由官方教育主管部门牵头，但联邦统计局和许多独立专业研究机构，如前文提及的德国国际教育研究所、德国青年研究所，以及在德国高等教育治理中占有重要地位的德国高校科研中心有限公司等，也同样参与其中。[①]通过这些专业研究机构的通力合作，以及它们在各自特长领域所进行的研究，德国当局获得了大量可靠的原始数据，为其

① Autorengruppe Bildungsberichterstattung（Hrsg.）. Bildung in Deutschland 2016 [M]. Bielefeld: W. Bertelsmann Verlag GmbH，2016.

在移民教育领域的科学决策奠定了坚实的基础。

### （二）国家决策

在德国移民教育治理中，联邦与各州共享决策权。联邦《基本法》第73条第1款明确将移民治理纳入联邦职权范围。第16条则明确赋予外国难民在德国申请政治庇护的权利。但《基本法》又规定德国各州享有文化主权。因此在德国，移民教育属于联邦和州的职权交叉范围。这也就决定了德国移民教育治理的决策机制是一种联邦与州各司其职、分工协调的合作机制。在这一机制下，学校教育体系之外的移民教育，尤其是专门的移民融入教育主要由联邦决定；而学校教育体系内部的移民教育则主要由各州决定。若同时涉及校内外两个领域，如移民职业教育，则由联邦和州共同决定。

在学校教育体系之外，联邦决定移民教育政策的过程是，先由联邦议院根据《基本法》的相关规定制定《移民法》，确定移民教育的基本原则；再由联邦政府根据《移民法》制定相关政策。联邦议院2005年通过的《移民法》在《居住法案》第三章“融入要求”部分要求设立专门针对移民的融入课程，要求参加者熟悉德国的语言、历史、人文和法律制度，使外来移民在经济、文化、社会等各方面全面融入德国。为了更好地执行这一法律，联邦政府在2007年委托联邦移民与难民署编制《国家融入计划》，对移民融入课程进行了评估与完善，要求德语课应该以德国法律、历史和文化为核心。2010年9月，联邦政府又出台《联邦境内融入方案》，对《国家融入计划》中的移民融入教育目标进行了细化和拓深。方案将移民融入教育的目标定位于“让所有具有移民背景的人平等地参与经济、社会、文化和政治生活”，并强调只有“所有社会成员有共同的意愿并准备承认《基本法》价值观和承担起社会责任”，才能实现融入。

各州决定学校移民教育政策的过程是，先由文教部长常设会议确定总体指导意见，再由各州根据自身情况制定相关的法律和政策。1996年，德国各州文教部长常设会议公布《关于中小学跨文化教育的建议》，将跨文化理念纳入了学校教育政策，要求学生“认识异文化的社会性及其与生活的关联性、掌握异文化知识……尊重他人的不同特点、反省自身立场、发展对他人立场的理解”等。围绕着“自然空间、经济、社会、民生等方面不平等的背景及后果、现代及过去移民拥戴的原因和影响、国际社会所做出的努力、多元文化社会中少数族群及其共生的可能”等四大主题，建议将反种族主义教育作为基础学校教育的重点。①文件要求各州应在学校教育中认真贯彻跨文化主义。“对人类尊严和基本权利的维护是宪法的要求，它由各州的中小学法所贯彻……跨文化教育首先是认真贯彻中小学整体教育任务的体现。它要求所有中小学生转变思维和行为方式，接受人性伦理基础以及自由负责、民族团结与谅解、民主、容忍等原则……学生应对一国内共同生活的总体基础达成共识。”②该建议经2013年10月修订后，一直作为文教部长常设会议指导各州中小学开展移民教育的基本指导纲领之一。而各州也正是根据文教部长常设会议颁布的这些建议，来修订完善自身的法律和学校教育政策。

在移民双元制职业教育和继续教育领域，则是联邦和州协商后共同做出决定。例如2009年2月颁布的关于移民职业教育的指导文件《潜能开发与融合需求：对移民青少年的更多教育和培训》就是由联邦政府多个部门和各州文教部长常设会议以及相关利益集团一起编撰的。2015年9月的《难民总体状况——职业教育联盟合作者的相关声明》也是如此。

### （三）国家监督下的教育机构自治

学校之外的移民教育主要受到联邦国家机关的监督。据《融入课程章程》的相关规定，联邦移民与难民署及其地方分支机构不仅有权审定移民融入教育机构和考点的资质，还可以对融入课程的教学计划、教学内容、考试标准、收费及减免标准、师资培训标准等做出解释和指导。学校之外的移民职业教育也受到联邦国家机关的监督。如联邦教研部主要负责编制和贯彻各项移民培训促进计划。联邦经济部则主要负责颁布各项职业培训章程，并通

---

① Kultusministerkonferenz. Empfehlung „Interkulturelle Bildung und Erziehung in der Schule“[EB/OL].（1996-10-25）[2016-12-03]. http://www.kmk.org/fileadmin/Dateien/veroeffentlichungen_beschluesse/1996/1996_10_25-Interkulturelle-Bildung.pdf：4-6.

② Kultusministerkonferenz. Empfehlung „Interkulturelle Bildung und Erziehung in der Schule“[EB/OL].（1996-10-25）[2016-12-03]. http://www.kmk.org/fileadmin/Dateien/veroeffentlichungen_beschluesse/1996/1996_10_25-Interkulturelle-Bildung.pdf：3-4.

过工商业协会对这些章程的执行进行监督。但校外移民教育的招生录取和培训教学工作则由各公、私培训机构及企业负责，国家不得随意干涉。

学校内部的移民教育主要由各州国家机关负责监督。根据文教部长常设会议的相关指示，各州文教部门大多根据本州情况制定了在学校发展跨文化教育的文件，还在现有的各级各类学校的课程标准和考试说明中加入了跨文化的内容。在教育主管机关的监督下，德国学校中的跨文化教育发展迅速。随着“简政放权”教育治理思想的兴起，学校也保持了较大的自主性。以2003年创建于曼海姆的瓦尔多夫跨文化学校为例。该学校是一所以跨文化教育为特色的综合中学。在国家的监督下，该学校实行高度自治。如教学内容和方法完全依据儿童成长发展的需求而定；学校不设专门的管理机构，只是每周召开一次教师代表会议，来提高教师教学能力、交流校园管理经验和规范人事问题等。为了能及时解决日常教学管理中的问题，学校还设有班级教师会议作为补充。①

**（四）移民教育中的合作治理**

移民教育涉及多个教育领域，因此也必须要由不同机构合作治理才能实现。德国移民教育中的合作治理主要体现在以下三个方面：

一是国家机关内部的合作治理。如根据《融入课程章程》，各级各类政府部门围绕移民融入教育展开合作。联邦移民与难民署主导的融入教育必须有其他部门的配合才能完成。如隶属于联邦内政部的联邦行政管理局，就通过管理外国人登记数据来支持融入教育的开展。②此外，融入教育的师资培养需要州教育主管部门的支持。课程建议与咨询则需要地方移民服务部门的配合。课程参与者和学费减免者的资格审核也分别需要各地外国人管理局和劳动保障部门的配合才能实现。此外，在移民职业教育、跨文化教育等领域，各国家机关也存在着广泛的合作。

二是国家与社会之间的合作治理。一方面，在移民教育治理的决策过

① BRATER M. Interkulturelle Waldorfschule Evaluation zur Schulischen Integration von Migrantenkindern［M］. Wiesbaden：Verlag für Sozialwissenschaften 2009，S.63.

② Bundesverwaltungsamt. Ausländerzentralregister［EB/OL］.［2016-12-03］. http://www.bva.bund.de/DE/Themen/Sicherheit/Auslaenderzentralregister/auslaenderzentralregister-node.html.

程中，社会组织以研究者和建议者的身份与国家决策者展开合作。许多高校内外的研究机构，如德国国际教育研究所、德国青年研究所、柏林自由大学跨文化教育研究所等，都就自己的研究专长为国家移民教育治理决策提供了重要的建议。另一方面，在移民教育治理执行的过程中，国家也以监督者和守夜人的角色与社会组织展开合作。如在联邦移民与难民署的规范指导下，许多社会组织担负起开展融入教育的任务；在联邦政府和州政府的监督下，工商业协会和教师协会对移民职业教育和跨文化教育起着重要的推动作用。

三是教育机构内部的合作治理。学校内部的师生合作及校方与家长之间的合作，也是德国移民教育合作治理的重要形式。德国移民教育机构的自治性使学校教师及校长在学校事务方面拥有了较大的发言权。但根据各州中小学法和高等学校法的规定，学生和家长也可以参与学校内部的治理。如前文提到的瓦尔多夫跨文化学校，其学校治理机构除了教师代表会议和班级代表会议之外，还有每月召开的家长会议——“家长之夜”。在班级“家长之夜”会议上，校方要对课程及教学理念进行介绍，并回答有关教学方法和学校组织方面的问题。在全校“家长之夜”会议上，校方和家长们还要就课程设置和学校建设问题展开讨论。教师和家长代表联合组成的理事会，还有权作为法定代表参加地方中小学联合组织。

## 二、移民教育治理的具体推进政策

在财务、人事、学生培养及其质量评价等方面，德国针对移民融入教育、跨文化教育和移民职业教育所采取的推进措施各不相同。这使得德国移民教育治理呈现出异常复杂的情况。

### （一）财务治理的具体推进措施——以经费分担与投入政策为例

首先，移民融入教育的支出主要由联邦财政负担。

融入课程每年都会被列入联邦预算。联邦政府会计算出每人每节课的成本，然后按照国家与学员共同分担的原则对培训机构给予财政补贴。如2005年时融入课程的总成本是每人每节课2.05欧元，其中移民个人负担1欧元，剩下1.05欧元由联邦移民与难民署代替学员向培训机构支付。如果课程开班时学员人数少于等于20人，则所有费用均由联邦负担。①之后，随着融入课程成本的上升，国家向移民学员收取的学费也在提高。根据联邦移民与难民署2016年7月12日的规定，融入课程自2016年7月1日后上调至每人每节课3.9欧元。在此日期之前注册课程的学员学费为每节课1.55欧元，此后则上调为1.95欧元。不过，移民可依法向联邦移民与难民署或主管二期失业金的机构申请减免学费，而且可以免费参加结业考试（“移民语言水平考试”）。

其次，移民校外职业培训的经费开支主要由联邦财政和公共基金、企业等分担。

在德移民不仅可以和非移民一起向企业申请培训岗位，还可以平等地获得联邦设立的各种职业教育补助。同时，联邦及某些公共基金还设有专门针对移民的资助项目。例如在职业准备和过渡方面，联邦与欧洲对德社会基金就共同投入经费推行了“获得专业资格视角的毕业”项目和“企业培训双选定位”项目。前者主要是优化移民从学校到职业培训的过渡以及系统地完善移民半熟练工和非熟练工的在职职业资格培训机制。后者主要是让移民能够在具有移民背景的企业中找到更合适自己的培训岗位。联邦劳动局也资助了帮助年轻移民从普通教育转向职业学校或双元制职业教育的“让年轻人更早意识到自身的优劣”项目。②2015年末，联邦教研部计划在本立法周期内提出向移民职业教育投入13亿欧元的立法动议。联邦还在巴登－符腾堡州中小学中投资推行移民青少年的职业潜能分析，并计划在所有州推广该项目。③此外，

① Zugeleitet mit Schreiben des Bundesministeriums des Innern vom 28. Juni 2007 gemäß § 43 Abs. 5 des Aufenthaltsgesetzes. Unterrichtung durch die Bundesregierung Erfahrungsbericht der Bundesregierung zu Durchführung und Finanzierung der Integrationskurse nach § 43 Abs. 5 des Aufenthaltsgesetzes[G]// Deutscher Bundestag Drucksache，2007：16/6043，S.35–36.

② Bundesagentur für Arbeit，der Kultusministerkonferenz und der Beauftragten der Bundesregierung für Migration，Flüchtlinge und Integration. Potenziale erschließen，Integration fördern Mehr Bildung und Ausbildung für Jugendliche aus Zuwandererfamilien! Erklärung der Partner des Nationalen Paktes für Ausbildung und Fachkräftenachwuchs in Deutschland [EB/OL].[2016–12–03]. http://www.kmk.org/fileadmin/Dateien/veroeffentlichungen_beschluesse/2009/2009_02_00–Potenziale–Integration.pdf.

③ Bundesinstitut für Berufsbildung. Datenreport zum Berufsbildungsbericht 2016，Informationen und Analysen zur Entwicklung der beruflichen Bildung [M]. Bielefeld：W. Bertelsmann Verlag，2016，S.13.

企业，尤其是具有移民背景的企业，也在联邦教研部和欧洲社会基金“初次工作者”项目的支持下，积极为移民提供工作岗位。①

最后，学校内部包括跨文化教育在内的移民教育的开支主要由各州和地方承担。

在文化联邦主义下，各州和地方财政是公立学校经费的主要来源。各级各类公立学校对移民教育的投入，也大都包含在这些财政经费当中。为了能更好地帮助移民在学校进行学习，各州除了利用联邦和公共基金所资助的各种课程和项目外，还自主地投入了一些经费项目。如萨尔州资助的旨在提高移民学生实践能力的“中学班级改革试验项目”，巴伐利亚州资助的“中小学青少年社会工作项目”②，以及柏林州资助国民高级学校开设的德语培训课程等。此外，非公立学校为移民教育所投入的经费，除了来自财政补贴的之外，还有相当一部分是向移民学生的家长们收取的学费。

### （二）人事治理的具体推进措施——以移民教育师资的培训政策为例

培养合格的师资力量是移民教育治理能够取得成功的关键。为此，德国不仅在传统教师培养标准中加入了有关移民教育的内容，还建立和完善了移民融入课程的师资培训标准。

首先，各州和联邦分别为师资培养制定严格的国家标准。

各州文教部长常设会议早在1981年10月就颁布了《关于改善外国人教育领域师资培养状况的建议》，要求所有科目的师范生必须学习有关外国中小学生教育的教学法，并要求建立和完善“对外德语”教师培训或继续教育机构。③在2014年6月的《教师教育标准：教育学》中，文教部长常设会议

① Bundesministerium für Bildung und Forschung. Koordinierungsstelle Ausbildung und Migration: Ausbildung jetzt! [EB/OL].[2016-12-03]. http://www.jobstarter.de/de/kausa-21.php.

② Die Fachministerkonferenzen und Länder. Beitrag der Länder zum Nationalen Aktionsplan Integration, Anhang Dokumentation der Beiträge der Fachministerkonferenzen und der Länder[EB/OL].（2016-06-01）[2016-12-03]. S.78, 52, https://mffjiv.rlp.de/fileadmin/mifkjf/Integration/Nationaler_Aktionsplan_2012.pdf.

③ Kultusministerkonferenz. Empfehlungen zur Verbesserung der Lehrerbildung auf dem Gebiet des Ausländerunterrichts [EB/OL].（1981-10-08）[2016-12-03]. http://www.kmk.org/fileadmin/Dateien/veroeffentlichungen_beschluesse/1981/1981_10_08_Lehrerbildung_Auslaenderunterricht.pdf.

所列的第四个教师能力标准“了解学生的社会和文化生活条件，接纳学校环境对学生个体发展的影响”，就充分为考虑到跨文化教育能力在教师教学能力中的重要地位。①

在各州文教部长常设会议修正中小学师资培训标准的同时，联邦移民与难民署也提出了有关移民融入课程的教师从业资格标准。标准规定，要想成为融入课程的教师，必须在大学取得相应的专业学位或有足够的从业经验，否则就要参加官方指定的培训。具体标准见表8-2：

**表8-2　德国官方规定的融入课程执教标准②**

| | 没有或几乎没有语言教师的继续教育学历 | 有500学时的语言教师继续教育学历 | 有1 000学时的语言教师继续教育学历 |
|---|---|---|---|
| 无须附加资质 | (1)高校“对外德语”专业(或辅修)毕业<br>(2)高校毕业并拥有官方承认“对外德语”教学资质证书<br>(3)通过德语或现代外语国家教师资格考试<br>(4)高校日耳曼语言文学专业、新哲学专业或翻译专业毕业并拥有对外德语教学资质证书 | 高校日耳曼语言文学专业、新哲学专业毕业(含通过第一次国家教师资格考试)或翻译专业毕业 | 高校毕业并拥有“对外德语”教学资质证书 |

① Kultusministerkonferenz. Standards für die Lehrerbildung：Bildungswissenschaften［EB/OL］.（2004-12-16）［2016-12-03］. http://www.kmk.org/fileadmin/Dateien/veroeffentlichungen_beschluesse/2004/2004_12_16-Standards-Lehrerbildung.pdf：9.

② Bundesamt für Migration，Flüchtlinge und Integration.Zulassungskriterien für Lehrkräfte in Integrationskursen［EB/OL］.［2016-12-03］. http://www.bamf.de/SharedDocs/Anlagen/DE/Downloads/Infothek/Integrationskurse/Lehrkraefte/matrix-zulassung-lehrkraefte-integrationskurse.pdf?__blob=publicationFile.

续表

| | 没有或几乎没有语言教师的继续教育学历 | 有500学时的语言教师继续教育学历 | 有1 000学时的语言教师继续教育学历 |
|---|---|---|---|
| 需要短期附加资质（70学时培训） | （1）高校日耳曼语言文学专业、新哲学专业毕业（含通过第一次国家教师资格考试）<br>（2）翻译专业毕业<br>（3）通过国家教师资格考试拥有其他科目的教学能力 | （1）高校师范教育、社会教育、特殊教育、成人教育、教育学原理、心理学毕业<br>（2)高校毕业并拥有“对外德语”教学资质证书 | |
| 需要正常附加资质（140学时培训） | （1）高校师范教育、社会教育、特殊教育、成人教育、教育学原理、心理学毕业<br>（2）高校毕业并拥有“对外德语”教学资质证书 | （1）高校毕业<br>（2）无正式高校毕业证书，只拥有职业语言学校毕业证书 | |

其次，根据国家标准，移民教育师资培养机构分别建立了针对在校大学生和针对已就业人员的师资培养机制。

一方面，在大学和师范学院直接开设相关主修及辅修专业，培养移民教育师资。2015年初，文教部长常设会议与大学校长协会联合发布《多元化中小学的教师教育》，对高校“包容性”教师教育课程的建设提出了具体的建议。目前不少德国综合性大学和师范大学都开设了与移民教育相关的专业，如奥格斯堡大学哲学与历史学院在日耳曼语言文学专业内开设了“对外德语”二级专业，内含“对外德语与跨文化交际”学士、“跨文化应用语言学”硕士[①]、“对外德语”教育硕士、“对外德语”本硕连读硕士、“对外德语”师范硕士等学位项目。[②]明斯特大学在教育与社会科学学院的教育学

① 此为跨学科专业，奥格斯堡大学哲学与历史学院在日耳曼语言文学专业外还设有“跨文化应用语言学”学士学位项目。

② Universität Augsburg. DaZ-DaF-Studiengänge[EB/OL]. [2016-12-03]. https://www.philhist.uni-augsburg.de/lehrstuehle/germanistik/DaF/studium/DaZ_Daf-Studiengaenge/.

专业下开设“跨文化教育”辅修专业，并在日耳曼文学研究所多元化语言能力与语言学习中心开设“中小学移民学生德语教学”课程模块，帮助有志于将来成为教师的学生掌握移民教育教学能力。[①]韦因加尔滕师范大学也开设有“对外德语与跨文化教育”的学士、硕士专业。[②]

另一方面，具有相关资质的教育机构对毕业生和在职人员进行相关能力的培训。根据联邦移民与难民署的规定，毕业生和在职人员必须先达到相关资质条件方可申请成为移民融入课程教师。如未达到条件，则需参加在官方认可的培训机构中进行的“对外德语”或“德福”附加资质培训。目前有不少教育机构都提供此类培训。如韦因加尔滕师范大学的继续教育学院对外德语专业。所有大学毕业生都可以申请进入该专业学习，学制一年，在每周五和周六两天集中授课，毕业后获得经联邦移民与难民署认可的证书，具有从事移民融入课程教学的资质。巴登－符腾堡州对每期学员的前50人给予1 700~7 000欧元不等的补贴。[③]除大学外，一些从事融入课程和“德福”考试培训的私立语言学校也同时提供师资培训课程。如柏林的弗里德兰德学校。[④]

**（三）质量治理的具体推进措施——以移民教育质量的保障与认证政策为例**

对移民教育中的融入课程和学校教育课程，德国采取的是不同的管理方式。为了保障和提高移民教育的质量，德国逐步完善了移民融入课程和学校跨文化课程的管理机制和评价机制，并为移民原有职业资格证书和学校毕业证书建立了一系列认证体系。

首先，由联邦移民与难民署负责对移民融入课程的管理及监督。在国家的监管

---

① Westfälische Wilhelms-Universität. Zusatzstudiengang：Deutsch als Zweitsprache/ Interkulturelle Pädagogik [EB/OL]. [2016-12-03]. http://www.uni-muenster.de/EW/studium/dazikp/index.html.

② Pädagogischen Hochschule Weingarten. Studienangebot[EB/OL]. [2016-12-03]. http://www.ph-weingarten.de/de/studium-lehre-weiterbildung/studienangebote/Studienangebot.php?navanchor=1010071.

③ Die Akademie für wissenschaftliche Weiterbildung（AWW）. Unser Angebot für Sie[EB/OL]. [2016-12-03]. http://www.aww-phweingarten.de/de.

④ Friedländer Schule Berlin. Weiterbildung von Lehrkräften [EB/OL]. [2016-12-03]. http://www.friedlaender.de/seiten/lehrerbildung.html.

下，各类具有相关资质的公私教育机构负责融入教育的具体实施，并由第三方机构对教学质量展开评估。

《融入课程章程》第1条规定，移民融入课程的主要管理者是联邦移民与难民署及其在各地的分支机构，以及协助其工作的外国人管理局、联邦行政管理局、地方社区、移民服务及劳动保障机构。移民融入课程的实际承担者是具有融入课程开设资格的各种公立和私立教育机构。其中，公立机构主要是公立语言学校及社会团体，如歌德学院、部分移民组织等；私立机构则主要是私立语言学校。联邦移民与难民署根据《国家融入计划》等文件的规定制定各类融入课程的教学内容、教学计划和考试标准，并负责解释这些课程的申请、入学、费用及培训场所等问题。移民须先向当地外国人管理局申请，获得“融入课程培训资格”；然后通过外国人管理局或联邦移民与难民署获得培训学校的相关信息，包括地址、学费、课程类别等。移民根据自己的情况选择合适的培训机构和课程类别，并提前缴纳学费。结业考试（“移民语言水平考试”）包括语言考试和德国概况知识测试两个部分。通过考试可获得一张《融入班结业证书》。相当于听、说、读、写能力将达到A2或B1标准。如果未通过则只能得到一张考试成绩证明。但有机会再参加300课时的德语培训，并可再次进行考试。

由于联邦对融入课程进行资助，所以也为之建立了课程评价机制，如采取多种形式，尤其是采用丹麦咨询公司Rambøll Management的计算和观察模式对培训机构进行评估和再登记。[①]

其次，各州教育主管机构负责学校移民教育课程的设置、管理和考试；中小学则根据国家的要求开展具体的移民教育工作。

根据文教部长常设会议《关于中小学跨文化教育的建议》，德国各州除了在学校增加与移民息息相关的课程外，还从入学要求、课程设置与标准、毕业资格考试等方面对传统的学校课程进行了改革，以使其能够为移民学生融入德国主流社会做出贡献。例如，各州教育主管部门制定的文理中学历

---

① Zugeleitet mit Schreiben des Bundesministeriums des Innern vom 28. Juni 2007 gemäß § 43 Abs. 5 des Aufenthaltsgesetzes. Unterrichtung durch die Bundesregierung Erfahrungsbericht der Bundesregierung zu Durchführung und Finanzierung der Integrationskurse nach § 43 Abs. 5 des Aufenthaltsgesetzes[G]// Deutscher Bundestag Drucksache，2007：16/6043，S.37.

史课程标准及相关考试说明，就是在贯彻跨文化教育理念、减轻移民学生社会融入困难的同时，仍然坚持以《基本法》和正确的爱国主义为基本价值导向，要求移民学生热爱德国并融入德国主流社会。以石荷州的课标为例。该课标一方面指出，由于移民社会的形成，人们必须改变对待异文化的态度。“我们当今世界的生活方式和思维结构都发生了巨大的变化，移民进程和对待陌生世界的方式深深地影响着人们的日常思维。”另一方面，它却依旧将自由和人权作为“与不同文化、宗教、社会形态、民族和国家在一个世界上共同生活”同等重要的基本价值观之一。德国《高中毕业考试统一说明·历史》也主张“本专业特别为多元社会中的包容性文化做出贡献，有利于保持、形成多元主义和民主的法律、社会秩序”。

各州教育主管部门制定的有关移民教育的教学管理规定由各级各类教育机构加以贯彻执行。在国家的严格监督下，绝大多数德国学校都建立了较为完善的移民教育课程体系。同时，移民在参加学校毕业考试和职业资格考试的时候，虽然会获得不少额外的帮助，但其考试标准一般不会与非移民有明显差别。

最后，为了加快移民融入德国的速度，提高移民的认同感，德国还专门为移民在母国取得的学校毕业证书和职业资格证书建立了较为完善的认证体系。

一方面，由各州文教部长常设会议下辖的外国教育事务中心负责建立移民外国学校毕业证书的德国国内认证系统。该中心每年大约受理来自德国教育机构、公共部门和个人的43 000多个认证申请，认证范围涵盖外国中小学、大学和职业学校的所有毕业证书。具体的评价认证工作由中心下属的专业性认证站负责。①

另一方面，由各地具有国家资质的职业资格鉴定机构负责建立移民国外职业资格的德国国内认证系统。如下萨克森州根据联邦《外国职业资格认定改善法》在2012年制定了《下萨克森改善外国职业资格认定与承认法》，移民可以根据自己的国籍和居留状态提出比较测定职业资格的要求。这对德

① Kultusministerkonferenz. Anerkennung ausländischer Abschlüsse[EB/OL].[2016-12-03]. https://www.kmk.org/themen/anerkennung-auslaendischer-abschluesse.html.

国的非法定职业也同样有效。而且认定程序透明统一，期限较短。[①]2016年，下萨克森州对该法律进行修订，进一步改善了移民申请职业资格认定的条件和程序。某些职业被划入欧盟法律的管辖范围，移民可以直接申请欧盟职业资格认定。如果外国职业资格与德国的标准明显不同，在下萨克森还可以申请部分职业资格，即该资格只在有限的范围内有效。目前申请还可以通过网络的方式进行。通过职业资格认定，在母国拥有一技之长的移民可以在德国重操旧业，更好地融入德国的就业市场。他们可以在国家承认的职业资格鉴定部门提出申请，鉴定部门会对证明材料进行审查，通过后再对申请认定的职业资格和德国现有职业资格标准进行比较。若两者相符，资格认定通过；若不相符，则需要提供额外的职业能力证明或具有有效的从业经验才有可能通过认定。在后一种情况下，职业资格鉴定部门应该向申请者说明理由，并告知申请者应补充哪些必要的条件才能通过认定。如果申请者在申请时无法提供完整的证明材料，鉴定部门也可以通过实践测试、专业面试或书面考试的形式来进行鉴定。

外国职业资格证书鉴定机构的信息可在联邦职业教育研究所和联邦教研部负责的“德国认定——外国职业资格认定联邦政府数据库”查询。[②]也可以通过下萨克森州自己的信息系统“通往融合的职业资格认证”（Integration durch Qualifizierung）来查询。[③]此外，联邦经济与能源部还有一个名为BQ-Portal的数据库，[④]主要提供有关外国，尤其是波兰、意大利、俄罗斯、罗马尼亚、土耳其等国家职业教育体系和职业教育证书的相关信息，且偏重于技术方面。这些数据库一起构成了德国针对外来移民职业资格的信息化鉴定系统。

---

① Gesetz zur Verbesserung der Feststellung und Anerkennung im Ausland erworbener Berufsqualifikationen in Niedersachsen[G]//Nds. GVBl，2012 ：Nr. 32/2012.

② Bundesministerium für Bildung und Forschung. Anerkennung in Deutschland：Das Informationsportal der Bundesregierung zur Anerkennung ausländische Berufsqualifikation[EB/OL].[2016-12-03]. https://www.anerkennung-in-deutschland.de/html/de/index.php.

③ IQ Netzwerk Niedersachsen.Anerkennung. Qualifizierung. Vielfalt[EB/OL].[2016-12-03]. http://www.migrationsportal.de/.

④ Bundesministerium Für Wirtschaft und Energie. Herzlich willkommen auf dem BQ-Portal [EB/OL].[2016-12-03]. https://www.bq-portal.de/de.

# 第九章　德国教育治理的评价

经过多年的发展，独具特色的德国教育治理已取得巨大的成就，但也存在不少明显的问题。

## 第一节　教育治理的成效与不足

在教育治理过程中，德国一方面坚持“国家办学”原则，一方面实施简政放权并引入绩效竞争机制，同时重点采取措施应对教育领域的各种突出问题和新挑战，尤其是移民融入问题和信息化所带来的挑战。通过实施上述教育治理政策，德国不仅进一步实现了教育公平、提高了教育质量，还有效地完善了原有的教育体系，进而从整体上提高了人民的受教育水平，其成效不可谓不显著。

当然，由于德国教育治理具有分散性，各主体在合作中很难做到相互协调，同时国家对其他主体又缺少强有力的约束，所以其治理效果在很多方面仍存在明显的不足，如教育的地区差异依然非常明显，教育效率也有待进一步提高；在信息化教育治理和移民教育治理方面，许多棘手的问题也有待于进一步解决。

### 一、教育治理的成效

德国教育治理的总体成效显著，不仅教育经费和教师人数都出现了增长，国民整体受教育水平也得到了提高。而在促进教育公平和提高教育质量方面——这是衡量教育治理成效的最重要的两个指标——德国也取得了巨大的成就。

### （一）总体成效显著

2014年初召开的全国教育工作会议就中国教育治理体系和能力的现代化提出了七项重点任务。[①]这七项任务归纳起来，主要就是要求促进教育公平和提高教育质量。因此，本书将在概述德国教育治理总体成效的基础上，重点阐释其教育治理对德国教育公平和教育质量的积极影响。

不同类型的主体在以州为主的多元体系内部进行合作，它们在不改变"国家办学"这一大原则的前提下，通过合理分担责任和引入绩效竞争机制，并采取措施重点应对信息化和移民问题所带来的挑战，终于使德国教育治理取得了一定的成效。

首先，国家对教育的财政投入持续增长。根据"国家办学"原则，各州连同联邦、地方一起提供公共财政支出，保证了德国教育大部分的经费来源，同时也保证了适龄青少年儿童能够享受到更多的、由国家提供的公共教育福利。2014年，基础和高等教育经费继续增长。公共财政资助占教育总投入的五分之四。2015年与2014年相比，公立中小学生均投入增长33%。[②]

其次，社会力量参与教育投资的状况得到改善。通过引入更多的社会力量（Freie Träger，相对于联邦、州和地方等公共财政负担者）参与办学，既扩大了教育经费的来源，也减少了教育对公共财政的过度依赖，提高了学校的自主性。近20年来，德国出现了公立教育机构减少而私立教育机构增加的趋势。其中尤以私立高校的数量增长最快。社会力量开办的中小学占11%，其中大多数为基督教会学校。21%的特殊学校得到社会力量的资助。私立大学数量稳步增长。其中私立应用技术大学从1995—1996学年的20所增加到2014—2015学年的97所，私立大学数量从1995—1996学年的5所增加到2014—2015学年的20所。[③]

---

① 编辑部评论.深化教育领域综合改革，加快推进教育治理体系和治理能力现代化：2014年全国教育工作会议召开[N].中国教育报，2014-01-15（1）.

② Autorengruppe Bildungsberichterstattung. Bildung in Deutschland 2016 [M]. Bielefeld：W. Bertelsmann Verlag GmbH，2016，S.38，39.

③ Autorengruppe Bildungsberichterstattung. Bildung in Deutschland 2016 [M]. Bielefeld：W. Bertelsmann Verlag GmbH，2016，S.33，72，124.

再次，教师数量增加，收入水平提高。自2006年以来，教育从业人员的数量出现持续增加，尤其是高校教师数量增长迅速。其中，全职教师在2014年已占教师总数的72%。教师收入也明显高于社会平均水平，其中大学教授2014年平均月收入达7 800欧元，连小学教师也有4 700欧元。远远高于联邦统计局公布的2 700欧元左右的当年平均收入水平。①

最后，德国人的受教育水平及与之相关的就业水平都有了显著改善。德国人民的整体受教育水平在过去十年内明显提高。60~65岁的人口中受过高等教育的只有23%，而30~35岁的人中这一比例则高达45%。德国人受教育水平的提高，在一定程度上满足了德国社会对人才的需求，有利于降低失业率。例如，接受过职业培训的人群，就业率明显高于未接受过职业培训的人群。职业培训后两年内的失业率也明显降低。②

**（二）教育公平方面的治理成效**

机会平等是德国制定和执行教育政策所遵循的基本原则，也是德国教育治理所要达到的主要目标之一。由于德国坚持“国家办学”原则，学生无论家庭经济状况的好坏，都可以免费接受公立教育。国家还通过立法限制私立学校向家长征收高额学费，并向私立学校提供法定的财政补贴，保证了学生教育机会的平等。

在公共财政支出中，各州和地方共同承担公立学校所需的经费。而且各州的教育经费（包括教师工资等）都必须经过透明、公开的财政预决算程序才能统一拨付。中小学和职业学校的教师资格标准和学校教学标准也都由各州在文教部长常设会议的指导下统一制定。这些制度有效地防止了州内教育资源的过度集中。联邦还对财力较弱的州给予补贴，以缩小各州之间的差距。

联邦和各州还对造成教育差别的重点问题进行了专项治理，减少了教育机会分配的不公平性。

---

① Autorengruppe Bildungsberichterstattung. Bildung in Deutschland 2016［M］. Bielefeld：W. Bertelsmann Verlag GmbH，2016，S.35，36，37.

② Autorengruppe Bildungsberichterstattung. Bildung in Deutschland 2016［M］. Bielefeld：W. Bertelsmann Verlag GmbH，2016，S.44，208，116.

通过以上这些政策，德国在教育公平方面也取得了一定的成效。

首先，2014年国家根据《联邦教育促进法》共投入31亿欧元用于学生的生活补助金[①]，有效地保证了家庭困难学生的求学机会。

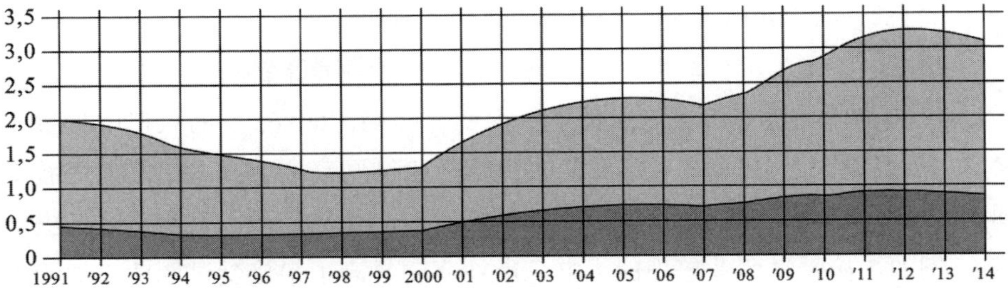


**图 9-1 根据《联邦教育促进法》向学生发放的生活补助金示意图**

（单位：百万欧元，其中，上部为大学生数据，下部为中学生数据）[②]

其次，2005—2014年，通过移民教育治理，使在德外国人的职业教育状况得到改善。移民青少年获得完全职业教育资格的比例增加。如在双元制企业培训中，其比例就从2005年的27%上升至2014年的36%；在职校系统中，其比例也从13%上升至17%。德国人与外国人获得完全职业资格的比例从2.9∶1下降到2.2∶1。这一方面说明德国人与外国人在职业教育中的机会变得更加均等，另一方面则说明在移民职业教育方面还需进一步加强。与此同时16~30岁具有移民背景的青少年入学率也明显提高。2005年以来，进入双元制和职校系统参加职业教育的移民学生持续上升。2013年已达到所有培训生的四分之一。移民在企业培训、职业学校和过渡阶段等各领域所占的比例都有所增加。参加移民融入课程的人数不断增长。2015年前三

① Autorengruppe Bildungsberichterstattung. Bildung in Deutschland 2016［M］. Bielefeld：W. Bertelsmann Verlag GmbH，2016，S.39.

② Autorengruppe Bildungsberichterstattung. Bildung in Deutschland 2016［M］. Bielefeld：W. Bertelsmann Verlag GmbH，2016，S.40.

个季度为129 985人，而2012年全年才只有94 020人。[①]有部分州还根据学校的各种实际需求编制指标，建立了中小学资金分配的新体系。

最后，通过联邦的援助项目，一些地区性差异也得到改善。例如，虽然职业培训结束后的就业率德国东部仍低于德国西部，但德国东部自2008年以来已经实现了快速增长，并在2010年接近德国西部水平。完成职业培训的人，东西部就业率差距不大。[②]

### （三）教育质量方面的治理成效

提高教育质量也是德国教育治理的主要目标之一。为了提高教育治理的效率，德国决定简政放权，减少国家对学校的干预，扩大学校的自治权，同时更多地引入社会力量参与学校事务，并在学校建立自我评估和第三方绩效考核制度，激发学校内部和学校之间的竞争。而学校内部各群体之间的合作治理，也有利于激发师生及家长的积极性，进而促进教学质量的提升。另外，面对21世纪的各种新挑战尤其是信息化时代所带来的挑战，德国也通过专项治理有效地提高了教育的信息化水平。通过以上治理措施，德国在提高教育质量方面也取得了一定的成绩。

在基础教育领域，入学者人数增长，中小学和职校毕业生的学历水平也有了进一步提高。2006年、2010年和2014年的数据显示，主体中学未毕业和只在主体中学毕业的人数比例持续下降，高中和大学毕业的人数比例则持续上升。各州主体中学未毕业人数均出现大幅度下降。[③]文理中学已成为最重要的学校种类。此外，根据中小学学习能力国际比较测试（PISA\IGLU），2014年德国四年级学生和15岁学生的认知能力相较2001年总体呈提高态势。但提高幅度因学生家庭状况而有所差异。其中，只有中等阶层出身的四年级小学生，认知能力出现负增长。认知能力较弱的从2000年的23%

---

① Autorengruppe Bildungsberichterstattung. Bildung in Deutschland 2016［M］. Bielefeld：W. Bertelsmann Verlag GmbH，2016，S.104–105，42，176，177，343.

② Autorengruppe Bildungsberichterstattung. Bildung in Deutschland 2016［M］. Bielefeld：W. Bertelsmann Verlag GmbH，2016，S.116，209.

③ Autorengruppe Bildungsberichterstattung. Bildung in Deutschland 2016［M］. Bielefeld：W. Bertelsmann Verlag GmbH，2016，96，273.

下降到15%。所有种类学校学生的成绩分化下降。①

在高等教育领域，毕业生数量大为增长。2001—2009年间，由于高校招生人数增长，高校毕业生也出现大幅度增加。2014年更是达到了314 000人。学生毕业率也上升至32%。其中，硕士研究生毕业人数增长更是迅速，2014年是2010年的4倍。2006至2014年，留学生硕士毕业人数从3 200人上升至15 300人。有64%的学生拿到学士学位后继续攻读硕士，硕士成为德国大学的法定毕业证书。大学毕业后失业风险明显降低。②在欧盟国家中，德国的硕士生比例高于平均水平。2012年，德国高等学校在校生人数在欧盟国家中雄踞榜首。高等学校中既有学科门类齐全的综合性大学，也有学科特色突出的专业性高校。其高校专业性分化程度在欧盟中居中。德国高校数学、信息科学和理工学专业（即所谓的MINT专业）的学生人数比例也比其他欧盟国家要高。从整个欧盟来看，父母是否接受过大学教育对学生的影响不显著。德国也是留学生的主要目的国之一。在应用技术大学中，双元制占主导。③

在信息化教育领域，除了大学生更加频繁地参加远程学习外，④中小学的信息化教育水平也有了显著提高。2013年调查显示，46%的小学和74%的文理中学都在教学中应用了信息化技术。

---

① Autorengruppe Bildungsberichterstattung. Bildung in Deutschland 2016 [M]. Bielefeld：W. Bertelsmann Verlag GmbH，2016，S.92，93，94，具体测试分数见S.271。

② Autorengruppe Bildungsberichterstattung. Bildung in Deutschland 2016 [M]. Bielefeld：W. Bertelsmann Verlag GmbH，2016，S.132，133，134.

③ Autorengruppe Bildungsberichterstattung. Bildung in Deutschland 2016 [M]. Bielefeld：W. Bertelsmann Verlag GmbH，2016，S.137，138，139，126.

④ Autorengruppe Bildungsberichterstattung. Bildung in Deutschland 2016 [M]. Bielefeld：W. Bertelsmann Verlag GmbH，2016，S.128.

**表9-1　课堂中数字媒体的使用状况（基于教师问卷调查，单位：%）**[①]

| | 经常 | 有时 | 很少 | 从不 | 没有回答 |
|---|---|---|---|---|---|
| 小学 | 10 | 36 | 29 | 25 | 0 |
| 主体 / 实科中学 | 14 | 48 | 28 | 8 | 2 |
| 文理中学 | 27 | 47 | 22 | 4 | 0 |
| 教师总体 | 18 | 44 | 26 | 12 | 0 |
| 教师自我评价好 | 22 | 46 | 22 | 10 | 0 |
| 教师自我评价不好 | 6 | 37 | 38 | 18 | 1 |

## 二、教育治理的不足

德国教育治理也存在诸多不足之处。主要表现如下：

### （一）总体上缺乏协调性

合作治理是发挥主体能动性、凝聚共同价值和走向善治的重要途径之一。但合作治理也有缺陷。“与国家治理，市场或社会治理相比较，合作治理的成熟度相对较低，而对协调的要求却最高。”“治理主体可能缺乏对具体治理问题的知识，也无法预测和控制治理活动的后果，并缺乏协调行动所必需的稳定的相互预期。”“合作治理的多重复合性增加了协调的难度。”[②]德国在教育领域所实行的合作治理，也突出地暴露出协调性不足的问题。

一方面，各州均为本地最高文教主管当局，因而各地教育治理状况差异巨大，难以协调。在学校种类方面，城市州及石荷州、萨尔州一般只有文理中学和三轨（文理中学、实科中学、主体中学）合一的中学；勃兰登堡、萨克森、萨克森－安哈尔特等地两轨合一中学（主体中学和实科中学）占很大比重；其他各州的学校则有五六种之多。在学制方面，各州中学毕业时可以

① WETTERICH F. Medienbildung an Deutschen Schulen，Handlungsempfehlungen für die digitale Gesellschaft［M］. Berlin：atene KOM GmbH，2014，S.33.

② 敬乂嘉.合作治理：再造公共服务的逻辑［M］. 天津：天津人民出版社，2009：184.

直接参加毕业考试（大学入学资格考试）的比例也各不相同，最高100%，最低只有24%。在师资力量方面，各州的全职教师所占比例和教师性别比也存在较大差别。在职业教育领域，各州也存在明显差异。从新参加职业教育的人数来看，移民占比相对较高的是城市州，其次是西部平原州，最低的是东部平原州。从双元制企业培训学员、职业学校学生和过渡阶段学员的人数来看，不仅平原州和城市州差异明显，东西部差异也很显著。从教育机构与需求人数的比例来看，北部和西部的情况要远远好于东部和南部。在东部，没有完成职业培训的人就业尤其困难。①

另一方面，由于各州当局的约束力比较有限，所以在各州内部不同主体对教育进行治理的效率也难以提高。以职业教育为例。从主体的视角来看，德国双元制职业教育体系的不足和虚弱，很大程度上要归咎为社团型主体缺少政治意志和执行能力，这些主体的推动力受外部结构变迁的影响，难以发挥有效的政治影响。根据其与就业紧密相连的功能和治理的中心结构来看，职业教育政策的传统发展推动力首先应该是经济和科技进步。而这又取决于就业状况、一般学校教育的成果和国家、家庭的经济状况。对从中学到就业培训、从就业培训到大学的过渡，承担职业教育的主体们在过去十年没有给予关注和改进，这就是德国职业教育治理中的核心问题。②受此影响，获得完全职业资格证书的人数从2005年以来不断下降。另外，由于州政府督促不力，有三分之一的德语和英语教师近两年没有接受过职业培训。③

### （二）移民教育治理的不足

其一，师资和经费缺口较大。尽管教育在移民融入课程中扮演关键角色，但目前德国中小学因难民涌入出现普遍的师资缺乏。估计中小学缺少10 000~14 000名教师和600~800名学校社工。在职业教育中，人力师资缺

① Autorengruppe Bildungsberichterstattung. Bildung in Deutschland 2016［M］. Bielefeld：W. Bertelsmann Verlag GmbH，2016，S.73，75，85，177，103，107，209.

② DINGELDEY I. Wandel der Governance der Erwerbsarbeit［M］. Wiesbaden：Springer VS，S.288–289.

③ Autorengruppe Bildungsberichterstattung. Bildung in Deutschland 2016［M］. Bielefeld：W. Bertelsmann Verlag GmbH，2016：102，87.

口达9 000~12 000人。资金缺口为64亿~86亿欧元。双元制企业培训人力缺口为5 700~7 600人，资金缺口为42亿~57亿欧元。培训岗位需求为72 000~96 000个。需要为高等教育以外的移民教育每年投入22亿~30亿欧元。①

其二，在基础教育领域，移民儿童常常面临不利的学习环境，学习状况也较差。如果夫妻双方均为在外国出生的移民，则他们的孩子比没有移民背景的孩子在阅读方面相差一个学年。德国青少年有44%在文理中学就读，但移民青少年只有24%。外国人中未获得主体中学毕业证书的比例比非移民高两倍。对移民学生的能力和资质缺少标准化认证程序。虽然自2001年起，各州陆续建立起了准备课程；但对缺乏德语知识的移民青少年儿童来说，学校的融入教学仍不统一。②

其三，在职业教育领域，移民的处境也不佳。移民职业培训中的合同解除率（培训中止率）高于非移民50%。根据联邦移民与难民署的数据，虽然大多数州可为青少年难民提供1~2年的职业预备培训，但总体上还是有超过半数的新来难民没有完成职业培训。在高等职业资格获得者中，移民与非移民差距也很巨大。另外，移民的就业率偏低，其劳动潜力也没有完全被发挥出来。移民进入职业领域时的选择是非常有限的。参加职业培训两年后，移民的失业风险仍明显高于非移民。完成移民职业资格认证的多半是欧盟国家移民。③

其四，移民中接受高等教育的比例也明显低于非移民。上大学的移民中欧盟国家移民占大多数。移民选择师范专业的较少，而选择工科类专业的较多。移民的修业年限普遍要长。④各州对推动移民职业资格和毕业证书认定

---

① Autorengruppe Bildungsberichterstattung. Bildung in Deutschland 2016［M］. Bielefeld：W. Bertelsmann Verlag GmbH，2016，S.200，201−202.

② Autorengruppe Bildungsberichterstattung. Bildung in Deutschland 2016［M］. Bielefeld：W. Bertelsmann Verlag GmbH，2016，S.173，185，187.

③ Autorengruppe Bildungsberichterstattung. Bildung in Deutschland 2016［M］. Bielefeld：W. Bertelsmann Verlag GmbH，2016，S.114，196，209，208，177，176，188.

④ Autorengruppe Bildungsberichterstattung. Bildung in Deutschland 2016［M］. Bielefeld：W. Bertelsmann Verlag GmbH，2016，S.179，181.

程序进行了不少努力，但这方面的效果却缺乏数据。

### （三）信息化教育治理的不足

一方面，由于主客观等原因，教师的信息化培训还不到位。2011年一次调查显示，501名初中教师中，25%多次参加信息化教学技术培训，22%参加过一次，52%从未参加过。造成这种情况的原因，除了所提供的信息化继续教育不足外，还跟教师的知识结构不合理和学习热情不高有关。根据2006年调查，德国中小学教师对信息化教育手段表示排斥的比例比欧洲平均水平高3倍。教师往往以信息化教学手段的缺点为由拖延教育技术更新。在教师们看来，最大的缺点是“信息化教育对技术的依赖性”，以下依次为“学生荒废了翻阅书籍、辞典和使用图书馆”“学生很难建立必备的科学知识体系因为所有可以一键下载”“信息量超过学生负荷”“教师很难全面了解学生掌握课堂知识的情况”“教师不具备必要的技术”“学生用电脑打游戏和上网，而不是学习”“学习材料引起学生更多的信息迷航”“更高的采购成本”“电脑前的自我学习对学生要求过高”“荧光屏前学习易引起疲劳”“课程不断增长的需求难以满足”等。面对信息化教学改革，教师忧心忡忡。[①]

**表9-2 德国中小学生的信息化学习设备统计图（根据2013年教师问卷统计）**[②]

| | 免费电脑工作场所 | 学校wifi | 内网/校园网 | 交互式白板/数字板 | 教学中笔记本电脑的使用 | 数字化学习平台 | 电影及学习资料外借的可能 | 笔记本电脑外借的可能 |
|---|---|---|---|---|---|---|---|---|
| 小学 | 12 | 20 | 13 | 15 | 8 | 7 | 11 | 3 |
| 主体中学和实科中学 | 29 | 37 | 36 | 34 | 21 | 14 | 19 | 10 |
| 文理中学 | 65 | 53 | 51 | 16 | 34 | 34 | 30 | 21 |

① WETTERICH F. Medienbildung an Deutschen Schulen，Handlungsempfehlungen für die digitale Gesellschaft [M]. Berlin：atene KOM GmbH，2014，S.25.

② WETTERICH F. Medienbildung an Deutschen Schulen，Handlungsempfehlungen für die digitale Gesellschaft [M]. Berlin：atene KOM GmbH，2014，S.26.

另一方面，由于教学理念和技术操作等原因，信息化教学在课堂中的应用情况也存在种种问题。

德国教育经济教学联盟的瓦西里奥斯·福特纳吉斯教授指出，德国各州的理念和教学计划常常与学校的设备状况难以协调。在信息化教育起步晚的小学，常常要向文理中学和管理者借用设备……中小学应设立专业的信息化顾问，以便能够解决未来的种种问题并应对复杂的基础设施建设状况。①

教师们认为，他们应该将自己的精力用在专业方面，而不是技术操作方面，因此对管理机构的技术支持表示不满。信息化教育治理咨询公司的尤尔根·施瓦茨就明确表示，"技术要么有用，要么就干脆不用"。"国家和国际信息化产业还没有考虑到中小学的情况，没有特别为中小学采取措施。能力不足的和以自我为中心的企业系统给课堂实践带来了纷繁复杂的问题。此外，很少有学校能为教师提供简单可行又完备的信息化基础设施。"中小学数字化教材平台scook的负责人马丁娜·施图皮女士表示，中小学数字化的推进非常缓慢，有一些示范性教师和学校非常积极，但局域性WLAN和电子白板设备却长期滞后。她指出scook通过提供免费共享的电子教材资源，减少了技术因素对教师教学的不利影响，有助于改善信息化教学设备不足的问题。②

40%的老师认为信息化教育手段深刻地改变了教学，而50%的教师则认为变化不大，只有25%的中学生认为信息化教学手段在课堂上得到了真正的应用。近50%的教师经常在教学中运用多媒体手段，但大多数都对设备条件表示不满。放弃信息化教学手段的原因中，学校设备不足居于首位，以下依次为："相较其他形式开支太大""在教学中并不总是有优点及担心教学中出现技术问题""自身技术能力不足"等；③此外，鉴于社交媒体中可能

① WETTERICH F. Medienbildung an Deutschen Schulen，Handlungsempfehlungen für die digitale Gesellschaft [M]. Berlin：atene KOM GmbH，2014，S.27.

② WETTERICH F. Medienbildung an Deutschen Schulen，Handlungsempfehlungen für die digitale Gesellschaft [M]. Berlin：atene KOM GmbH，2014，S.28，29.

③ WETTERICH F. Medienbildung an Deutschen Schulen，Handlungsempfehlungen für die digitale Gesellschaft [M]. Berlin：atene KOM GmbH，2014，S.33.

存在对青少年有害的内容，各州基本上都会对校园内接入这些网页做一些限制，甚至是完全禁止。德国教育与科学工会的伊尔卡·霍夫曼（Ilka Hoffman）博士指出，德国没有统一的信息化教育，情况就好像一块缀满破布的毯子。①

最关键的问题是，如何才能真正使信息化手段成为教学的推动力量。并不是应用了信息化手段就一定可以提高教学质量。实际上，不当的使用信息化教学手段会造成信息迷航，降低学习者的学习效率。

## 第二节　教育治理的经验教训

德国在教育治理中所取得的成就可为中国提供许多宝贵的经验；德国教育治理的不足之处也值得我们吸取教训。德国教育治理的经验教训主要体现在它对中央与地方、国家与学校、国家与社会这三大关系的处理方式上。

### 一、处理中央与地方关系的经验和教训

#### （一）经验

在德国，教育治理主要是各州的事务。在充分保证各州自主性的前提下，联邦扮演合作者和利益平衡者的角色。在德国教育治理中，联邦与州是一种分工合作的关系，而绝非领导与被领导的上下级关系。各州可以保持高度的教育自主权。除联邦国防军大学外，德国不存在中央直属高校，当然也就不存在中央高校比地方高校享有更多特权优势的情况。在所有高校都是州立的情况下，各州自然也都会集中资源办好自己的高校。这是造成德国高校分化差别很小的重要原因。

与此同时，各州还可以通过联邦参议院来维护自己的利益。因此，在很多情况下，联邦政府对教育的投入和监督往往也是以各州之间的利益平衡优

① WETTERICH F. Medienbildung an Deutschen Schulen，Handlungsempfehlungen für die digitale Gesellschaft［M］. Berlin：atene KOM GmbH，2014，S.34.

先。如之所以法律规定在2019年前高校大型设施建设经费要由联邦与州共同负担，其主要目的就是为了减轻财政困难州的负担。2013年之前联邦的此项投入已高达65 930万欧元。“卓越大学计划”资助高校科研活动，第二轮27亿欧元，联邦与各州分别承担75%和25%；①“2020高校合约”项目资助学生进入大学学习，提高大学教学质量，该项目到2020年前联邦投入将达到20亿欧元；②再如，根据《联邦教育促进法》，联邦和州一起对10年级以上家庭贫困的中学生、职校生和大学生提供生活补助金。但2015年之后，联邦就成为此项补助金的唯一提供者。在保证地方自主性的同时加强中央对财力困难地区的援助，在一定程度上可以促进教育公平的发展。

**（二）教训**

一方面，“以州为主”的模式降低了德国教育治理的能力和效率。将文化教育主权放在各州手中，会造成联邦对教育的投资不足，难以集中力量办大事。在联邦德国早期，教育经费主要由各州及地方财政负担，联邦极少参与。20世纪60年代之后，随着教育机会平等化的呼声不断提高，联邦被要求加大对财力较弱的小州的支持。根据1969年修改之后的《基本法》104b条第1款，联邦担负了更多的教育资助任务。但是，联邦对各州教育财政援助，经常因为牵涉州在基础教育方面的独有权力而受到阻碍。因此，联邦一级教育财政支出主要集中在高等教育和职业教育领域。2003年各州教育财政支出占国家总支出的74.7%，地方占20.7%，联邦仅仅占4.6%。2005年州占67.0%，地方占21.9%，联邦占11.0%。2006年修改《基本法》，禁止联邦向州专属立法权领域提供财政支持。其后，联邦投入占公共财政投入的比例基本维持在16%以下。尽管近年来联邦一级分担的比例也在不断增长，但从

---

① Exzellenzvereinbarung 11（ExV 11）[EB/OL].（2009-06-04）[2016-12-03]. https://www.wissenschaftsrat.de/download/archiv/exzellenzvereinbarung_zwei.pdf.

② Kultusministerkonferenz. Das Bildungswesen in der Bundesrepublik Deutschland 2013/2014 Darstellung der Kompetenzen，Strukturen und bildungspolitischen Entwicklungen für den Informationsaustausch in Europa[EB/OL].（2014-09-01）[2016-12-03]. https://www.kmk.org/fileadmin/Dateien/pdf/Eurydice/Bildungswesen-dt-pdfs/dossier_de_ebook.pdf：90.

公共财政分担的总体情况来看，各州最多，地方次之，联邦仍然最少。[①]各州的财力毕竟有限，常常无法筹集到足够的资金来进一步提高学校的教学质量。近年来，意识到这一弊端的联邦政府联合各州推出了诸如“卓越大学计划”，但目前效果尚不明显。

另一方面，分散的教育治理体系还会造成各州教育体系、制度、理念的不统一和效率的底下。像在高校中设置青年教授的政策，就是联邦和各州反复争论很久之后才开始推行的。权力的分散会导致教育治理能力和效率的下降。

## 二、处理国家与学校关系的经验和教训

### （一）经验

19世纪初，在拿破仑战争刺激下，普鲁士实施了由威廉·冯·洪堡主持的较为全面的教育改革，他一方面保证学校可得到国家的财政支持，另一方面也保证国家不会肆意干涉学校的教学活动。此后，除纳粹时期外，德国基本上一直延续着洪堡时代所形成的这种国家与学校的传统关系，即在国家的财政支持和监督下，教育机构可以充分享有自主权。

国家办学有利于教育公平的实现。各级各类公立学校的主要开支，如进行基础设施建设、购买设备、支付教师工资等方面的经费均由国家负担。不仅所有学校一律免收学费和杂费，学生还可以根据规定从国家领取困难学生生活补助金、职业培训费、走读交通费、午餐费等各种补贴。另外，中小学教师的招聘、课程标准的审定等也由各州教育主管部门统一负责。因此，德国同级同类学校之间的差距非常小，几乎所有学生都可以根据自己的兴趣和能力获得平等的受教育机会。

而学校在国家面前所享有的财政保障权和业务自主权，则可以让教师根据自己的兴趣和特长安心教书，在一定程度上有利于提高学校的教学质量。

---

① 严格来说，德国只有联邦、州及其派出机构为国家机关，而乡镇只是公法性团体。但在研究教育经费分担与划拨机制时，一般将联邦、州、地方国家机关和乡镇皆归为公共财政支出机构。

在德国的教育体系中，州或国家相关机构并不具备直接干涉教师教学的权力。而学校的管理层，一般也只具有评估或协调的权力，并不能直接对教师进行任何方式的奖惩。特别是在高校中，不仅教授的学术自由权受到《基本法》保护，高校内部事务也主要由以教授为主的评议会负责行使，国家不得随意过问。历史上还曾出现过教授以违反《基本法》学术自由为由，要求联邦宪法法院裁定州高等学校法相关条款无效，并最终胜诉的事情。受到国家的供养而不必听命于国家，处于这种状态下的教师不仅安心教书并激发出更多的创造力，而且还可以获得物质上和精神上的双重独立。

### （二）教训

德国在处理国家与学校关系时，也有一些教训值得我们注意。

一方面，国家包揽大部分的办学经费，不仅会给自己带来严重的财政负担，也往往无法满足学校的开支需求。比如，曾有学者明确指出，德国大学的免学费政策其实不利于高等教育的发展，因为“收费不能作为高等教育资助和管理的基本工具”。[①]

另一方面，国家财政多采用投入导向型拨款，经费使用效率不高。虽然近年来已逐步开始引入绩效导向的整体拨付模式，但各项机制目前仍不甚健全。而且国家对学校约束力不足，也会导致教育机构缺少改革发展的动力，影响教育质量的提高。如在双元制职业教育中，许多中小企业常常忽视理论知识的传授，还不时干扰正常的培训进程。而职业学校的教学计划则显得陈旧，师资和教学场所也比较缺乏；在实际教学中，职业学校也易于忽视学生的审美教育和个性教育。[②]

## 三、处理国家与社会关系的经验和教训

### （一）经验

黑格尔和马克思都认为，德国的市民社会不够完善。近代德国并没有发

---

① KÜPPER H. Management Mechanism and Financing of Higer Education in Germnay[J]. Higher Education Management and Policy，2003，Volume 15 Issue 1：71-89，S.73.

② 杨明，赵凌. 德国教育战略研究[M]. 杭州：浙江教育出版社，2014：144.

展出像英美那样的能够在国家机器和底层民众之间起协调作用的、独立的市民社会。尽管德国社会中一直不缺少社会团体，但这些团体却一直依附于国家或为民粹主义所利用。直到1945年之后，随着盟国改造的完成，联邦德国才逐渐形成了一批真正能够以独立姿态参与国家治理的社会团体。独立的社会团体不仅为社会自治机制的发展奠定了基础，还给“小政府、大社会”型国家治理模式的完善创造了条件。在教育治理中，德国坚持以国家监督为前提，充分发挥各类社会主体的参与积极性。

其一，充分发挥了社会主体的咨询建议作用，提高了教育治理决策的科学性和民主性。德国有两类社会机构在教育治理决策过程中扮演着十分重要的角色。一类是公法性专业研究机构，如联邦职业教育研究所、德国国际教育研究所及各大学设立的教育研究所。这些研究机构虽然主要受公共财政的资助，但却可以不受干涉地展开独立研究，为国家教育治理提出科学性建议；另一类是专业性利益代表集团，如大学校长协会、全德大学生联合会、教师协会、高校教师联盟等。这些利益集团所代表的群体都是直接承担教育治理任务的实践者，所有教育治理政策的执行和教育治理体系的完善都必须通过这些群体才能够实现。因此，吸取他们的意见，将大大有助于提高教育治理决策的科学性和民主性。此外，具有专业资质的企业也在教育治理的决策当中起到了重要的咨询建议作用。

其二，充分发挥了社会主体的投资积极性，弥补了国家教育经费的不足。在国家的要求和鼓励下，社会主体主要在以下几个教育领域进行投资：①职业培训：企业是德国校外职业培训的主要承担者，这既有利于企业自身的发展，也有利于提高整个国家的劳动力素质；②私立学校：私人及企业创办学校，既可以促进文化教育产业的发展，也可以弥补国家教育职能的不足；③高校建设与发展：通过捐赠、科研项目及产学研结合的投资途径，社会资本为德国高校的发展提供了大量的第三方资金。这不仅有利于弥补国家对高校投入的不足，还可以促进高校社会服务职能的发展。

其三，充分发挥了社会主体的评估监督作用，促进了教学质量的提高。在国家的组织、授权和委托下，许多第三方机构都在教学质量保障中发挥重要的作用。国家不仅会组织学生参与第三方机构进行的测评，还会委托第三方认证和评估机构对各类具体的人才培养机制进行认证和评估。相对于直接由国家或学校进行的评估，第三方社会机构的评估显然要更为公正和可靠。

**（二）教训**

德国“小政府、大社会”的教育治理模式也存在许多缺点。

首先，烦琐的民主咨询和利益协调过程严重降低了教育治理的效率。在德国，教育改革常常会因为社会上既得利益者和保守势力的反对而停滞。尤其是当各大利益集团斗争激烈的时候，一项政策从制订到出台往往要经过很长时间，而且在这一过程中各方不同的意见都会被吸收进来，最终使政策成为一个执行效果大打折扣的大杂烩。

其次，相对于其他很多国家来说，德国社会资本对教育的投入还是太少。据统计，近年来私人对教育的投入只占德国教育总投入的两成左右。而且国家还要对分担教育经费的社会主体给予各项补贴。如各州一般都规定私立学校可依法向学生家长收取学费，同时也可以向国家申请财政补贴。国家根据同类公立学校学生的培养成本计算具体补贴金额。如2005年州财政对私立学校平均补助标准是每个学生4 500欧元。[①]此外，国家还会对移民融入教育和企业职业培训依法给予补贴和援助。对于很早就实现了高等教育大众化的德国来说，应该在保证教育公平的前提下，进一步拓宽社会资本参与教育投资的途径，以弥补公共教育开支的不足。

最后，第三方质量认证和评估体系还不够完善。由于国家缺少统一的标准和足够的执行力，德国目前只是在一些具体的领域委托第三方建立了一些教育的认证评估机制，而这些认证评估机制还存在诸多问题。以目前德国较为权威的高等教育人才培养质量认证机制为例。该机制目前尚缺少全国统一的法律基础，它只是依照各州文教部长常设会议及各州的相关决定在运行。在这一机制下，存在许多得到授权的认证机构。这些机构之间职能交叉，缺少竞争，认证水平难以保证，而且它们认证的标准也没有得到各界的广泛认同。

---

① BARZ H. Handbuch Bildungsfinanzierung［M］. Wiesbaden：VS Verlag für Sozialwissenschaften，2010，S.202

# 结　论

在漫长的历史岁月中，德国教育治理逐渐形成了以州为主、分工合作、国家办学、放权增效、问题导向、与时俱进等特点。

19世纪初，普鲁士在洪堡教育改革中确立了国家办学、学校自主的基本原则。第二次世界大战之后，联邦德国恢复了洪堡传统和双轨制教育体系，并将文化联邦主义和代表多元主义写入《基本法》，从而使该国在教育治理中又形成了以州为主、分工合作的原则。自20世纪80年代中期起，受新自由主义和新公共管理主义的影响，联邦德国在教育治理中越来越注重放权增效，并进一步呈现出以热点问题为导向、与时俱进的特点。德国教育治理的这些特点在宏观、中观和微观等不同层次上都有所体现。

从宏观层面上来看，德国一方面坚持"国家办学"原则，另一方面实施简政放权并引入绩效竞争机制，同时重点采取措施应对教育领域的各种突出问题和新挑战。在德国，国家是学校的主要举办者和监督者，州一级教育主管机关在教育治理中居于核心位置。联邦只能在少数领域与州展开合作。在国家的管理和监督下，社会团体可以参与教育治理的各个环节，各级各类教育机构也拥有一定的自主权。20世纪80年代中期后，德国开始将更多的权力下放给教育机构，并在这些机构内引入了绩效竞争机制，同时还根据信息化和移民社会的挑战及时调整了自己的相关政策。

从中观层面上来看，尽管各领域的情况有所不同，但基本都体现了德国教育治理的特点。在基础教育领域，占绝对优势的公立中小学由州文教部及其下辖的地方教育机关共同负责举办和监督；而在高等教育领域，则是由州直接管理高校，联邦可以在科研设施建设等少数几个方面与州分担责任；只有在职业教育、移民教育等领域，联邦和其他社会主体才可以发挥更大的作用；但即使在这些领域，州教育主管部门仍扮演着关键的角色。20世纪80年代中期后，简政放权和绩效导向改革同时开始在德国教育的不同领域中推行，信息化和移民问题也成为各类教育关注的焦点。

从微观层面上来看，德国各级各类学校都是在国家、尤其是州文教部的监督下，实行以教师为核心的合作治理。教师一旦按照国家制定的标准获得聘任，就开始在学校治理中扮演关键角色。同时，根据相关法律，学生和家长也可以在一定程度上参与学校事务，为本校的发展献计献策。进入20世纪80年代中期后，联邦德国各州开始将更多的权力下放给学校，并在一定程度上加强了校领导在学校治理中的地位。

德国教育治理的特点不仅体现在宏观、中观和微观等不同层次上，也体现在财务、人事和质量保障等不同的业务领域当中。

从财务治理方面来看，德国在坚持以州为主的国家办学原则下，允许各类社会主体投资教育，并通过引入绩效竞争机制，扩大教育机构在财务方面的自主权。在德国，国家是各级各类公立学校的主要资助者。其中，学校的软件支出，如教师工资、教育运行经费等一般都由州一级财政负担。而学校的硬件支出则由州和地方、联邦合作分担。20世纪80年代中期后，为了减轻国家的负担，德国开始转变对教育的财政投入机制，逐步在各级各类教育机构中确立了以产出为导向的绩效竞争型经费拨付模式。

从人事治理方面来看，德国一边保持国家对教育机构师资及主要领导资格认定和聘任考核的最终发言权，一边也逐步将其中的一部分权力下放给教育机构。德国教育机构的师资培训大多由各州负责。公立学校的正式在编教师都是国家公务员，其培训和聘任标准也相对严格、统一。此外，各州对私立教育机构，尤其是私立替代学校和企业培训的师资要求也非常严格。20世纪80年代中期后，一些州陆续决定缩小国家的人事管理权，将更多原属于教育管理部门的权力交给教育机构和社会。同时，很多州还采取一系列措施，在教师培训和聘用标准中增加有关信息化和移民教育的内容，以提高教师的信息化能力和跨文化能力。

从质量治理方面来看，虽然国家会联合社会团体等对各级各类教育机构的学生培养机制进行严格的外部监控，但这些教育机构在学习者培养方面也拥有或多或少的自主权，且这种自主权有逐渐扩大之势。在德国，联邦和各州均在自己负责的教育领域为人才培养制定了相对统一的标准。国家有权对教育机构制订的培养计划进行认可或批准，并对它们执行培养方案的过程进行必要的监督。在国家的管理和监督下，教育培训机构可根据相关标准自主制定全部或部分人才培养计划，并可在官方认可后自主执行这些计划。自20世纪80年代中期开始，由于受新公共管理主义和新自由主义的影响，德国不仅在很多教育机构内部引入了自我评估体系，还在外部针对这些机构的人才培养质量建立了第三方评估机制。

通过推进和完善治理措施，德国不仅进一步实现了教育公平、提高了教育质量，还有效地完善了原有的教育体系，进而从整体上提高了人民的受教育水平，其成效不可谓不显著。当然，由于德国教育治理具有分散性，各主体在合作中很难做到相互协调，同时国家对其他主体又缺少强有力的约束，所以其治理成效在很多方面仍存在明显的不足，如教育的地区差异依然很大，效率也有待进一步提高；在信息化教育和移民教育方面，许多棘手的问题也有待于进一步解决。因此，中国在借鉴德国教育治理经验的时候，既要注意参考其有益的一面，如坚持由国家承担义务教育阶段的主要经费开支、让企业在职业教育领域发挥更大作用、建立完善的第三方教育评估机制、重视跨文化教育等；同时也要注意吸取其教训，如不能让国家在教育治理中缺少必要的协调约束能力、不能放任社会力量治理效率的低下、要重视提高学校层面在信息化教育治理中的执行力等。

# 参考文献

## 原始文献和统计数据

### （一）《魏玛宪法》


[1] Die Verfassung des Deutschen Reichs vom 11. August 1919[G]// Reichsgesetzblatt, 1919：1383.


### （二）《基本法》、联邦法规和联邦宪法法院裁决①


[1] Berufsbildungsgesetz（BbiG）[G]// Bundesministerium der Justiz. BGBl. I. Bonn：Bundesanzeiger Verlag, 2005：931.

[2] Bundesausbildungsförderungsgesetz（BAföG）[G]// Bundesministerium der Justiz. BGBl. I. Bonn：Bundesanzeiger Verlag, 2010：1952.

[3] Bundesverfassungsgericht. Hochschul-Urteil[G/OL]// BVerfGE 35, 79 /BvR 424/71 und 325/72, 1973[2016-12-05]. http://www.servat.unibe.ch/dfr/bv035079.html.

[4] Bundesverfassungsgericht. Regelung zum Studiengebührenverbot und zur Bildung verfasster Studierendenschaften mangels Gesetzgebungsrechts des Bundes nichtig[G/OL]//Pressemitteilung Nr. 8/2005[2016-12-05].

[5] Gesetz über die Gemeinschaftsaufgabe „Ausbau und Neubau von Hochschulen "（Hochschulbauförderungsgesetz）[G]// Bundesministerium der Justiz. BGBl. I. Bonn：Bundesanzeiger Verlag, 1981：893.

[6] Grundgesetz für die Bundesrepublik Deutschland [G]// Bundesministerium der Justiz. BGBl.III.Nr. 100-1/BGBl. I., Bonn：Bundesanzeiger Ver Justiz BGBI. I., 2010：1944.


① 出版时间以现行主体文本颁布时间为准。

http://www. bundersverfass ungsgericht. de/SharedDocs/Pressemitteilungen/DE/2005/bvgo5−008.html.

[7] Professorenbesoldungsreformgesetz（ProfBesReformG）［G］// Bundesministerium der Justiz. BGBl. I., 2002：Nr.11.

[8] Sozialgesetzbuch（SGB）Drittes Buch（III）−Arbeitsförderung（Artikel 1 des Gesetzes des Arbeitsförderungs−Reformgesetzes−AFRG）［G］// Bundesministerium der Justiz. BGBl. I. Bonn：Bundesanzeiger Verlag, 1997：594.

## （三）“德国国家教育统计报告”和其他联邦官方文件

[1] Autorengruppe Bildungsberichterstattung. Bildung in Deutschland 2008［M］. Bielefeld：W. Bertelsmann Verlag GmbH, 2008.

[2] Autorengruppe Bildungsberichterstattung. Bildung in Deutschland 2010［M］. Bielefeld：W. Bertelsmann Verlag GmbH, 2010.

[3] Autorengruppe Bildungsberichterstattung. Bildung in Deutschland 2012［M］. Bielefeld：W. Bertelsmann Verlag GmbH, 2012.

[4] Autorengruppe Bildungsberichterstattung. Bildung in Deutschland 2014［M］. Bielefeld：W. Bertelsmann Verlag GmbH, 2014.

[5] Autorengruppe Bildungsberichterstattung. Bildung in Deutschland 2016［M］. Bielefeld：W. Bertelsmann Verlag GmbH, 2016.

[6] Bundesinstitut für Berufsbildung. Datenreport zum Berufsbildungsbericht 2016, Informationen und Analysen zur Entwicklung der beruflichen Bildung［M］. Bielefeld：W. Bertelsmann Verlag, 2016.

[7] Bundesministerium für Bildung und Forschung. Berufsbildungsbericht［M］. Paderborn：Bonifatius GmbH, 2016.

[8] Bundesministerium für Familie, Senioren, Frauen und Jugend. Elfter Kinder−und Jugendbericht. Bericht über die Lebenssituation junger Menschen und die Leistungen der Kinder−und Jugendhilfe in Deutschland（Bericht der Sachverständigenkommission）［M］. Berlin：MuK. Medien−und Kommunikations GmbH, 2002.

[9] Bundeszentrale für politische Bildung. Jahresbericht 2008/2009［M］. Paderborn：M. P.

Media-Print Informationstechnologie GmbH, 2010.

[10] Federal Ministry for Economic Affairs and Energy. Digital Strategy 2025 [M]. Paderborn：Bonifatius GmbH, 2016.

[11] Press-und Informationsamt der Bundesregierung. Der Nationale Integrationsplan, Neue Weg-Neue Chancen[M]. Berlin：MEDIA CONSULTA Deutschland GmbH, 2007.

[12] Statistisches Bundesamt. Bildung und Kultur Ausbildungsförderung nach dem Bundesausbildungsförderungsgesetz（BAföG）Erscheinungsfolge：jährlich Erschienen am 18. Oktober 2013 [M]. Wiesbaden：Statistisches Bundesamt, 2013.

## （四）各州和地方法规、官方文件①

[1] Bayerische Verfassung Vom 2. Dezember 1946, In der Fassung der Bekanntmachung vom 15. Dezember 1998[G]//GVBl. München：Verlag Bayerische Staatszeitung GmbH, 1998：991.

[2] Bayerisches Datenschutzgesetz（BayDSG）Vom 23. Juli 1993 [G]//GVBl. München：Verlag Bayerische Staatszeitung GmbH, 1993：498.

[3] Bayerisches Eliteförderungsgesetz（BayEFG）vom 26. April 2005[G]//GVBl. München：Verlag Bayerische Staatszeitung GmbH, 2006：104.

[4] Bayerisches Gesetz über das Erziehungs-und Unterrichtswesen（BayEUG） in der Fassung der Bekanntmachung vom 31. Mai 2000[G]//GVBl. München：Verlag Bayerische Staatszeitung GmbH, 2000：414.

[5] Bayerisches Hochschulgesetz（BayHSchG）vom 23. Mai 2006 [G]//GVBl. München：Verlag Bayerische Staatszeitung GmbH, 2006：245.

[6] Bayerisches Hochschulpersonalgesetz（BayHSchPG）Vom 23. Mai [G]//GVBl. München：Verlag Bayerische Staatszeitung GmbH, 2006：230.

[7] Bayerisches Lehrerbildungsgesetz（BayLBG）vom 12. Dezember 1995[G]//GVBl. München：Verlag Bayerische Staatszeitung GmbH, 1996：16.

[8] Bayerisches Staatsministerium für Bildung und Kultus, Wissenschaft und Kunst. Digitale

---

① 出版时间以现行主体文本颁布时间为准。

Bildung in Schule, Hochschule und Kultur, Die Zukunftsstrategie der Bayerischen Staatsregierung [M]. Würzburg：Phoenix Print GmbH, 2016.

[9] Bericht der Landesregierung zur Umsetzung des Digitalen Lernens[G]// Drucksache, 2016：18/2627.

[10] Berliner Hochschulgesetz（BerlHG）[G]//GVBl, 2011：379.

[11] Bezirksordnung für den Freistaat Bayern[G]//GVBl. München：Verlag Bayerische Staatszeitung GmbH, 1998：850.

[12] Exzellenzvereinbarung 11（ExV 11）[EB/OL].（2009-06-04）[2016-12-03]. https://www.wissenschaftsrat.de/download/archiv/exzellenzvereinbarung_zwei.pdf.

[13] Gesetz zur Änderung des Bayerischen Gesetzes über das Erziehungs-und Unterrichtswesen（BayRS 2230-1-1-K）[G]//GVBl. München：Verlag Bayerische Staatszeitung GmbH, 2015：414.

[14] Gesetz zur Verbesserung der Feststellung und Anerkennung im Ausland erworbener Berufsqualifikationen in Niedersachsen[G]//Nds. GVBl, 2012：Nr. 32/2012.

[15] Grundschulverordnung（GsVO）[G]//GVBl, 2010：440.

[16] Hessisches Hochschulgesetz, [G]//GVBl. I 2009（Gliederungs-Nr.：70-258）：666.

[17] Hochschulfreiheitsgesetz（HFG）Vom 31. Oktober 2006[G]//GV. NRW. Ausgabe Nr. 30, 2006：473. https://www.rpt.tue.schule-bw.de/a7/a711-service/01-formulare/bew/bew_uebergr/rpt7-06-leitfaden.pdf.

[18] Landesverfassung der Freien Hansestadt Bremen Vom 21.10.1947 [G]//Brem.GBl, 1947：251.

[19] Leistungslaufbahngesetz（LlbG）vom 5. August 2010[G]//GVBl. München：Verlag Bayerische Staatszeitung GmbH, 2010：410，571.

[20] Ministerium für Bildung, Wissenschaft，Jugend und Kultur des Landes Rheinlandplfaz. Unterricht von Schülerinnen und Schülern mit Migrationshintergrund, Verwaltungs-vorschrift [G]//Amtsbl, 2007：2.

[21] Sächsisches Staatskanzlei. Sächsisches Gesetz-und Verordnungsblatt, Nr.13/2008 [M]. Dresden：Sächsisches Druck-und Verlagshaus AG, 2008.

[22] Schulgesetz für Baden-Württemberg（SchG）in der Fassung vom 1. August 1983 [G]//

GBl., 1983：397（K. u. U. S. 584）.

[23] Schulgesetz für das Land Nordrhein–Westfalen（Schulgesetz NRW–SchulG）Vom 15. Februar 2005[G]//GV. NRW.，2005：102.

[24] Schulordnung für die Berufsfachschulen für Ergotherapie, Physiotherapie, Logopädie, Massage und Orthoptik（Berufsfachschulordnung nichtärztliche Heilberufe–BFSO HeilB）Vom 18. Januar 1993[G]//GVBl. München：Verlag Bayerische Staatszeitung GmbH，1993：35.

[25] Schulordnung für die Berufsschulen in Bayern（Berufsschulordnung–BSO）Vom 30. August 2008 [G]//GVBl. München：Verlag Bayerische Staatszeitung GmbH, 2008：631, 727.

[26] Senatsverwaltung für Bildung, Jugend und Wissenschaft des Landes Berlin. Rechtsvorschriften [EB/OL].[2016–12–05]. https://www.berlin.de/sen/bildung/schule/rechtsvorschriften/.

[27] Staatsministerium für Bildung und Kultus, Wissenschaft，und Kunst des Landes Freistaat Bayern. Einzelplan 05 für den Geschäftsbereich des Bayerischen Bildung und Kultus[C] // Haushaltsplan, 2015/2016.

[28] Verfassung für das Land Nordrhein–Westfalen Vom 18. Juni 1950 [G]//GV. NW. 1950：127.

[29] Zugeleitet mit Schreiben des Bundesministeriums des Innern vom 28. Juni 2007 gemäß §43 Abs. 5 des Aufenthaltsgesetzes. Unterrichtung durch die Bundesregierung Erfahrungsbericht der Bundesregierung zu Durchführung und Finanzierung der Integrationskurse nach §43 Abs. 5 des Aufenthaltsgesetzes[G]// Deutscher Bundestag Drucksache, 2007：16/6043.

## （五）联合国与欧盟的文件

[1] European Commission. A Community of Cultures：The European Union and the Arts [M]. Luxembourg：Office for Official Publications of the European Communities, 2002.https://culturalrights.net/descargas/drets_culturals401.pdf

[2] UNESCO. Our Creative Diversity, The Report of the World Commission on Culture and Development [M].Paris：UNESCO Publishing, 1996.

[3] UNESCO. Mexico City Declaration on Cultural Policies, World Conference on Cultural Policies, 26. July–6. August [EB/OL].（1982–08–06）[2016–12–03].

### （六）其他社会组织和研究机构的原始文件和统计数据

[1] APEL H. Lebenslagen in Deutschland：Armuts–und Reichtumsberichterstattung der Bundesregierung, Bildung und Teilhabe von Kindern und Jugendlichen im unteren Einkommensbereich Untersuchung der Implementationsphase des Bildungs–und Teilhabepakets „Bundesministeriums für Arbeit und Soziales, Abschlussbericht “[M]. Köln/ Berlin：Grafischer Bereich des BMAS, 2012.

[2] CINAR.M. Kinder–Migrationsreport：Ein Daten–und Forschungsüberblick zu Lebenslagen und Lebenswelten von Kindern mit Migrationshintergrund [M]. München：Verlag Deutsches Jugendinstitut, 2013.

[3] Forschungszentrum Migration, Integration und Asyl. Publikationsliste BAMF–FZ[M]. Nürnberg：BAMF, 2016.

[4] Forschungszentrums Migration，Integration und Asyl. Migrations–und Integrationsforschung. Jahresbericht 2015 [M]. Nürnberg：BAMF Zentrale–und Außenstellenunterstützung, 2016.

[5] Hochschulrektorenkonferenz（HRK）. Ordnung der Hochschulrektoren–konferenz（Konferenz der Rektorinnen und Rektoren sowie Präsidentinnen und Präsidenten der Hochschulen in der Bundesrepublik Deutschland in der Fassung vom 13. Mai 2015）[EB/OL].[2016–12–03]. https://www.hrk.de/uploads/media/Internetfassung_Ordnung13_Mai_2015.pdf.

[6] WETTERICH F. Medienbildung an Deutschen Schulen, Handlungsempfehlungen für die digitale Gesellschaft [M]. Berlin：atene KOM GmbH, 2014.

[7] 杭州大学德汉翻译和信息中心 . 联邦德国普通行政管理及教育行政管理[M]. 杭州：杭州大学出版社，1994.

[8] 李其龙，孙祖复 . 联邦德国教育改革[C]. 北京：人民教育出版社，1991.

## 专著和论文

[1] ALTRICHTER H，BRÜSEMEISTER T, WISSINGER J. Educational Governance [M].

Wiesbaden：VS Verlag für Sozialwissenschaften，2007−2016.

[2] ALTRICHTER H. Educational Governance：Handlungskoordination und Steuerung im Bildungssystem [M]. Wiesbaden：VS Verlag für Sozialwissenschaften, 2007.

[3] BANDELOW N C. Pluralismus−Strategien−Entscheidungen, Annäherung von Theorie und Praxis in der Politik [M]. Wiesbaden：VS Verlag für Sozialwissenschaften, 2011.

[4] BARINGHORST S. Politische Steuerung von Integrationsprozessen, Intentionen und Wirkungen [M]. Wiesbaden：VS Verlag für Sozialwissenschaften, 2006.

[5] BARON C. Das duale System der Berufsausbildung unter dem Einfluss der europäischen Berufsbildungspolitik. Entwicklungsprozesse und Herausforderungen [D].Dissertation am Fachbereich Bildungswissenschaften der Universität Duisburg−Essen, 2007.

[6] BARZ H. Handbuch Bildungsfinanzierung [M]. Wiesbaden：VS Verlag für Sozialwissenschaften, 2010.

[7] BENZ A. Governance−Regieren in komplexen Regelsystemen, Eine Einführung [M].Wiesbaden：VS Verlag für Sozialwissenschaften, 2004、2010.

[8] BODE A. Informationsmanagement in Hochschulen [M]. Berlin：Springer−Verlag, 2010.

[9] BRATER M. Interkulturelle Waldorfschule Evaluation zur Schulischen Integration von Migrantenkindern [M]. Wiesbaden：Verlag für Sozialwissenschaften 2009.

[10] BRAUN Hans−Gert. Wie lässt sich gute Regierungsführung fördern ?[N]. Neue Zürcher Zeitung, 2012−01−06.

[11] BREITNER M. E−Learning：Einsatzkonzepte und Geschäftsmodelle [M]. Heidelberg：Physica−Verlag，2005.

[12] BURKHART S. Wissenschaft Weltoffen 2016 [M]. Postfach：W. Bertelsmann Verlag GmbH & Co. KG, 2016.

[13] DAGMAR S. Handbuch Wissenschaftspolitik [M]. Wiesbaden：Springer VS, 2015.

[14] DINGELDEY I. Wandel der Governance der Erwerbsarbeit [M].Wiesbaden：Springer VS, 2015.

[15] FRÖHLICH M. IT−Governance：Leitfaden für eine praxisgerechte Implementierung [M]. Wiesbaden：VS Verlag für Sozialwissenschaften, 2008.

[16] FROMME W. Medienbildung und Gesellschaft [M] Wiesbaden：VS Verlag für Sozial-

wissenschaften，2006.

[17] HENTGES G. Migrations−und Integrationsforschung in der Diskussion, Biografie, Sprache und Bildung als zentrale Bezugspunkte [M]. Wiesbaden：VS Verlag für Sozialwissen-schaften, 2010.

[18] HEPP G F. Bildungspolitik in Deutschland [M]. Wiesbaden：VS Verlag für Sozialwissen-schaften，2011.

[19] JONGBLOED B. Keeping up Performances：An International Survey of Perfor-mance−based Funding in Higher Education[J]. Journal of Higher Education Policy and Management, Vol. 23, No. 2, 2001：127−145.

[20] KLEIN A. Kulturpolitik, Eine Einfuhrung[M]. Wiesbaden：VS Verlag für Sozialwissen-schaften, 2009.

[21] KOOPMANS R. Contested Citizenship，Immigration and Culture Diversity in Europe [M]. London：University of Minisota Press, 2005.

[22] KUHLEE D. Governance in der Lehrerausbildung：Analysen aus England und Deutschland Governance in Initial Teacher Education：Perspectives on England and Germany [M]. Wiesbaden：Springer VS, 2015.

[23] KÜPPER H. Management Mechanism and Financing of Higer Education in Germnay[J]. Higher Education Management and Policy, 2003, Volume 15 Issue 1：71−89.

[24] LANG U. CIOs und IT−Governance an deutschen Hochschulen [M]. Heilbronn：Zentren für Kommunikation und Informationsverarbeitung in Lehre und Forschung, 2014.

[25] MERKI K M. Educational Governance als Forschungsperspektive Katharina [M]. Wies-baden：VS Verlag für Sozialwissenschaften, 2006.

[26] NIEKE W. Interkulturelle Erziehung und Bildung：Wertorientierungen im Alltag [M]. Wiesbaden：VS Verlag für Sozialwissenschaften, 2008.

[27] REVERMANN C. Mediennutzung und eLearning in Schulen Sachstandsbericht zum Monitoring »eLearning«[M] Berlin：Das Büro für Technikfolgen−Abschätzung beim Deutschen Bundestag（TAB）, 2007.

[28] ROSENAU J N. Governce without Order Change in the World Politic [M]. Cambridge：Cambridge University Press, 1992.

[29] SCHWARZ S. Accreditation and Evaluation in the European Higher Education [M]. Dordrecht：Springer Science+Business Media, 2004.

[30] SERGIOVANNI T J. Educational Governance and Administration（6th Edition）, Pearson/ Allyn, 2009[M]. 北京：中国人民大学出版社（英文影印版），2011.

[31] STEIN T. Gibt Es Eine Multikulturelle Leitkultur Als Verfassungspatriotismus? Zur Integrationsdebatte in Deutschland[J]. Leviathan, 2008，Volume 36, Number 1.

[32] TREMMEL J. Generationengerechte und Nachhaltige Bildungspolitik [M]. Wiesbaden：Springer VS, 2014.

[33] US Department of Education. The Educational System in Germany, Case Study Findings [M]. [s.l.]CreateSpace Independent Publishing Platform, 2014.

[34] WEILL P. IT Governance：How Top Performers Manage IT Decision Rights For Superior Results [M]. Boston：Harvard Business School Press, 2004.

[35] WIESENTHAL H. Gesellschaftssteuerung und gesellschaftliche Selbststeuerung. Eine Einfuhrung [M]. Wiesbaden：VS Verlag für Sozialwissenschaften, 2006.

[36] WILKESMANN U. Hochschule als Organisation [M]. Wiesbaden：VS Verlag für Sozialwissenschaften, 2012.

[37] WILLKE H. Regieren Politische Steuerung komplexer Gesellschaften [M]. Wiesbaden：VS Verlag für Sozialwissenschaften, 2014.

[38] YAZDANI K. Integration durch Integrationskurse? Eine Verlaufsstudie bei iranischen Migrantinnen und Migranten [D]. Universität Bremen, 2014.

[39] 阿贝尔斯豪泽 W. 德意志联邦共和国经济史（1945—1980）[M]. 张连根，吴衡康，译 . 北京：商务印书馆，1988.

[40] 鲍尔生 F. 德国教育史[M]. 滕大春， 滕大生，译 . 北京：人民教育出版社，1986.

[41] 编辑部评论 . 深化教育领域综合改革，加快推进教育治理体系和治理能力现代化：2014 年全国教育工作会议召开[N]. 中国教育报，2014-01-15（1）.

[42] 范德格拉夫 J. 学术权力——七国高等教育管理体制比较[M]. 王承绪、张维平、徐辉等，译 . 杭州：浙江教育出版社，2001.

[43] 福尔 C.1945年以来的德国教育：概览与问题[M]. 肖辉英，陈德兴，戴继强，译. 北京：人民教育出版社，2002.

[44] 哈贝马斯 J. 包容他者[M]. 曹卫东，译 . 上海：上海人民出版社，2002.

[45] 何济玲，陈仕品 . 转型时期高校信息化的治理结构变革研究[J]. 现代教育技术，2015（10）.

[46] 黄德群，毛发生 . 德国教育技术发展研究[J]. 外国教育研究，2014（3）.

[47] 姜峰 . 当代德国高等教育改革研究[M]. 上海：上海外语教育出版社，2015.

[48] 敬乂嘉 . 合作治理[M]. 天津：天津人民出版社，2009.

[49] 李强 . 德国大学治理的特点及启示[J]. 当代教育科学，2010（1）.

[50] 彭宏 . 禁止设立实施义务教育营利性民办学校[N]. 华商报，2016−11−09（C7）.

[51] 宋全成 . 简论德国移民的历史进程[J]文史哲 . 2005（3）.

[52] 巫锐. 德国高等教育治理新模式：进程与特征——以“柏林州高校目标合约”为中心[J]. 比较教育研究，2014（7）.

[53] 杨洪贵 . 澳大利亚多元文化主义研究[M]. 成都：西南交通大学出版社，2007.

[54] 杨柳 . 德国技术类专业人才存在巨大缺口[N]. 中国教育报，2013−10−23（3）.

[55] 杨明，赵凌 . 德国教育战略研究[M]. 杭州：浙江教育出版社，2014.

[56] 姚宝，过文英 . 当代德国社会与文化[M]. 上海：上海外语教育出版社，2002.

[57] 俞可 . 在夹缝中演绎的德国高校治理[J]. 复旦教育论坛，2013（5）.

[58] 俞可平 . 经济全球化与治理的变迁[J]. 哲学研究，2000（10）.

[59] 张新科 . 德国高等教育管理及大学治理[M]. 南京：南京大学出版社，2014.

[60] 赵中建 . 全球教育发展的历史轨迹：国际教育大会 60 年建议书[M]. 北京：教育科学出版社，1999.

# 译名对照

## A

阿贝尔斯豪泽，维尔纳　（Werner Abelshauser）

埃斯肯，萨斯基亚　（Saskia Esken）

艾哈德，路德维希　（Ludwig Erhard）

安娜·索菲自由学校　（Freie Schule Anne-Sophie）

安全系统中的多媒体应用指导　（MultiMedia Instruction in Safe Systems）

奥尔恩海默尔，格奥尔格　（Georg Auernheimer）

奥格斯堡大学　（Universität Augsburg）

## B

巴登-符腾堡州电信局　（Landesanstalt für Kommunikation Baden-Württemberg）

（巴登-符腾堡州）经济-劳动与房屋建设部　（Ministerium für Wirtschaft，Arbeit und Wohnungsbau）

巴登-符腾堡州“信息化教育战略工作组”（Strategischen Arbeitsgruppe Medienbildung Baden-Württemberg）

（巴登-符腾堡州）中小学继续教育与人力资源发展学会　（Landesakademie für Fortbildung und Personalentwicklung an Schulen）

（巴登-符腾堡州）州立媒体中心　（Landesmedienzentrum）

巴伐利亚州《大区条例》　（Bezirksordnung für den Freistaat Bayern）

巴伐利亚州《高等学校法》　（Bayerisches Hochschulgesetz）

巴伐利亚州《高校教职员工法》　（Bayerisches Hochschulpersonalgesetz-BayHSchPG）

巴伐利亚州《教师教育法》　（Bayerisches Lehrerbildungsgesetz）

（巴伐利亚州）《教师资格考试条例》 （Lehramtsprüfungsordnung）

（巴伐利亚州）《教育教学法规修改法》 （Gesetz zur Änderung des Bayerischen Gesetzes über das Erziehungs–und Unterrichtswesen）

巴伐利亚州教育、文化、科学与艺术部 （Bayerisches Staatsministerium für Bildung und Kultus，Wissenschaft und Kunst）

巴伐利亚州《精英培养法》 （Bayerisches Eliteförderungsgesetz）

巴伐利亚州《数据保护法》 （Bayerischen Datenschutzgesetzes）

（巴伐利亚州）《职业教育法和职业资格认定法贯彻法》 （Gesetz zur Ausführung des Berufsbildungsgesetzes und des Berufsqualifikationsfeststellungsgesetzes）

（巴伐利亚州）《职业学校教师资格与培训条例》 （Zulassungs–und Ausbildungsordnung für das Lehramt an beruflichen Schulen）

巴伐利亚州《职业学校条例》 （Schulordnung für die Berufsschulen in Bayern）

（巴伐利亚州）中小学继续教育与人力资源管理学会 （Akademie für Lehrerfortbildung und Personalführung）

（巴伐利亚州）“中小学青少年社会工作（项目）”（Jugendsozialarbeit an Schulen）

（巴伐利亚州）中学代表 （Landesschülervertretung）

（巴伐利亚州）《专业生涯法》 （Leistungslaufbahngesetz–LlbG）

巴伐利亚州《州宪法》 （Verfassung des Freistaates Bayern）

巴伐利亚州州立新媒体中心 （Bayerische Landeszentrale für neue Medien）

（巴伐利亚州）《州职业教育委员会改进德国职业资格认证框架的决议》（2011、2013） （Entschließung des Landesausschusses für Berufsbildung zum Deutschen Qualifikationsrahmen）

巴伐利亚州《州职业教育委员会关于州学区的决议》（2013） （Entschließung des Landesausschusses für Berufsbildung zum Thema Bildungsregionen in Bayern）

巴特多贝兰 （Bad Doberan）

巴特·霍内夫 （Bad Honnef）

班贝格大学 （Otto–Friedrich–Universität Bamberg）

班级家长委员会 （Klassenelternbeirat）

班级教师会议 （Klassenkonferenz）

北莱茵-威斯特法伦州/北威州《州宪法》 （Verfassung für das Land Nordrhein-Westfalen）

（北威州波鸿市）多元文化背景儿童-青少年福利-移民工作联合会 （IFAK e.V.-Verein für multikulturelle Kinder-und Jugendhilfe – Migrationsarbeit）

（北威州）《高校自治法》 （Hochschulfreiheitsgesetz）

（北威州）国家远程教育中心 （Staatliche Zentralstelle für Fernunterricht）

（北威州）科隆大区政府职业学校处 （Berufskolleg）

（北威州）克隆堡中小学教师继续教育局 （Haus für Lehrerfortbildung Kronenburg）

（北威州）《青少年救助法执行法》 （Gesetz zur Ausführung des Kinder-und Jugendhilfegesetzes）

（北威州）中小学教师实训中心 （Zentren für schulpraktische Lehrerausbildung）

（北威州）中小学自治项目 （Selbständige Schule）

（北威州）《中小学组织研究》 （Organisationsuntersuchung im Schulbereich）

（北威州）州立中小学教育研究所 （Qualitäts-und UnterstützungsAgentur-Landesinstitut für Schule NRW /QUA-LiS NRW）

（北威州）中小学局教师考试处 （Landesprüfungsamt für Lehrämter an Schulen）

贝塔斯曼基金会 （Bertelsmann-Stiftung）

贝特格，马丁 （Martin Baethge）

本茨，阿图尔 （Arthur Benz）

波鸿鲁尔大学 （Ruhr-Universität Bochum）

柏林-勃兰登堡州媒体署 （Medienanstalt Berlin-Brandenburg）

柏林-勃兰登堡州立中小学与媒体研究所 （Landesinstitut für Schule und Medien Berlin-Brandenburg）

（柏林州）《初级中学类型与教学计划条例》 （Verordnung über die Schularten und Bildungsgänge der Sekundarstufe I）

（柏林州教育、青年与科学部）部长 （Senatorin）

（柏林州）《文理中学高级阶段条例》 （Verordnung über die gymnasiale Oberstufe）

（柏林州）《小学条例》 （Grundschulverordnung）

柏林州《职业教育条例》 （Berufsschulverordnung für das Land Berlin）

柏林自由大学 （Freie Universität Berlin）
（柏林自由大学）《德语考试章程（德语能力鉴定测试）》 ［Ordnung für die deutsche Sprachprüfung（DSH）］
（柏林自由大学）《官方公报》 （Amtsblatte）
（柏林自由大学）《校董事会办事章程》 （Geschäftsordnung des Kuratoriums）
柏林自由大学《选举章程》 （Wahlordnung der Freien Universität）
（柏林自由大学）《学术委员会章程》 （Geschäftsordnung des Akademischen Senats）
（柏林自由大学）《学习管理办法》 （Satzung der Studierendenschaft）
（柏林自由大学）《学习事务章程》 （Satzung für Studienangelegenheiten）
柏林自由大学《学习与考试总章程》 （Rahmenstudien-und -prüfungsordnung der Freien Universität Berlin）
勃兰特，维利 （Willy Brandt）
博德，阿恩特 （Arndt Bode）
博洛尼亚进程 （Bologna-Prozesses）
博士生院 （Promotionkolleges）
《不来梅计划》 （Bremer Plan）
不来梅州《州宪法》 （Landesverfassung der Freien Hansestadt Bremen）
不完全职业资格认定 （Teilqualifikationen）
布尔曼，埃德尔加尔德 （Edelgard Bulmahn）
布赖特纳，米歇尔 （Michael Breitner）
布劳恩，汉斯-格特 （Hans-Gert Braun）

## C

财政保证金 （Deckungsfähigkeit）
残疾人问题委员会 （Ausschuss für Fragen behinderter Menschen）
产出导向型 （outcome-orientated）
常设委员会 （Ständige Ausschuß/Ständige Kommissionen）
常务副主席 （Vorsitz stellvertretend）
成人基本能力国际比较研究 （PIAAC）
成人教育中心 （Volkshochschulen）

成人学校 （Erwachsenenbildungsstätten）
初次工作者 （JOBSTARTER KAUSA）
初级讲师 （Juniordozenten）
初级（青年）教授 （Juniorprofessoren）

## D

达伦多夫，拉尔夫 （Ralf Dahrendorf）
大会 （Plenum）
大区（德国部分平原州内行政单位） （Regierungsbezirk/Bezirk）
大数据处理和问题解决中心 （Competence Center for Scalable Data Services /ScaDS）
《大数据小数据：教育研究中数字化的潜力与限制》 （Big Data，Little Data-Potentials and Boundaries of Digitization in Educational Research）
大数据研究中心 （Big-Data-Kompetenzzentren）
大学发展中心 （Zentrum für Hochschulentwicklung）
大学讲师 （Hochschuldozenten）
大学生服务中心 （Studentenwerk）
大学生内部事务自由会议 （Freier Zusammenschluss von StudentInnenschaften）
大学生委员会 （Studentenausschuss）
大学生议会 （Studentenparlament）
大学校长协会 （Rektorenkonferenzen）
大学正式在编教师 （Hochschullehrer）
大众汽车集团 （Volkswagen AG）
代表多元主义 （Trägerpluralismus）
单项计划 （Einzelpläne）
德国标准化研究所 （Deutschen Institut für Normung e.V., /DIN）
德国财经学校教师联合会 （Bundesverband der Lehrerinnen und Lehrer an Wirtschaftsschulen e. V. /VLW）
德国大型对外贸易公司联盟 （Bundesverband des Deutschen Groß-und Außenhandels /BGA）
德国概况课程 （Orientierungskurs）
德国高校（教师）协会 （Deutsche Hochschulverband /DHB）

德国高校科研中心有限公司　（Deutsches Zentrum für Hochschul-und Wissenschafts-forschung GmbH）

德国工会联合会/德国工会同盟　（Deutscher Gewerkschaftsbund /DGB）

德国工商业代表大会　（Deutsche Industrie-und Handelskammertag /DIHK）

德国工业协会　（Bundesverband der Deutschen Industrie）

德国雇主协会　（Bundesverband der Deutschen Arbeitgeberverbände/BDA）

德国国际大学　（International University in Germany）

德国国际教育研究所　（Das Deutsche Institut für Internationale Pädagogische Forschung / DIPF）

德国国际学者网　（German Academic International Network/GAIN）

德国国家（利奥波第那）科学院　（Nationale Akademie der Wissenschaften Leopoldina）

德国亥姆霍兹联合会　（Helmholtz-Gemeinschaft /HGF）

德国教师协会联合工作组　（Arbeitsgemeinschaft Deutscher Lehrerverbände）

德国教育经济教学联盟　（Didacta Verband der Bildungswirtschaft）

德国教育委员会　（Deutsche Ausschuss für das Erziehungs-und Bildungswesen）

德国教育咨询会　（Deutsche Bildungsrat）

德国经济界职业教育理事会　（Kuratorium der Deutschen Wirtschaft für Berufsbildung / KWB）

德国考古研究院　（Deutsche Archäologische Institut）

德国科学捐赠者协会　（Stifterverband für die Deutsche Wissenschaft）

德国科学组织大联盟　（Die Allianz der Wissenschaftsorganisationen）

德国库尔德人文化援助协会　（Kurdistan Kultur-und Hilfsverein e.V.）

德国零售业协会　（Deutschen Einzelhandels /HDE）

德国媒体学会　（Gesellschaft für Medien）

德国穆斯林中央委员会　（Zentralrat der Muslime in Deutschland）

德国农民协会　（Deutsche Bauernverband /DBV）

德国企业主协会　（Verbände der Unternehmer）

德国青年研究所　（Das Deutsche Jugendinstitut e.V. /DJI）

德国全国教育统一标准测评和比较测试　（VERA）

德国塞尔维亚人中央委员会 （Zentralrat der Serben in Deutschland）

德国实科中学教师联合会 （Verband Deutscher Realschullehrer /VDR）

德国手工业总会 （Zentralverband des Deutschen Handwerks /ZDH）

德国私立中小学协会联合会 （Verband Deutscher Privatschulverbände）

德国体育协会 （Deutscher Sportbund /DSB）

德国铁路 （Deutsche Bahn）

德国西班牙社会文化社团联盟 （Bundesverband spanischer sozialer und kultureller Vereine in Deutschland）

德国小学联合会 （Der Grundschulverband）

德国亚美尼亚人中央委员会 （Zentralrat der Armenier in Deutschland e.V.）

德国研究联合会 （Deutsche Forschungsgemeinschaft）

《德国移民的职业与学术教育》 （Berufliche und akademische Ausbildung von Migranten in Deutschland）

《德国移民的中小学教育》 （Schulische Bildung von Migranten in Deutschland）

德国移民联合会 （Bundesarbeitsgemeinschaft der Immigrantenverbände in Deutschland e.V.）

德国邮政 （Deutsche Post）

德国犹太人中央委员会 （Zentralrat der Juden in Deutschland）

德国（中小学）教师协会 （Deutsche Lehrerverband）

《德国中小学信息化教育建议》 （Medienbildung an deutschen Schulen Handlungsempfe-hlungen für die digitale Gesellschaft）

德国中（小）学生联邦代表大会 （Bundesschülerkonferenz）

德意志联邦共和国/联邦德国 （Bundesrepublik Deutschland/BRD）

德意志人民联盟 （Deutsche Volksunion /DVU）

德意志学术交流中心 （Deutsche Akademische Austauschdienst/DAAD）

德语水平考试 （Deutsche Sprachdiplom der Kultusministerkonferenz）

“德语水平考试中央委员会” （Der Zentrale Ausschuss für das Deutsche Sprachdiplom）

迪尔曼文理中学 （Dillmann–Gymnasium）

地方短途客运公司 （DB Regio Bus）

地方（中小学）教育局 （Staatliche Schulämter）

《第二教育——您未来的机遇》 （Die Zweie Bildungsweg: Ihre Chance für die Zukunft）
《第二中小学体育行动计划》 （Zweites Aktionsprogramm für den Schulsport）
蒂森·克虏伯集团 （ThyssenKrupp AG）
“电子慕尼黑工大”（elecTUM）
督学 （Schulfachliche Aufsichtsbeamter/Schulrat）
对外德语 （Deutsch als Zweitsprache）
《对外德语教学大纲》 （Rahmenplan – Deutsch als Zweitsprache）
对外德语与跨文化交际（学士） （Deutsch als Zweit-und Fremdsprache und Interkulturelle Kommunikation））
多层交叉 （Überschneidungsbereich）
多层系统 （Mehrebenensystem）
多特蒙德大学的中小学发展研究所 （Institut für Schulentwicklungsforschung an der Universität Dortmund）
“多样性中的一致性”（Unity in Diversity）
《多元化中小学的教师教育》 （Lehrerbildung für eine Schule der Vielfalt）
多元主体 （Akteurkonstellation）

**F**

法团主义治理模式 （Korporatistischer Governance）
《法院宪章法》 （Gerichtsverfassungsgesetz）
范德格拉夫，约翰 （John Va de Graaff）
非营利高校发展中心 （Gemeinnütziges Zentrum für Hochschulentwicklung）
冯·哈耶克，弗里德里希 （Friedrich von Hayek）
冯·洪堡，亚历山大 （Alexander von Humboldt）
弗兰克，扎比内 （Sabine Frank）
弗劳恩霍费尔协会 （Fraunhofer Gesellschaft/FhG）
弗勒利希，马丁 （Martin Fröhlich）
弗里德兰德学校 （Friedländer-Schule）
弗里德里希大帝 （Friedrich II von Preußen，der Große）
弗里德里希·威廉一世 （Friedrich Wilhelm I）

服务业工会 （Dienstleistungsgewerkschaft/ver.di）

福特纳吉斯，瓦西里奥斯 （Wassilios Fthenakis）

妇女专员 （Frauenbeauftragte/Gleichstellungsbeauftragte）

附加普通学校 （Weiterführenden allgemeinbildenden Schulen）

“复合慕尼黑工大” （IntegraTUM）

富森施蒂恩，汉斯 （Hans Vossensteyn）

## G

高等专科学校 （Fachoberschule）

《高等专科学校框架协议》 （Rahmenvereinbarung über die Fachoberschule）

《高级职业学校框架协议》 （Rahmenvereinbarung über die Berufsoberschule）

高级中心 （Oberstufenzentrum）

高校合约 （Hochschulverträgen）

《高校及科学计划》 （Hochschul-und Wissenschaftsprogramm）

高校计算机中心 （Hochschulrechenzentrum）

（高校计算机中心）主任 （Direktor）

《高校建设促进法》 （Hochschulbauförderungsgesetz）

高校建设计划委员会 （Planungsausschuss für den Hochschulbau）

高校教师联盟 （Hochschullehrerbund）

《高校教学模式改革计划》 （Modellversuchen im Hochschulbereich）

《高校科研中的质量优化》 （Qualitätssicherung in der Hochschulforschung）

《高校领导岗位条例》 （Hochschulleitungsstellenzulagenverordnung）

《高校特别计划一和二》 （Hochschulsonderprogramme /HSP I bis II）

高校委员会 （Hochschulrät）

（高校）校务长 （Kanzler/-in）

高校校长 （Rektor/-in）

高校校长委员会 （Rektorat）

高校信息化治理 （IT-Governance）

高校行政领导机构/校务领导会议 （Hochschulleitung）

高校与科学联合会 （Verband Hochschule und Wissenschaft）

《高校总纲法》 （Hochschulrahmengesetz）

歌德学院 （Goethe–Institut）

格拉斯纳，库尔特 （Kurt Glasner）

各院系信息化合作投入项目专员 （CIP–Beauftragte der Fakultäten）

各州文教部长常设会议 （Ständige Konferenz der Kultusminister der Länder in der Bundesrepublik Deutschland /KMK）

（各州文教部长常设会议）外国教育事务中心 （Zentralstelle für ausländisches Bildungswesen）

《各州文教部长常设会议与移民组织关于学校与家长的教育合作关系的联合声明》（Gemeinsame Erklärung der Kultusministerkonferenz und der Organisationen von Menschen mit Migrationshintergrund zur Bildungs–und Erziehungspartnerschaft von Schule und Eltern）

各州信息化教学会议 （Länderkonferenz Medienbildung）

工商行业协会 （Handelskammer/Gewerbekammern/Kommerzkammern/Handelsdeputationen/Kaufmännische Ältestenkollegien）

工商业协会 （Industrie–und Handelskammer /IHK）

工业4.0版 （Industrie 4.0）

工作组（理工科） （Arbeitsgruppen）

公法性任务 （Hoheitliche Aufgaben）

公法性社会团体 （Körperschaften des öffentlichen Rechts）

公共应用标准 （Publicly Available Specification/PAS）

《公务员保障法》 （Beamtenversorgungsgesetz）

公务员联合会 （Beamtenbund und Tarifunion/DBB）

功能协调 （Handlungskoordination）

《共同加强数字化时代职业学校》 （Gemeinsam für starke Berufsschulen in der digitalen Welt）

顾问机构 （Stabsstelle）

《关于改革和统一普通教育体系的总纲计划》/《总纲计划》 （Rahmenplan zur Umgestaltung und Vereinheitlichung des allgemeinen öffentlichen Schulwesens）

《关于改革文理中学高级阶段的协定》/《波恩协定》（Vereinbarung zur Gestaltung der gymnasialen Oberstufe in der Sekundarstufe II）

《关于改进证书授予体制的决议要点》（Entschließung “Eckpunkte zur Weiterentwicklung des Akkreditierungssystems”）

《关于改善外国人教育领域师资培养状况的建议》（Empfehlungen zur Verbesserung der Lehrerbildung auf dem Gebiet des Ausländerunterrichts）

《关于高校基本财政拨款和项目财政拨款的决议》（Entschließung Zur Grund-und Projektfinanzierung der Hochschulen）

《关于建立教育实验模型的筹备、实践及其他相关事宜的协调性框架协议》（Rahmenvereinbarung zur koordinierten Vorbereitung，Durchführung und wissenschaftlichen Begleitung von Modellversuchen im Bildungswesen vom 7. Mai 1971）

《关于进入海外德国中小学的意见》（Hinweise zur Inklusion an Deutschen Auslandsschulen）

《关于开办文理中学夜校的决议》（Vereinbarung zur Gestaltung der Abendgymnasien）

《关于落实高等学校结构改革的报告》（Bericht zur Realisierung der Hochschulstrukturreform）

《关于文理中学高级阶段毕业考试的协定》（Vereinbarung über die Abiturprüfung der gymnasialen Oberstufe in der Sekundarstufe II）

《关于移民与本土青少年在中小学学习与职业培训衔接方面的比较研究》（Die Bewältigung des Übergangs Schule-Berufsausbildung bei Migrantinnen und Migranten im Vergleich zu autochthonen Jugendlichen）

《关于在高移民比例小学补充完善教学设施的指示》（Hinweise zur Einrichtung von unterrichtsergänzenden Angeboten an Grundschulen mit hohem Migrantenanteil）

《关于职业学校教师专业实践中培训与考试的框架协议》（Rahmenordnung für die Ausbildung und Prüfung der Lehrer für Fachpraxis im beruflichen Schulwesen）

《关于中小学跨文化教育的建议》（Interkulturelle Bildung und Erziehung in der Schule）

管理事务委员会（Verwaltungskommission）

国际比较研究中心（Zentrums für internationale Vergleichsstudien /ZIB）

国际计算机与信息技术能力研究（International Computer and Information Literacy

Study）

《国际社会科学杂志》（International Social Science Journal）

国际小学生阅读能力调查（PIRLS/IGLU）

国际学生评价计划（PISA）

国际学生评价结果震惊德国事件（PISA-Schock）

国家雇主性质（Dienstherreneigenschaft）

《国家融入计划》（Der Nationale Integrationsplan, Neue Wege-Neue Chancen）

国家调控（Bürokratische staatliche Steuerung）

国务秘书（Staatssekeretar）

## H

哈贝马斯，于尔根（Jürgen Habermas）

哈勒大学高等教育研究所（HoF Wittenberg-Institut für Hochschulforschung Wittenberg e.V. an der Universität Halle-Wittenberg）

《海外中小学法》（Auslandsschulgesetz）

汉堡多媒体监控和高校信息系统公司（Multimedia Kontor Hamburg und von der Hochschul-Informations-System GmbH）

汉堡教育投资股份公司（Educationtrend AG，Hamburg）

（汉堡）州立教师培训与学校发展研究所（Das Landesinstitut für Lehrerbildung und Schulentwicklung）

汉诺威中央评价与认证机构（Zentrale Evaluations-und Akkreditierungsagentur Hannover）

汉莎航空公司（Lufthansa）

汉斯-伯克勒基金会（Hans Böckler stiftung）

豪恩席尔德，卡廷（Katrin Hauenschild）

合同管理模式（Kontraktmanagement）

合作联邦主义（Kooperativen Föderalismus）

合作治理（Cooperative Governance）

合作治理机构（Gemeinschaft）

合作主义（Korporativismus）

核心机构 （Zentralen Organe）

黑尔米希家族 （Familie Helmig）

亨特格斯，古德龙 （Gudrun Hentges）

“互联网与数字化社会”咨询委员会 （Die Enquete-Kommission des Deutschen Bundestages „Internet und Digitale Gesellschaft“）

“获得专业资格视角的毕业”（项目） （Perspektive Berufsabschluss）

霍夫曼，伊尔卡 （Ilka Hoffmann）

霍内夫模式 （Honnefer Modell）

**J**

机构咨询委员会 （Amtschefskonferenz）

《基本法》 （Grundgesetz für die Bundesrepublik Deutschland）

基层社区联合会总会 （Kommunale Spitzenverbände）

基督教民主大学生协会 （Ring Christlich-Demokratischer Studenten /RCDS）

基督教民主联盟/基督教社会联盟 （CDU/CSU）

基尔大学理科教学研究所 （Institut für die Pädagogik der Naturwissenschaften an der Universität Kiel）

计划委员会 （Planungsausschuss）

《继续教育促进法》 （Aufstiegsfortbildungsförderungsgesetz）

继续教育学院 （Die Akademie für wissenschaftliche Weiterbildung）

《继续推进卓越计划的决议》 （Entschließung Zur Fortführung der Exzellenzinitiative）

绩效任务指标 （Leistungs-und belastungsorientierter Indikatoren）

家长委员会 （Elternbeitrat）

家长之夜 （Elternabende）

监事会 （Aufsichtrat）

《奖学金项目法》 （Stipendienprogramm-Gesetz）

交互式跨文化 （Interkultur，Interculture）

《教师教育标准：教育学》 （Standards für die Lehrerbildung: Bildungswissenschaften）

教师协会 （Lehrerverbände）

教授席（讲座席） （Lehrstuhl）

《教授薪金改革法》 （Professorenbesoldungsreformgesetz）

教学大纲 （Rahmenlehrpläne）

教学为主型教授 （Lehrprofessur）

教学协调委员会 （Lehr–und Lernmittelausschuss）

《教育测评总战略》 （Gesamtstrategie zum Bildungsmonitoring）

《教育结构计划》 （Strukturplan für das Bildungswesen）

教育–科研系统、职业教育促进及特殊人群就业市场问题科 （Bildungs–und Beschäftigungssystem, Förderung der beruflichen Bildung, Arbeitsmarktfragen besonderer Personengruppen）

教育论坛 （Forum Bildung）

教育协会 （Verband Bildung und Erziehung /VBE）

教育与科学工会 （Gewerkschaft für Erziehung und Wissenschaft /GEW）

街区（德国城市州内行政自治单位）（Bezirk）

结构化 （Structured）

《进一步发展德国高校信息教育的紧急计划》 （Sofortprogramm zur Weiterentwicklung des Informatikstudiums（WIS））

经济合作与发展组织 （Organization for Economic Cooperation and Development）

《经济社会领域商业技术职业学校课程指导》 （Elemente für den Unterricht der Berufsschule im Bereich Wirtschafts–und Sozialkunde gewerblich–technischer Ausbildungsberufe）

具有独立公共法人地位的联邦机构 （Selbstständige Bundesoberbehörde）

**K**

开放式教育资源 （Open Educational Resources）

《考试总纲条例》 （Rahmenprüfungsordnung）

科尔，赫尔穆特 （Helmut Kohl）

科学大都会数据库 （Wissenschaft Weltoffen）

科学顾问委员会 （Wissenschaftlicher Beirat）

科学事务委员会 （Wissenschaftliche Kommission）

科学委员会 （Wissenschaftsrat）

克莱门特，乌特 （Ute Clement）

克雷特克，彼得　（Peter Kretek）
孔茨，托马斯　（Thomas Kunz）
跨文化教育　（Interkulturelle Pädagogik）
跨文化性　（Interculturality/Interkulturalität）
跨文化研究、资料、教育与咨询工作协会　（Interkulturelle Arbeitsstelle für Forschung，Dokumentation，Bildung und Beratung e.V.）
跨文化应用语言学　（Anwendungsorientierte Interkulturelle Sprachwissenschaft）
跨系统　（Zwischen den Systemen）

## L

莱布尼茨联合会　（Leibniz-Gemeinschaft /WGL）
莱茵兰-普尔法茨广电通信局　（Landeszentrale für Medien und Kommunikation）
朗，乌尔里希　（Ulrich Lang）
《劳动促进法》　（Arbeitsförderungsgesetz）
劳动就业促进处　（Aktive Arbeitsförderung）
雷弗曼，克里斯托夫　（Christoph Revermann）
理事会　（Senat/Vorstand）
联邦财政法院　（Bundesfinanzhof）
联邦参议院　（Bundesrat）
联邦及州政府顾问委员会　（Regierungschefs des Bundes und der Länder）
联邦家庭、老年人、妇女与青年部　（Bundesministerium für Familie，Senioren，Frauen und Jugend）
联邦家庭与公民社会任务局　（Bundesamt für Familie und zivilgesellschaftliche Aufgaben）
联邦家长委员会　（Bundeselternrat）
联邦教研部关键技术一创新研究司　（Schlüsseltechnologien-Forschung für Innovationen，V）
联邦教研部基本问题、战略及数字化发展司　（Grundsatzfragen Strategien und Digitaler Wandel，I）
联邦教研部教育与移民协调所　（Koordinierungsstelle Ausbildung und Migration/KAUSA）

联邦教研部科学系统司 （Wissenschaftssystem，Ⅳ）

联邦教研部欧洲与国际教育研究合作司 （Europäische und internationale Zusammenarbeit in Bildung und Forschung，Ⅱ）

联邦教研部生命科学与健康研究司 （Lebenswissenschaften-Forschung für Gesundheit，Ⅵ）

联邦教研部未来准备与文化、基础及可持续性研究司 （Zukunftsvorsorge-Forschung für Kultur，Grundlagen und Nachhaltigkeit，Ⅶ）

联邦教研部职业训练与终身学习司 （Berufliche Bildung; Lebenslanges Lernen, Ⅲ）

联邦教研部中央司 （Zentralabteilung，Z）

《联邦教育促进法》 （Bundesausbildungsförderungsgesetz）

联邦教育、科研及技术部 （Bundesministerium für Bildung，Wissenschaft，Forschung und Technologie）

联邦教育与科学部 （Bundesministerium für Bildung und Wissenschaft）

联邦教育与科研部/联邦教研部 （Bundesministerium für Bildung und Forschung）

联邦经济与技术部 （Bundesministerium für Wirtschaft und Technologie）

联邦经济与能源部 （Bundesministerium für Wirtschaft und Energie）

（联邦经济与能源部）中等规模企业政策司 （Mittelstandspolitik）

《联邦境内融入方案：推动德国融合的措施》 （Bundesweites Integrationsprogramm-Angebote der Integrationsförderung in Deutschland）

联邦科学研究部 （Bundesministerium für wissenschaftliche Forschung）

联邦劳动局 （Bundesagentur für Arbeit）

（联邦劳动局）波恩外国及专业协调中心 （Zentrale Auslands-und Fachvermittlung（ZAV）in Bonn）

联邦劳动局指导学会 （Führungsakademie der BA）

联邦劳动与社会部 （Bundesministerium für Arbeit und Soziales）

（联邦劳动与社会部）劳动市场政策、外国劳动力、失业保险与就业保障司 （Arbeitsmarktpolitik Ausländerbeschäftigung Arbeitslosenversicherung Grundsicherung für Arbeitsuchende）

联邦劳工法院 （Bundesarbeitsgericht）

联邦社会法院 （Bundessozialgericht）

联邦食品农业部 （Bundesministerium für Ernährung und Landwirtschaft）

联邦司法与消费者保护部 （Bundesministerium der Justiz und für Verbraucherschutz）

联邦统计局 （Statistisches Bundesamt）

联邦外国难民归化局 （Bundesdienststelle für die Anerkennung ausländischer Flüchtlinge）

联邦外交部 （Auswärtiges Amt）

联邦外交部对外科学、教育、研究政策与对外文化政策专员 （Beauftragte für Außenwissenschafts-，Bildungs-und Forschungspolitik und Auswärtige Kulturpolitik）

联邦外交部对外文化事务专员 （Beauftragter für Auswärtige Kulturpolitik）

联邦卫生部 （Bundesministerium für Gesundheit）

联邦宪法法院 （Bundesverfassungsgericht）

《联邦薪金法》 （Bundesbesoldungsgesetz）

联邦行政法院 （Bundesverwaltungsgericht）

联邦行政管理局 （Bundesverwaltungsamt）

联邦移民、难民与融入事务专员 （Die Beauftragte der Bundesregierung für Migration，Flüchtlinge und Integration）

联邦移民与难民署 （Bundesamt für migration und flüchtlinge）

联邦议院 （Bundestag）

联邦议院对外文化教育政策委员会 （Auswärtiger Ausschuss）

联邦议院教育、科研与技术成果评价委员会 （Ausschuss für Bildung，Forschung und Technikfolgenabschätzung）

联邦议院数字化议程委员会 （Ausschuss Digitale Agenda des deutschen Bundestages）

联邦议院“未来教育政策——2000年教育”咨询委员会 （Enquete-Kommission，Zukünftige Bildungspolitik-Bildung 2000“）

（联邦与州的）共同任务 （Gemeinschaftsaufgaben）

（联邦与州的）竞争性立法 （Konkurrierende Gesetzgebung）

《联邦政府信息与通信技术战略：2015数字化德国》 （IKT-Strategie der Bundesregierung „Deutschland Digital 2015“）

联邦政治教育中心 （Bundeszentrale für politische Bildung）

联邦职业教育研究所 （Bundesinstitut für Berufsbildung /BIBB）
（联邦职业教育研究所）副所长兼研究总监 （Ständiger Vertreter des Präsidenten/ Forschungsdirektor）
（联邦职业教育研究所）所长 （Präsident）
（联邦职业教育研究所）专业委员会 （Fachausschüsse）
联邦职业教育研究所总委员会 （Hauptausschuss des Bundesinstitutes für Berufsbildung）
联邦–州海外中小学事务委员会 （Bund–Länder–Ausschusses für schulische Arbeit im Ausland）
联邦–州教育计划委员会 （Bund–Länder–Kommission für Bildungsplanung）
联邦–州教育计划与科研促进委员会 （Bund–Länder–Kommission für Bildungsplanung und Forschungsförderung / BLK）
联邦最高普通法院 （Bundesgerichtshof）
遴选小组 （Auswahlgremium）
领导 （Lenkung）
领导与（系统）控制 （Leadership and（System）Monitoring）
罗斯托克私立汉萨大学 （Private Hanseuniversität Rostock）
罗斯，珍妮 （Jeanne Ross）

## M

马克斯·普朗克教育研究所 （Max–Planck Institut für Bildungsforschung）
马克斯·普朗克文理中学 （Max Planck Gymnasium）
马克斯·普朗克学会 （Max–Planck–Gesellschaft /MPG）
玛利亚护理职业学校 （Berufsfachschulen Mariahilf）
（梅克伦堡–前波美拉尼亚州）经济、建设与旅游部 （Ministerium für Wirtschaft，Bau und Tourismus）
媒体教育 （Medienbildung）
“媒体教育与社会”丛书 （Medienbildung und Gesellschaft）
媒体中心 （Medienzentrum）
秘书处 （Sekretariat）
秘书长 （Generalsekretär）

明斯特大学 （Universität Münster）

《母语课程教学大纲》 （Rahmenplan Herkunftssprachenunterricht）

慕尼黑工业大学 （Technische Universität München）

慕尼黑市立税务职业学校 （Städtische Berufsschule für Steuern）

慕尼黑市立政法职业学校 （Städtische Berufsschule für Rechts–und Verwaltungsberufe）

穆斯林青年联盟 （Der Bund der Muslimischen Jugend /BDMJ）

## N

尼凯，沃尔夫冈 （Wolfgang Nieke）

《年度特别收入保障法》 （Gesetz über die Gewährung einer jährlichen Sonderzuwend–ung）

农业协会 （Landschaftskammer）

## O

《欧共体教师资格指导条例》 （EG–Richtlinienverordnung für Lehrer/EGRiLV–Lehrer）

欧盟教育文化总体指导委员会 （The Education and Culture Directorate–General）

欧洲对德社会基金 （Europäischer Sozialfonds für Deutschland）

## P

培训中心 （Ausbildungszentrum）

皮希特，乔治 （Georg Picht）

聘任委员会 （Berufungsausschüssen）

平原州 （Flächenland）

## Q

“企业培训双选定位”（项目） （Passgenaue Vermittlung von Auszubildenden an ausbil–dungswillige Unternehmen）

《企业宪章法》 （Betriebsverfassungsgesetz）

强制性文化融入 （Zwangsakkulturation）

青年音乐学校 （Jugendmusikschulen）

《青少年劳动保护法》 （Gesetz zum Schutze der arbeitenden Jungend）

琼布吕德，本 （Ben Jongbloed）

全国科学代表大会 （Die Gemeinsame Wissenschaftskonferenz）

全球治理委员会 （Commission on Global Governance）
全日制学校 （Ganztagsschule）
全体成员代表大会 （Mitgliederversammlung）
群体大学 （Gruppenuniversität）

## R

“让年轻人更早意识到自身的优劣”项目 （Jugendlichen ihre Stärken und Schwächen frühzeitig bewusst machen）
认证机构 （Akkreditierungsagenturen）
认证委员会 （Akkreditierungsrat）
认证证明 （Zeugnisbewertung）
认证证明和质量保障研究所 （Akkreditierungs-，Certifizierungs-und Qualitäts-sicherungs-Institut）
融合式跨文化 （Transkultur / Transculture）
融合式信息化管理 （Integrierten Informationsmanagement）
《融入课程章程》 （Integrationskursverordnung）
入职支持 （Berufseinstiegsbegleitung）

## S

萨克森州《文化空间法》 （Gesetz über die Kulturräume in Sachsen）
萨乔万尼，托马斯 （Thomas Sergiovanni）
善治 （Good Governace）
商业职业学校 （Kaufmännischen Schulen）
少年儿童天赋促进组织 （Talentförderung）
《社会法典》第八部分：《青少年儿童救助法》 ［Sozialgesetzbuch-Achtes Buch（VI-II）-Kinder-und Jugendhilfe］
社会技术信息系统 （Soziotechnischer Informationssysteme）
社会力量 （Freie Träger）
社会主义青年大学生协会 （Juso-Hochschulgruppen）
神学硕士 （Diplomtheolog）
生活补助金 （Hilfen für Lernende）

师范大学 （Pädagogischen Hochschule/PH）
师范生 （Lehrerstudent）
师范硕士 （Lehramtsstudium）
师傅资格考试 （Meisterprüfung）
师徒制 （Master–apprentice）
施罗德，格哈德 （Gerhard Schröder）
施普林格 （Springer）
施泰因，蒂娜 （Tine Stein）
施图皮，马丁娜 （Martina Stuppy）
施万，安妮特 （Annette Schavan）
施政方式 （Regieren）
（石勒苏益格–荷尔斯泰因州/石荷州）《州政府关于落实数字化学习的报告》 （Bericht der Landesregierung zur Umsetzung des Digitalen Lernens）
实科中学 （Realschule）
实验性条款 （Erprobungsklausel）
手工业协会 （Handwerkskammer）
《手工业章程法》 （Gesetz zur Ordnung des Handwerks）
首席信息官 （Chief Information Officers）
首席信息官办公室 （Chief Information Office）
首席信息官模式 （CIO–Modell）
数据保护专员 （Datenschutzbeauftragte）
数学与自然科学基本能力调查 （TIMMS）
数字化教育 （Digitale Bildung）
《数字化行动议程2014—2017》 （Digital Agenda 2014—2017）
双元选择模式 （Dual mit Wahl）
司长 （Ministerialdirektor）
私立替代学校 （Ersatzschulen）
私立学校 （Privatschule）
私人教育康采恩 （Bildungskonzernen）

斯图加特大学 （Universität Stuttgart）
斯托克，格里 （Gerry Stoker）
素质提升 （Einstiegsqualifizierung）

**T**

《提高教育参与度及通过教育改善社会地位的质量化动议》 （Qualifizierungsinitiative für eine höhere Bildungsbeteiligung und sozialen Aufstieg durch Bildung）
天主教教育工作者联合会 （Katholische Erziehergemeinschaft /KEG）
条例 （Ordnung）
听证权 （Anhörungsrechte）
通往融合的职业资格认证 （Integration durch Qualifizierung）
同业协会/公会/行会 （Berufständischen Kammern）
统治 （Herrschaft/ Government）
土耳其穆斯林宗教组织联合会 （Türkisch−Islamische Union der Anstalt für Religion e.V.）

**W**

瓦尔多夫跨文化学校 （Interkulturellen Waldorfschule）
瓦赫，米歇尔 （Michael Wache）
外国人管理局 （Ausländerbehörde）
《外国职业资格认定改善法》 （Gesetz zur Verbesserung der Feststellung und Anerken-nung im Ausland erworbener Berufsqualifikationen）
威尔克斯曼，乌韦 （Uwe Wilkesmann）
威廉二世 （Wilhelm II）
微型小学 （Kleinen Grundschule）
韦尔施，沃尔夫冈 （Wolfgang Welsch）
维尔克，赫尔穆特 （Helmut Willke）
维森塔尔，赫尔穆特 （Helmut Wiesenthal）
卫生和社会工作课程计划认证机构 （Die Akkreditierungsagentur im Bereich Gesundheit und Soziales）
魏尔，彼得 （Peter Weill）
温加滕师范大学 （Pädagogischen Hochschule Weingarten）

文化多元主义 （Kultureller Pluralismus）

文化（教育）联邦主义 （Kulturföderalismus）

文化主权（自主权） （Kulturhoheit der Länder）

文理中学 （Gymnasium）

文理中学毕业考试 （Abitur）

文理中学各科教师协会 （Deutscher Philologenverband e. V.（DPhV）für Lehrer aller Fächer an Gymnasien）

《我们创造性的多样性》 （Our Creative Diversity）

伍尔特集团 （Würth-Gruppe）

## X

席曼克，乌韦 （Uwe Schimank）

系列计划 （Gruppierungsplan）

下萨克森州《媒体能力——2020年时间表》 （Medienkompetenz in Niedersachsen-Ziellinie 2020）

下萨克森州内政、体育与融合部 （Niedersächsisches Ministerium für Inneres，Sport und Integration）

（下萨克森州）社会、健康与平等部 （Ministerium für Soziales，Gesundheit und Gleichstellung）

县 （Kreis）

县级市 （Kreisfreie Stadt）

县辖市 （Stadt）

宪法爱国主义 （Verfassungspatriotismus）

乡镇 （Gemeinde）

乡镇公学 （Gemeinschaftsschule）

《小学工作建议》 （Empfehlungen zur Arbeit in der Grundschule）

校纪委员会 （Disziplinarausschuss）

校园管理 （Hausrecht）

校园资源 （德国大型信息化教育开放资源网站）（campussource）

校中央综合处信息系统科 （Dezernats Z/IS）

协助性培训　（Assistierte Ausbildung）

新公共管理主义　（New Public Management）

《新媒体和通信技术教育》　（Neue Medien und Telekommunikation im Bildungswesen）

新社会市场经济动议　（Initiative Neue Soziale Marktwirtschaft）

新沃尔夫斯堡学校　（Neue Schule Wolfsburg）

信息化服务管理体系　（IT–Servicemanagement）

信息化管理　（Informationsmanagement）

信息化管理资格培训课程　（Zusatzqualifikation Medienverantwortliche）

信息化合作投入（项目）　（Computer–Investitions–Programm–Pools）

信息化教育　（IT–Bildung）

信息化教育大师计划　（E–education Masterplan）

信息化能力　（Medienkompetenz）

信息化协调委员会　（IuK–Beirat）

信息化学习　（E–learning）

信息化学习服务科学　（E–Learning Dienste für die Wissenschaft）

信息化学习中心　（E–Learning–Zentren）

信息化政府　（eGovernment）

信息技术管理　（IT–management）

信息技术学生服务处　（IT für Studierende /ITfS–Service）

信息技术治理学　（Information Technology Governance/ITG）

信息设施委员会　（Kommission für IT–Infrastruktur）

《信息与通信服务法》　（Informations–und Kommunikationsdienste–Gesetz）

行为层面　（Spielebenen）

行为规则层面　（Ebene der Spielregeln）

行政管理人员专项（培训）　（Verwaltungsfachangestellten）

学部　（Fachbereich）

学生参与管理机制　（Schüler/–innenmitverantwortung）

（学术）评议会　（Snate/ Akademischen Senats）

学术自由　（libertas academica）

学习合作中心 （Zentrum für Schulkooperationen）

学校发展合作会议 （ArbeitsKreis SchulEntwicklung）

学校家长委员会 （Der Schulelternbeirat）

学校社工 （Schulsozialarbeiter）

《学校与文化中的数字化教育——巴伐利亚州政府的未来战略》 （Digitale Bildung in Schule，Hochschule und Kultur，Die Zukunftsstrategie der Bayerischen Staatsregierung）

**Y**

雅恩，埃格伯特 （Egbert Jahn）

雅兹丹尼，凯特巴德 （Keyghobad Yazdani）

亚琛工业大学 （RWTH Aachen）

亚历山大-洪堡基金会 （Alexander von Humboldt-Stiftung）

研究生院 （Graduiertenschulen）

研究所 （Institute）

业务监督 （Fachaufsicht）

一般原则 （Allgemeinen Grundsätzen）

《移民法》 （Gesetz zur Steuerung und Begrenzung der Zuwanderung und zur Regelung des Aufenthalts und der Integration von Unionsbürgern und Ausländern）

移民父母网 （MigrantenElternNetzwerks）

《移民教育效果的促进：家庭影响工程》 （Förderung der Bildungserfolge von Migranten: Effekte familienorientierter Projekte）

“移民——融合：多样化的中小学”会议 （Migration-Integration: Schule gestaltet Vielfalt）

移民、融合与避难研究中心 （Forschungszentrum Migration，Integration und Asyl）

移民融入问题 （Eingliederungsproblem）

移民社区 （Einwanderer-communities）

以结果和绩效为导向的调控模式 （output-bzw. leistungsorientiertes Modell）

意识形态结构 （Weltanschauliche Gliederung）

应用技术大学 （Fachhochschule）

（应用技术大学的）专业领域联合会 （Konferenz der Fachbereichstage e.V.）

院系 （Fachbereich/Fakultät）

院系办公室 （Dekanat）

院系办公室副主任 （Prodekan）

院系办公室主任 （Dekanin）

院系博士生办公室 （Promotionsbüro）

院系教学办公室 （Studienbüro）

院系考试办公室 （Prüfungsbüro）

院系评议会 （Fakultätsrat）

院系行政办公室 （Verwaltung）

《云服务——2011—2015年高校信息化建设的补充建议》 （Cloud-Dienste Addendum zu den Empfehlungen der Kommission für IT Infrastruktur 2011-2015）

云教育 （Bildungscloud）

## Z

整体拨付 （Globalbudget / Globalhaushalt）

整体计划 （Gesamtplan）

政治调控 （politischer Steuerung）

《支持中小学和高校体育教育的建议》 （Empfehlung zur Förderung der Liebeserziehung an der deuscher Schule und Hochschule）

执行领导权 （Exekutiven Führerschaft）

职务监督 （Dienstaufsicht）

职业定位措施 （Berufsorientierungsmaßnahmen）

职业导向型大学专业 （Berufsbegleitendes Studium）

职业建议、培训协调及促进科 （Berufsberatung Ausbildungsvermittlung Ausbildungs-förderung）

《职业教育2025》 （Berufliche Bildung 2025）

《职业教育促进法》 （Berufsbildungsförderungsgesetz）

职业教育大联盟 （Allianz für Aus-und Weiterbildung）

《职业教育法》 （Berufsausbildungsgesetz）

《职业教育年度报告》 （Berufsbildungsbericht）

职业教育学校　（Berufskolleg）
职业教育助学金　（Berufsausbildungsbeihilfe）
职业培训措施　（Berufsvorbereitende Bildungsmaßnahmen）
职业培训间接性补助　（Ausbildungsbegleitende Hilfen）
职业培训章程　（Ausbildungsordnungen）
职业提高学校　（Berufsaufbauschule）
职业文理中学　（Berufliches Gymnasium）
《职业学校框架协议》　（Rahmenvereinbarung über die Berufsschule）
职业专科学校　（Berufsfachschule）
《职业专科学校框架协议》　（Rahmenvereinbarung über die Berufsfachschulen）
质量发展研究所　（Instituts zur Qualitätsentwicklung / IQB）
治理　（Governace）
中小学部分教师代表大会　（Teilkonferenzen）
中小学教师代表大会　（Lehrerkonferenzen）
中小学联网计划　（Schulen ans Netz）
中小学全课堂计算机辅助监控系统　（Computer-Assisted Progress Monitoring Systems for Whole Classrooms in Primary and Secondary Education）
中小学全体教师代表大会　（Gesamtlehrerkonferenz）
《中小学生成绩强化推动战略》　（Förderstrategie für leistungsstarke Schülerinnen und Schüler）
《中小学体育行动计划》　（Aktionprogramme fur den Schulsport）
中小学校务领导会议　（Schulleitung）
中小学校务领导扩大会议　（Erweiterte Schulleitung）
中小学校长　（Schuleiter/-in）
《中小学信息化教学法》　（Medienpädagogik in der Schule）
中小学学校代表大会　（Schulkonferenz/Schulvorstand/ Schulausschuss）
“中学班级改革试验”（项目）　（Schulversuch Reformklassen）
州高等学校法　（Landeshochschulgesetz）
州高校委员会　（Landeshochschulrat）

《州际广播条约》（Rundfunkstaatsvertrag）
州联席委员会（Länderausschuß）
州宪法（Landesverfassung）
州议会（Landesparlament）
州议会和行政机关（Landesparlament und der Exekutive）
州长/总理（Ministerpräsident）
州政府文化教育主管部门/州文教部（Kultusministerium）
州职业教育委员会（Landesausschuss für Berufsbildung）
州中小学顾问委员会（Landesschulbeirat）
（州中小学）教师教育法（Lehrerbildungsgesetz）
（州）中小学法（Schulgesetz）
州专业部长委员会（Konferenzen der Fachminister der Länder）
主管当局（Zuständige Behörden）
主管机构（Zuständige Stellen）
主流文化（Leitkultur）
主体中学（Hauptschule）
主席（Präsidentin / Präsident / Vorsitz）
主席办公室（Präsidialamt）
主席团（Präsidium）
主要专业委员会（Hauptausschüsse）
专业学校（Fachschulen）
专员（Beauftragte）
卓越大学计划（Exzellenzinitiative des Bundes und der Länder zur Förderung von Wissenschaft und Forschung an deutschen Hochschulen）
自带设备计划（Bring-Your-Own-Device-Konzept）
自由大学生群体联邦协会（Bundesverband Liberaler Hochschulgruppen /BLH）
自由民主党（FDP）
自由职业者协会（Bundesverband der Freien Berufe /BFB）
《自由秩序原理》（The Constitution of Liberty）

宗教潜修或理想实践学校　（Bekenntnis-oder Weltanschauungsschule）

（综合性大学的）全体院系大会　（Allgemeine Fakultätentag）

综合职业教育　（硕士）（Berufliche Bildung integriert）

综合中学　（Gesamtschulen）

总委员会　（Hauptausschuß）

《作为高校自治机关的高校委员会》　（Hochschulräte sind Hüter der Hochschulautonomie）

《作为机遇的多样化——州政府跨文化开放纲领》　（Als Chance Vielfalt: Leitfaden zur interkulturellen Öffnung der Landesverwaltung）

# 后　记

从最初接触“治理”研究，至今已四年有余。随着搜集和阅读资料的不断增多，本书作者发现，尽管国内外学界对“治理”的解释莫衷一是，但学者们大体上都认为，“治理”不同于以往的“管理”和“统治”，它更关注多元化主体在应对同一问题时所形成的权力结构及互动机制。正是秉持着这样的“治理”理念，笔者开始重新审视德国教育制度的演变及特色，并从中发现了许多值得中国借鉴的经验和教训。

本书写作的启动和完成，有赖于“全球教育治理研究”课题组的信任及支持。在此要特别感谢课题组负责人周洪宇和王建梁两位教授，是他们给了本书作者参与课题、拓宽学术研究视野的机会。此外，还要感谢申国昌教授等其他课题组的专家，以及湖北教育出版社的领导和编辑，他们都为本书提出了许多宝贵的修改意见。最后，还要感谢华中师范大学历史文化学院的领导和作者的家人。没有他们在工作和生活上的支持，本书的写作也是难以完成的。

由于作者是研究历史出身，对许多教育学的概念和理论缺乏深入的了解，故本书中难免存在一些不足之处，在此还望各位专家批评指正。

岳伟

2019年3月于武昌桂子山